C'est Mozart
qu'on assassine

GILBERT CESBRON | *ŒUVRES*

Gilbert Cesbron

C'est Mozart qu'on assassine

Éditions J'ai lu

Je me penchai sur ce front lisse, sur cette douce moue des lèvres, et je me dis : « ... voici Mozart enfant, voici une belle promesse de vie... Protégé, entouré, cultivé, que ne saurait-il devenir!... » Mais il n'est point de jardinier pour les hommes... Mozart est condamné.

SAINT-EXUPÉRY.

I

LE PLAISIR, LE BONHEUR, LA JOIE

Il arrêta sa voiture dans une rue écartée et s'assura avec une apparente nonchalance que personne ne l'avait suivi. Le rétroviseur lui renvoya une image qui le fit tressaillir : des yeux hagards, un visage presque cruel, un sourire de renard ; c'était le masque du plaisir et il en éprouva une courte honte. Malgré son impatience, il amena lentement son profil dans le petit miroir sans se quitter du regard, fronça les sourcils, porta à sa tempe une main intimidée. Oui, c'était bien un cheveu blanc, le premier... Il se vit changer de sourire. Ce « fil d'argent » lui paraissait une sorte de consécration : le témoin de sa réussite bien plus que l'annonce d'un déclin. « Je l'ai mérité... » Il eut le bon sens de rire de cette pensée, mais seulement un instant plus tard et son visage rond redevint alors celui d'un enfant.

Il sortit, ferma les portières avec soin, faisant le tour de la Porsche afin de vérifier chacune d'elles. Il ne craignait pas qu'on la lui volât (la semaine même, elle serait remplacée), mais seulement d'avoir à déclarer dans un commissariat qu'elle se trouvait à cette heure-ci dans cet endroit-là. Et puis c'était le reste du monde qu'il enfermait ainsi quatre fois plutôt qu'une : le bureau, la maison, Agnès... Il évita, ce soir encore, de songer à Martin, sept ans.

« Remplacée dans la semaine »... Cette phrase inhumaine, Agnès l'avait prononcée peu de jours après leur mariage, à propos d'un objet coûteux. Il entendit sa voix si désinvolte, revit ses yeux inquiets :

— Mon chéri, pourquoi me regardez-vous comme ça ?

Comme une étrangère, oui ! car ce n'était pas seulement une parole de riche, mais la définition même de la richesse ; à l'époque, cette phrase l'avait scandalisé. Depuis...

Avec une rouerie calculée, il s'était arrêté assez loin de l'immeuble : comme pour brouiller sa piste, interposer entre la voiture, sa complice, et ce rendez-vous quotidien une ou deux rues de pauvres et ces cinquante pas qu'il tentait de parcourir nonchalamment, quoiqu'il sentît battre son cœur jusque dans le bas de son ventre.

Comme il traversait la chaussée, il vit trembler le rideau de la fenêtre vers laquelle il évitait si soigneusement de paraître lever les yeux et, au même instant, ses entrailles et ses reins frémirent d'impatience. Pourtant il n'allongea ni ne pressa le pas, s'efforçant, au contraire, de le ralentir afin de ressembler davantage au personnage puissant et sûr qu'attendait celle dont la main, en ce moment, crispait le rideau léger. Il ferma les paupières, évoqua son visage et y parvint si distinctement que le sien tout entier sourit de tendresse. Marion... Les yeux de ce bleu ténébreux qu'ont ceux des tout-petits, le soleil noir des cils, lesquels paraissaient toujours salpêtrés de larmes, le regard chargé, à son insu, d'un reproche parfois insoutenable, un nez court dont les ailes palpitaient comme si l'air lui manquait, les lèvres gonflées d'un enfant qui vient de pleurer, la

6

bouche toujours entrouverte — un visage qui donnait sans cesse envie de le consoler, mais en le couvrant de baisers. « Marion sans défense, mon petit enfant... »

A marcher posément en se grandissant, en roulant les épaules, il était devenu le personnage même que guettaient ces yeux du bleu des mers, et il en ressentait une supériorité stupide sur tous ces passants gris, sur ces inconnus que d'avance il jugeait médiocres, inutiles. Il ne lui vint pas à l'esprit que l'une ou l'autre de ces femmes anonymes pût être la Marion de quelqu'un — ce qui est le grand secret de l'amour des autres. Au lieu de se réjouir du bonheur de l'avoir rencontrée, il s'en félicitait, comme si cette suite de hasards eût été de son fait. C'est le travers de ceux qui *réussissent*.

Le rideau trembla de nouveau. « Elle va ouvrir la croisée, se pencher, me faire signe », songea-t-il avec impatience ; mais il était profondément assuré du contraire : que jamais Marion ne commettrait la moindre « imprudence » et qu'elle évitait d'instinct tout ce qui pouvait l'irriter. C'était aussi pour cela qu'il l'aimait : elle savait « rester à sa place », expression ignoble et qu'il n'eût pas osé formuler.

C'était un immeuble sans concierge. Les boîtes aux lettres alignées livraient bonnement le nom des habitants et même, selon l'écriture, un peu de leur caractère. *MARION DESTREE*, d'un graphisme rond, assez enfantin, était la seule qui lui parût de bon goût ; l'écriture des indifférents nous est doublement indifférente. Ce nom parmi tous les autres, ternes ou prétentieux, que lui rappelait-il ? Un soir, il était passé prendre Martin à la sortie de son école : son visage au milieu de tous les autres, seul vivant... Mais il chassa aussi ce souvenir.

MARION DESTREE. Il n'avait jamais lu son écriture ailleurs que sur ce cartouche naïf. (Elle n'aurait pas risqué cette imprudence !) Si pourtant, une fois, un papier trouvé sous l'essuie-glace de sa voiture : « Non, ce n'est pas une contravention, mais je passais par-là. » Puis une épaisse rature sous laquelle il avait déchiffré par transparence : « Je t'aime !! » — et peut-être l'avait-il davantage aimée de l'avoir barré que de l'avoir écrit. Mais ces deux points d'exclamation lui avaient été insupportables. Exagération, absence de retenue, travers de femme : Agnès en faisait autant ; et ce trait de ressemblance entre elles — le seul, pensait-il — l'avait inquiété, comme si ce fil ténu risquait de faire communiquer deux mondes interdits. Quelle « imprudence » !

— Mais pourquoi pas deux points d'ex... ?

— Cela ne se fait pas, Marion, voilà tout !

Comment ne pas baiser cette moue, ces paupières baissées, ne pas demander pardon à ce visage qui, tout entier, demandait pardon sans comprendre ?

Ce soir, les fentes des boîtes aux lettres lui paraissaient autant de meurtrières. Cette constellation de voisins, il les voyait tels des oiseaux de nuit, nichés au plus secret d'un grand arbre de ciment, et suivant de leurs yeux fixes ses visites à Marion. « C'est tout de même inouï qu'on ne puisse pas être libre ! » (Cela signifiait : libre de mal agir.) N'y avait-il donc pas un moyen *d'acheter* cette tranquillité-là, comme le reste, comme on remplaçait une voiture volée ?

Pourtant, cette clandestinité, ces risques qu'il croyait illusoires faisaient partie de son plaisir. Il se jouait la comédie du tremblement comme on le doit lorsqu'on raconte une histoire aux enfants. Pour lui, l'épisode Marion était, dans tous les sens du mot, une « aventure ».

Ainsi s'attardait-il dans cette entrée assez sombre,

Dieu merci, respirant l'odeur de cuisine et de peinture qui est celle des immeubles pauvres mais encore assez neufs pour faire illusion. Il retardait, en ne songeant qu'à lui, l'instant de retrouver ce corps si lisse et dont le goût... — Oui, le *goût :* ce n'était pas seulement son toucher, son odeur, ce mélange du tiède et du frais, de nonchalance et de vivacité, de moelleux et de fermeté — cela, tous les corps vraiment jeunes en partagent le privilège ; mais le goût de celui-ci était exquis. Jamais, de toute sa vie d'homme, il n'en avait rencontré un seul qui lui fût comparable. Oui, peut-être (mais cette idée ne lui vint pas), le temps avait-il, pour lui, viré de bord à son insu, et le contraste entre un corps si jeune et le sien lui devenait-il seulement sensible.

Il s'est arrêté ; il songe à ce corps qui l'attend, si sauvage et si bien apprivoisé. Son corps entier y songe et il est déjà nu. Que reste-t-il de cet homme important et riche que le portier guette, au seuil de la société qu'il dirige, afin que, chaque matin, se déroule sur son passage le cérémonial qui lui est dû ? De cet homme aux lunettes d'or, au visage si vite crispé, à la voix basse mais impérieuse, que reste-t-il parce qu'à trois étages de là... ? Un chasseur ! pas même : une bête.

Il vit déjà cet autre rituel quotidien, aussi convenu que l'autre, et dont la monotonie même assure son plaisir. Un jour, peut-être, la volupté d'y rêver ainsi par avance sera-t-elle plus précieuse que celle de le vivre. Il refuse cette pensée ; il y a trois ans qu'il refuse tout ce qui peut faire obstacle à ses plaisirs et à leur certitude, tout ce qui risque de troubler son présent mais aussi l'avenir : trois ans qu'il est vraiment riche.

Agnès... Depuis un instant, l'image d'Agnès s'impose à lui très inopportunément. D'habitude, il parvient d'instinct à la reléguer jusqu'à l'heure de plus en plus tardive où, les sourcils froncés, il jette son porte-documents sur le divan du vestibule.

— Quelle journée, ma pauvre chérie !

— J'ai été obligée de faire dîner le petit.

— Bien sûr. (Il préfère cela ; le regard fantasque et têtu de Martin, « son regard de poney », le gênerait plus encore que celui d'Agnès.)

Mais ce soir, parce que le ciel d'automne commence à prendre ses distances, et qu'il y a... mon Dieu, huit ans déjà ! il sortait plus tôt du bureau afin d'emmener Agnès marcher au Bois ; ou peut-être parce qu'il existe, plus subtil que les deux points d'exclamation, quelque trait physique commun à ces deux femmes qui ne se connaîtront jamais, ce soir il ne peut éluder Agnès. Allongée, « non, pas souffrante mais fatiguée », c'est toujours ainsi qu'il l'imagine. Fatiguée de quoi ? Il se figure qu'elle demeure, toute la journée, telle qu'il l'a laissée le matin et la retrouve si souvent le soir. D'ailleurs, qu'a-t-elle à faire d'autre ? Il parvient à se persuader que lui-même ne travaille, toute la journée, que pour lui permettre ce repos, cette paresse, et il en tire autant de fierté que d'irritation. Fier, mais surtout rassuré : depuis qu'il connaît Marion, il rameute tous ses griefs contre Agnès ; c'est la balance du diable. Confort, domestiques, robes, bijoux, voitures — Agnès « qui ne les mérite pas » n'en jouit même plus, tant ils lui semblent dus, alors que Marion en est frustrée. Et n'est-ce pas pour rétablir l'équilibre, réparer cette injustice que, chaque soir, il vient ici ? Avocat de génie, l'humain le plus borné, lorsqu'il s'agit de se justifier à ses propres yeux ! Celui-ci pense encore : « Pourquoi Agnès a-t-elle à ce point changé depuis notre mariage ? » La peau si lisse et l'admiration attentive qu'il vient voler ici, étaient siennes sept ans plus tôt : il ne la trompe pas mais, au contraire, la recherche, la retrouve ici ; au fond, il est demeuré plus fidèle qu'elle... Voilà jusqu'où ose se laisser penser cet homme important que, depuis des années, on ne contrarie plus — ce qui est le signe mais aussi la malédiction de la réussite ; cet homme si « délicat » qu'il ne pourrait sûrement pas mal agir sans avoir auparavant endormi sa conscience. Tant pis pour Agnès ! Le plus malaisé reste de parvenir à chasser ses yeux, dont il s'avise soudain, ce qui est fort gênant, qu'ils ressemblent à ceux de Marion : pareillement chargés d'angoisse et de reproche, mais avec une nuance de dédain toujours prêt qui, pour l'instant, le brûle. Impossible, ce soir, de s'innocenter tout à fait ! Son plaisir s'en trouve compromis d'avance ; il en veut à Agnès, à Marion, au monde entier, sauf à lui-même.

Tout cela, qui met en jeu sa vie et son âme, n'a guère requis plus de temps que n'en prend la foudre pour tomber. Un bruit de pas dans l'escalier... Le visage rond achève de se crisper. Sortir dans la rue ? Se dissimuler, mais où ? Et à quoi bon se justifier si laborieusement pour, à la moindre alerte, se comporter en coupable ? Ce témoin si gênant, il l'attend donc en affectant un naturel transparent — et c'est pitoyable. Le président-directeur général, l'homme à la Porsche, espère de toutes ses forces que cet inconnu le prendra pour un courtier, un quémandeur ou l'ami d'un de ces ratés qui habitent l'immeuble.

Les pas se rapprochent, ils descendent deux marches à la fois, et un fredonnement les accompagne. On s'arrête sur le palier de l'entresol pour compter tout haut les barreaux de la rampe ; puis Marc voit apparaître des souliers délacés, des petites jambes sales, une chemise qui déborde sans retenue d'une culotte débridée ; enfin, luisant dans la pénombre, deux yeux qui projettent leurs merveilles sur ce décor sans mystère. L'étonnement les ternit d'un coup ; mais, de l'étranger ou du petit garçon, quel est le plus surpris du face à face ? Dans les prunelles trop larges se mêlent visiblement la confiance et cette défiance tout aussi instinctive que ressent un enfant devant une grande personne. Il vient à celui-ci l'une de ces phrases clés qui lancent une passerelle entre le monde des petits et celui des adultes :

— Quelle heure est-il, s'il vous plaît, monsieur ?

— Je... oui... pourquoi ?

Il se ressaisit, retrouve sa stature mais, un instant, cette petite créature a eu barre sur lui. Si elle lui avait dit : « Monsieur, il faut t'en aller », il eût obéi sur-le-champ.

— 6 heures et demie, bonhomme.

« Bonhomme », c'est ainsi qu'il appelle Martin. Comme si c'était un mot de passe, le petit inconnu sourit en découvrant deux dents trop larges qu'il semble avoir volées à ce Martin et détale en murmurant pour lui seul :

— Alors, j'ai le temps, j'ai le temps.

Avant d'atteindre la rue il aura déserté cet univers des grandes personnes que régit le Temps et retrouvé la comptine qu'il chantonnait.

« J'offrirai une montre à bonhomme pour ses huit ans, songe le père de Martin. Quand est-ce, déjà ? »

Ayant ainsi rassuré sa conscience, il gravit l'escalier, deux marches à la fois lui aussi.

Depuis plus d'une heure, elle se tient devant la fenêtre ouverte, mordillant une mèche de ses cheveux — c'est son tic — et penchée sur le fleuve de la rue. Elle y suit de l'œil ces malheureuses fourmis

qui vaquent aveuglément à leurs servitudes quotidiennes et qui, tout à l'heure, cesseront soudain
d'exister parce qu'une silhouette bleue... Non, grise,
le jeudi ! Marion connaît tous les costumes de son
amant.

— Mon amant, répète-t-elle à haute voix, mon
amant...

Elle imagine la penderie de Marc un peu comme
le placard de Barbe-Bleue ; mais elle est loin du
compte : la richesse n'est qu'un mot pour elle.

Le quart de 6 heures — déjà ! — sonne à l'église
voisine dont Marion ne connaît pas le nom. Elle ferme la croisée : si Marc survenait et levait les yeux...
Elle pressent infailliblement ce qu'il aime et n'aime
pas, et croit en toute sincérité que sa fonction est de
ne le contrarier en rien. Est-ce bien l'amour, ou seulement cet instinct de conservation qui induit en
veulerie les êtres sans défense ? Sans défense ! Dans
ses moments vulgaires, la petite Marion pense au
contraire qu'elle « se défend » très bien : à vingt-
deux ans, la maîtresse (encore un mot qu'elle répète
tout haut afin de s'en enchanter) d'un homme aussi
riche, aussi important, et cependant aussi gentil.
C'est devenu un terme de prostituée, mais elle n'en
sait rien ; elle se persuade que si ce Marc n'avait pas
d'abord, n'avait pas surtout été gentil... Elle se figure
aussi que c'est elle qui l'a choisi dans cette foire
aux hommes qu'est la ville et, davantage encore,
l'agence de tourisme dont elle est l'une des hôtesses
d'accueil. Tant de propositions éludées jusqu'à sa rencontre avec Marc lui confèrent l'illusion de sa dignité et de son libre arbitre. Elle pense « Marc » et le
prononce à mi-voix comme un mot défendu, mais
seulement lorsqu'elle est seule. A lui-même elle dit
vous, *toi*, à partir d'un certain moment, et quelquefois *monsieur* par moquerie.

— Je pourrais être ton père !

Ce n'était qu'une boutade, inexacte à quelques années près. Il n'a pas vu Marion tressaillir à l'entendre. Pour elle, un père c'est ce qui vous abandonne à l'âge de cinq ans, un perpétuel objet de hargne et de regret, un fantôme qu'une mère invoque chaque fois que l'argent fait défaut, que l'administration vous persécute, ou qu'un homme vous manque de respect. « Il pourrait être mon père : m'apporter la sécurité dont ma mère a toujours manqué. Oh ! cesser de vivre au jour le jour... » Père, époux et même parfois son petit enfant, en vérité Marc lui tient lieu de tout. S'il s'en doutait, il rebrousserait chemin...

Elle ferme sa fenêtre mais demeure debout, la main posée sur le voilage avec cette sorte de patience aux griffes toutes proches, celle du chat guettant au trou d'une souris. « Et s'il ne venait pas ? » D'un coup, le monde bascule en plein hiver ; mais cette angoisse même flatte et rassure Marion : « C'est que je l'aime, je l'aime... » — Non, seules sa faiblesse et sa vanité s'affolent ici. Comme tant de femmes, elle baptise hâtivement amour ce qui lui manquait et, comme tant de jeunes, ignore encore quelle part de ce vide ne peut être comblée. Elle croit aimer Marc ; ce qu'elle aime seulement, corps et âme, c'est ne plus avoir peur. L'importance, la richesse de Marc la protègent contre les autres, contre demain. De lui, elle n'a jamais rien confié à ses camarades ; mais son parfum précieux, la griffe de ses foulards et sa discrétion même en parlent à sa place. Elle se sait enviée et cela contribue assez bassement à sa sécurité ; ce n'est qu'un rempart de papier, mais les pauvres peuvent vivre à l'abri de tels murs. Que Marc appartienne à une tout autre classe sociale la rassure au lieu de la désespérer. Cela rassure également l'homme important qui, en ce moment même, verrouille sa belle voiture, à deux rues de là.

Le voici ! La main écarte complaisamment le voilage avec une rouerie instinctive : « Qu'il voie bien que je le guettais mais que je ne me montre pas... » Elle le suit des yeux : un crâne bien rond et déjà dégarni, des épaules fortes, à peine lasses, et cette lenteur : celle du lutteur qui marche à la rencontre de l'adversaire. On dirait même qu'il vient de ralentir son allure ; cela n'offense pas celle qui l'attend, car à l'impatience d'un amant elle préfère cette assurance tranquille. Est-ce bien aimer, Marion ? Pourtant, à cause d'une silhouette grise qu'elle seule y remarque, la rue entière vient de se métamorphoser à ses yeux : la rue, le ciel, et cette extrémité de la branche d'un arbre qui, par miracle, survit dans ce pâté de ciment et que Marion n'a pas regardée depuis des jours. Elle s'avise soudain que l'automne est là, convalescent déjà condamné, que les oiseaux lui manquent et qu'elle vit, qu'elle vit !

L'immeuble vient d'avaler Marc. Vite ! Ouvrir la porte aussi doucement que le vent. Elle traverse son minuscule logis dont elle fait l'inventaire en chemin avec des yeux tout neufs : ce qui lui vient des siens, les vestiges de l'enfance étroite de Marie (car Marion est un surnom de charme), et tout ce que Marc y a apporté, alluvions d'une autre planète qu'elle se force à trouver belles. Elle enfouit prestement dans un tiroir la photographie de sa mère aux boucles d'oreilles et aux traits tirés, et quelques objets auxquels elle tient mais qui, chaque fois, font se froncer les sourcils par-dessus les lunettes d'or. La voici debout derrière la porte, attentive aux bruits de l'escalier. « Pourvu qu'il n'y rencontre personne ! » Les pas sont bien longs à se faire entendre aujourd'hui ; le cœur anxieux de Marion les remplace. Elle ne sait pas à quel point ce regard d'enfant qui prend peur, ces lèvres d'enfant près de pleurer sont justement ce qu'attend Marc.

Agnès secoua sa tête avec impatience. Depuis combien de temps rêvait-elle ? et à quoi ? — Mais qu'importait ! Aucune obligation, sinon futile, ne venait lui rappeler l'heure, pas plus cet après-midi que ce matin, pas plus aujourd'hui qu'hier. Cela peut passer au yeux de certains pour le bonheur.

Aujourd'hui — mais quel jour était-on ? — elle avait rangé ses placards à linge. Si Marc l'apprenait, il lui dirait encore, d'un ton plus humilié qu'humiliant : « C'est le travail de la femme de chambre ! » Mais toute besogne qu'elle pouvait entreprendre à la maison ne relevait-elle pas de l'un des trois domestiques ? Et puis compter son linge, modifier quelques piles comme on retourne un enfant dans son lit sans troubler son sommeil, ajoutait à son bonheur. Elle savait qu'elle retrouvait alors les gestes de sa mère, de sa grand-mère, de toutes celles qu'elle n'avait point connues, qui, de loin, lui avaient préparé cette vie tranquille et, de plus loin encore, la préservaient. Sur les planches patientes, des générations de draps s'accumulaient comme les fantômes paisibles dans le vaste caveau du Père-Lachaise : FAMILLE FONTAINE.

Agnès avait recensé dans la pénombre dix fois plus de linge qu'il n'en fallait à la maisonnée pour naître, vivre et mourir; mais une telle réserve fait aussi partie du bonheur des femmes comme tout ce qui paraît arrêter le temps et gager un avenir sans fin. Elle venait de refermer ses placards à regret; de renfermer cette odeur de paysanne endimanchée dont la simplicité et la fadeur même éveillaient en elle une nostalgie singulière.

16

Elle prêta l'oreille. Autour d'elle sous elle, la demeure était aussi silencieuse que ses placards à linge et aussi ordonnée. Pas un siège boiteux, une serrure réticente, un rideau taché... Son esprit inventoriait cette maison parfaite ; elle ne pouvait s'empêcher d'en ressentir une certaine anxiété, et ce qui ajoutait à cette angoisse était qu'elle fût inexplicable. Quelque part dans le voisinage, une mouche d'automne s'irritait contre une vitre close ; de la cuisine basse provenait un filet de musique assez vulgaire. « Il faudra que je répète à Maria... » Clap... Clap... clap... Albert, avec des ciseaux de géant, taillait les buis du jardin. Tous les ans, à cette époque... — Mais quelle année était-on ?

Agnès fit un pas vers l'escalier et son cœur lui parut suspendre ses battements comme si son corps tout entier se rendait attentif. Elle en fut récompensée par un murmure lointain qui tenait à la fois de la mouche et de la chanson. Elle-même murmura : « Martin... »

Le petit garçon jouait dans le bureau de Marc, pièce qu'il avait choisie parmi toutes après une exploration de chat, et où il retournait, en dépit des interdictions, avec la paisible obstination d'un chien. Il la préférait pour toutes sortes de raisons si incompréhensibles aux grandes personnes qu'il paraît inutile de les énumérer. Agnès l'entendit qui bruissait et s'affairait à l'étage inférieur, et un sourire lui vint aux yeux puis aux lèvres en songeant aux temps où c'était au fond d'elle-même que remuait doucement l'enfant tant attendu. Ce sourire, comme presque tous, transforma son visage ; ou plutôt il lui restitua le visage de son enfance, celui qu'aimait son père et qu'avait altéré, plus encore que le temps, l'argent dont ce père l'avait comblé. Du « grand

Fontaine » il ne restait qu'un minuscule portrait du *memento* d'un missel oublié, un plus grand sur le piano du salon et, paraît-il, un immense dans le hall de Fontaine et Cie, Entreprise et Promotions immobilières. « Et Cie », c'était Marc ; et « Promotions » aussi : à la mort du fondateur, le terme existait à peine. C'était l'époque où les terrains gardaient bonnement leur valeur, où les logements servaient à loger et non à spéculer. Depuis, Marc avait démesurément réussi, l'époque aidant. Fontaine et Cie construisait moins et gagnait bien davantage. Agnès et Marc n'avaient cependant rien changé au train de leur vie : dans un verre plein, comment ajouter une seule goutte ? Mais ils n'avaient pas non plus troqué leur verre pour un plus grand : n'était-ce pas là cette fameuse sagesse bourgeoise ? Agnès se sentait sincèrement navrée qu'il y eût des pauvres ; mais quoi, il existe bien des nègres... Qu'y peut-on ? Que les siens et leurs semblables pussent avoir une responsabilité dans cet état de choses ne lui était jamais venu à l'esprit. Heureusement ! car elle était beaucoup trop vulnérable pour affronter certaines idées. Du moins l'en avait-on, dès l'enfance, tellement persuadée que c'était devenu sa vérité. A force de la préserver, elle n'avait pas cessé d'accroître cette fragilité. Les enfants uniques sont souvent ainsi élevés qu'ils se dédoublent, l'un ne cessant de surveiller l'autre et de le protéger.

Le grand Fontaine, son père, qui, à cinquante ans, frôlait le milliard, se rendait quotidiennement à son bureau en autobus. Cela en imposait beaucoup aux moins riches que lui, nullement aux pauvres. Depuis la mort de sa femme, il portait apparemment le même costume, la même cravate ; ses trois ou quatre voitures étaient noires, elles aussi. Un régent élève le dauphin avec beaucoup plus de scrupules que ne le fait un roi : la petite Agnès, qui n'avait pas encore atteint l'âge de raison, seule créature féminine qui restât à la maison, en était devenue la merveille. Défense de la contrarier ni même de l'attrister ! Le grand Fontaine, qui vivait dans une superbe simplicité, éleva sa fille unique dans cette cage d'or massif et, le temps venu, chercha plutôt un successeur qu'un gendre. Sa stupeur, lorsque son Agnès si docile lui amena par la main cet étudiant en médecine, originaire d'une province que le Dr Lapresle (le père) soignait avec un dévouement qui ne l'avait guère enrichi ! Stupeur, scandale et déception : un futur médecin, et pauvre, alors que Fontaine aurait pu, comme les anciennes familles régnantes, s'allier avec les Ciments, les Transports ou la Banque afin d'agrandir son royaume... Ce jour-là, il regretta la tradition familiale de l'enfant unique, laquelle, au moins autant que leur labeur, avait amassé le milliard des Fontaine. Depuis vingt ans, Agnès buvait de l'eau minérale, n'avait jamais joué avec un enfant pauvre, jamais vu un film de guerre ; depuis vingt ans, on lui épargnait tout risque et toute contrariété. Elle épousa donc son apprenti médecin dont le père, de surcroît, faisait grise mine. De quelle fille de pharmacien ou de quelle hobereaute rêvait-il donc pour son Marc ?... Et puis la tradition Fontaine, la fortune Fontaine avaient été les plus fortes : fils, petit-fils et arrière-petit-fils de médecin, Marc Lapresle-Fontaine avait choisi de renoncer à ses études, de s'initier aux affaires, d'entrer dans l'entreprise aux côtés du beau-père, et celui-ci avait pu, l'autre année, mourir tranquille d'un infarctus hautement mérité. Son chagrin mis à part, Agnès n'avait guère plus ressenti ce changement qu'une péniche qui franchit une écluse. Elle était tombée dans le piège que, génération après génération, les

Fontaine lui apprêtaient depuis 1880 : la sécurité lui tenait lieu de bonheur.

Non, voilà qui n'est pas équitable : car, de ce bonheur, Martin demeurait la clef de voûte — mais en était-elle bien consciente ? Martin qu'elle croyait devoir élever comme elle-même l'avait été, mais qui, de toutes ses forces, résistait. Martin qui...

Il lui vint une irrépressible envie de voir, d'entendre, de toucher son petit garçon. Elle descendit l'escalier, souriant d'avance, les mains en forme de caresse. « Il est à moi, se répétait-elle presque anxieusement, à moi... » Il lui semblait soudain que, de cette maison, de ces meubles qu'elle avait toujours connus, rien ne lui appartenait vraiment — rien que ce petit enfant, le seul être qui l'eût jamais fait souffrir dans son corps, le seul pour qui elle tremblât. Cette pensée, qui la comblait, lui fit peur et, en passant devant l'un des téléphones, elle composa, sans autrement réfléchir, le numéro de Marc : de Marc le Sûr, le Solide, de Marc dont la seule voix suffisait à la rassurer.

— Monsieur le Président est en conférence. C'est de la part de qui, s'il vous plaît ?

— Ça ne fait rien. Merci.

Une pendule sonna 6 heures et quart. Toujours ces conférences... Près de l'appareil, se trouvaient côte à côte leurs trois photos ; c'était, dans ce coin sacrifié, la seule concession que Marc eût consentie à ce qu'il appelait la sentimentalité d'Agnès. (Le portrait du père Fontaine dressé en reposoir sur le piano, voilà qui lui semblait parfaitement vulgaire.) Agnès s'assit sur une marche, le menton sur les genoux, et contempla les trois visages. Celui de Marc, rond et plein comme la terre, avec ce regard qui n'interrogeait jamais et cette bouche entrouverte, non pour sourire mais pour parler. Comment vivre sans un compagnon qui eût réponse à tout ? Durant son enfance, elle avait cru naïvement que son père savait tout ; d'ailleurs, n'était-ce pas le rôle des hommes ? Puis elle avait reporté cette confiance sur Marc. Mais son visage si fort, si sérieux, était aussi celui d'un enfant. La photo de Martin, toute proche, en fournissait la preuve : Agnès y retrouvait les mêmes traits, mais tendres, fragiles, encore fantasques, comme le sont un poulain, un arbuste. En revanche, ces yeux vastes et leur regard exigeant, anxieux, lui venaient d'elle ; et ces lèvres, dont les coins s'abaissaient à la moindre contrariété ; et ces cheveux, couleur du blé qu'on tarde à moissonner. Mais ce qui n'appartenait qu'à Martin, l'invention de Dieu sur ce visage, c'étaient ces deux fossettes que la moindre pensée malicieuse lui piquait de part et d'autre de la bouche, surtout lorsqu'il se retenait d'en rire, et qui le dénonçaient. Et cette oreille écartée de la tête, une seule ! comme dans les images d'Epinal où la curiosité se trouve punie. Et cette pincée de son qu'on semblait lui avoir jetée au visage et qui, au soleil des vacances, devenait taches d'or. La première fois (et presque la seule) que le Dr Lapresle avait vu son petit-fils, il avait pétri ce visage d'une main ferme de médecin, tourmenté, de la nuque au front, le petit champ de blé d'où jaillissait un épi indomptable, et murmuré : « C'est un enfant d'été... »

Auprès des deux autres, sa propre image parut à Agnès terne et comme absente, retirée. Elle détestait se regarder : elle se coiffait de mémoire, en aveugle, se maquillait à peine, ce qui accentuait sa fragilité et sa pâleur, et ne jetait au miroir qu'un coup d'œil de contrôle. Cette personne vivante et dont elle portait l'entière responsabilité lui imposait et l'effrayait un peu... « Peur de leur ombre » — mais combien plus ont peur de leur personne ! De ce visage, le sien, elle ne voyait jamais que les défauts : ces « yeux immenses » qu'une expression navrée agrandissait encore ; ce « monument de cheveux » dont Marc n'avait jamais permis qu'elle modifiât l'ordonnance ; ce « teint blafard » (diaphane, en vérité) ; ces « lèvres trop mûres » dont la pourpre s'alliait secrètement à l'or un peu las de la chevelure : « Vendange et moisson », avait dit Marc, la veille de leurs fiançailles. Cette parole encore vivante et dont elle ne savait point qu'il l'avait oubliée la réconciliait un peu avec ce visage qui, « tout entier, semblait vous regarder de haut ». C'était encore un jugement de Marc, mais plus récent...

Très vite, comme pour superposer ces trois images, elle reporta son regard sur le portrait de Martin puis sur celui de Marc. Cet enfant à la ressemblance de l'un et de l'autre lui paraissait incarner leur amour. « Voilà sans doute ce que Marc appelle une pensée de femme de chambre », se dit-elle. Elle entendit Martin qui, dans le bureau, poussait ses cris d'Indien. L'enfant était bien vivant — mais l'amour ?

Sans réfléchir davantage, elle rappela le bureau de Marc. La même voix, du même ton, lui fit la même réponse. Elle insista, alla jusqu'à se nommer ; le ton changea, pas la réponse. « Et si Martin était malade, pensa-t-elle, s'il était mort (et son cœur battait fou), on ne dérangerait donc pas M. le Président ? » Elle eut, à ce moment, l'intuition que l'Affaire, l'Argent constituaient une personne vivante, son ennemie. Mais cette idée contredisait si gravement la vision du monde que, de mère en fille, on se transmettait chez les Fontaine qu'elle la bannit docilement. Elle se laissa de nouveau dériver vers ses rêveries, tapie en petite fille sur cette marche d'escalier, comme

Martin en ce moment même — mais ne l'avait-elle pas oublié ? — sur la moquette du bureau.

Ce fut sa petite voix, toujours pointue, même lorsqu'il incarnait, comme présentement, le Chef suprême des Satellites au cap Canaveral (il disait « Carnaval »), qui rappela sa mère à elle, c'est-à-dire à lui :

— 5... 4... 3... 2... 1... Zoro !...

Agnès bondit, comme la fusée imaginaire. Ses yeux reflétaient encore le portrait de Martin : en ouvrant la porte, elle allait mesurer d'un coup combien et comment il avait changé depuis ce temps-là. Mais elle ne pénétra pas dans le bureau : la femme de chambre venait de déposer dans le vestibule le courrier pour Monsieur et Madame, et Madame demeurait fascinée par la première enveloppe de la pile. Son nom s'y lisait en lettres bizarres qu'on eût dites découpées dans une page de journal.

Embusqué derrière le fauteuil de son père, Martin soutient l'assaut d'une troupe d'Indiens Comanches dont, l'instant d'avant, il était le chef. Pschiaou... pschiaou... les balles de son célèbre Colt frontière miaulent dans le désert de la sierra Nevada et plus d'une ricoche sur un rocher torride avec un bruit mat qui convulse la face du tireur... Ecoutez ! N'est-ce pas le grand Cañon du Colorado qu'on entend tonner d'ici ?

— Damnation ! tous mes chargeurs sont vides...

C'est une phrase magique dont Martin n'a jamais bien compris le sens, sinon qu'à ces mots la victoire change de camp. En effet, padadam, padadam, padadam, voici qu'au galop de leurs mustangs, les guerriers emplumés entament leur ronde infernale. De rocher en rocher (le poste de télévision... le grand fauteuil de cuir...), colonel Martin cherche un refuge de plus en plus précaire sous un ciel de plus en plus orageux. Aaah ! — une flèche en plein cœur, il tombe mort ; c'est la seule façon de reprendre souffle quand on joue tout seul.

Allongé sur le tapis, assez attendri par son propre sort, le colonel se demande s'il va enchaîner sur une scène d'hôpital ou sur ses funérailles : blanc ou noir ? Sur rien de tout cela : les yeux fermés, il essaie passionnément de se figurer l'intérieur de son corps qu'il imagine assez semblable au moteur de la Porsche. Il prête l'oreille jusqu'à percevoir un ronronnement rassurant et hasarde de petits mouvements qui mettent en jeu ses rouages bien huilés de sang. Il éprouve, l'un après l'autre, les doigts de ses mains et, dans le feutre des pantoufles, ceux de ses pieds. Tout fonctionne, même à l'extrême ralenti. Quelle réserve de puissance ! Il est heureux ; le monde est un tapis épais.

« Il est temps de se retourner », se conseille-t-il à mi-voix. Il change de flanc : il vient de penser à ce sang qui coule toujours du même côté, Niagara silencieux. Ainsi couché, son regard se porte sur le téléphone et sur la radio ; il commence à les réinventer, ce qui n'aboutit pas à une simplification, car il évite l'emploi de cette irritante électricité, la seule dont il ne parvienne pas à percer le secret. « On appuie sur le bouton et ça coule tout seul » — mais il sent bien que cette démonstration n'est pas rigoureuse.

Après avoir, une fois encore, changé la pente de son sang, Martin se met à bourdonner-chantonner et, sur son visage, la ressemblance à sa mère l'emporte mystérieusement sur l'autre : c'est sa mère, en lui, qui rêve là, un peu tristement, sans raison. Martin songe à la petite sœur qu'il désire avec une telle passion qu'il en volerait bien une, mais où, quand, comment ? Une fois, le jour de ses sept ans, il en a parlé à ses parents qui ont échangé un drôle de sourire et répondu que les enfants ne parlaient pas à table. Sept ans, étape décisive ! Quand on avait atteint « l'âge de raison », ne devait-on pas tout comprendre, tout apprendre sans peine ? Il commençait, non sans désenchantement, à douter de cette évidence.

Comme un ruisseau devient rivière, Martin passe insensiblement de la chanson au soliloque ; il parle à cette petite sœur : du haut de l'âge de raison, il lui explique l'univers, tout l'univers — sauf l'électricité.

Et soudain il bondit vers le fauteuil-à-tout-faire et l'escalade ; son visage juste à la hauteur de la glace qui domine la cheminée, il y scrute avidement les stigmates de l'âge de raison. Le voici, comme Agnès, fasciné par son double, mais ce qui effraie sa mère l'enchante. Il hypnotise cet inconnu docile ; chaque geste, chaque expression qu'il lui commande, l'autre à l'instant même l'accomplit. Martin reste à l'affût de la moindre désobéissance, du plus infime retard ; il les espère autant qu'il les redoute : cela le remplirait d'une terreur passionnante. Enhardi par la servilité de son reflet, il ordonne à son oreille droite... Tiens c'est la gauche ! (Il y porte la main : c'est pourtant la droite. Encore un mystère...) Il ordonne à cette oreille qui s'écarte du crâne de rentrer dans le rang. Rien ne bouge. Tant mieux ! Il l'aime bien, son *radar* : il lui prête un pouvoir de détection surnaturel et presque une existence distincte. Tenez, en la collant, comme à présent, contre la vitre glacée qui le sépare du jardin, il entend les plantes pousser. Il les entend, vous dis-je !

Sa propre haleine sur cette vitre, en la couvrant de buée, la transforme en écritoire. De son doigt du jeudi, taché de couleurs et non de l'encre quoti-

dienne, Martin y met au point quelques inventions ;
puis le château fort idéal (avec des souterrains remplis de provisions et de munitions) ; puis sa signature, laquelle ressemble beaucoup à une crevette.

En l'effaçant d'un revers de manche pour la dixiè-
me fois, il aperçoit enfin le carré de jardin qui s'inscrit dans la vitre.

— Les roses sont mûres, dit-il.

« Mûres » depuis trois mois, en effet, mais il ne
s'en avise qu'aujourd'hui. Le monde de Martin ne
change que par à-coups, et son temps tourne toujours plusieurs pages à la fois. Il ne connaît pas
les saisons ; de chacune d'elles il retient un seul signe
et, lorsqu'il le voit poindre, il sait que l'univers vire
de bord. La pomme, la neige, l'oiseau du soir sont
des astres capricieux qui tournent autour du soleil
Martin. La rose aussi. Il essaie, derrière la porte vitrée, de se rappeler son parfum et se désole de n'y
point parvenir. Il ne sait pas encore qu'un parfum
se reconnaît, mais ne se remémore pas plus qu'il
ne s'imagine.

Il lui faut, sur-le-champ, aller respirer les roses
mûres : « Tout et tout de suite ! » est la devise des
enfants. Il ouvre la porte-fenêtre : l'automne s'en-
gouffre à deux battants avec son odeur de veuve, une
houppelande de fraîcheur enveloppe Martin tout entier. Pour parvenir plus vite au jardin, il va prendre
le « départ *Caravelle* » : tous freins serrés, trépi-
gnant sur place, trémulant de la tête aux pieds et,
brusquement, lâchant tout... Chaque fois, depuis qu'il
l'a rêvé, il garde un instant l'espoir qu'il va vraiment
s'envoler en flèche vers l'azur. Mais il se retrouve
seulement un peu déçu et très essoufflé dans l'ombre d'Albert, ombre de septembre à 6 heures du
soir, ogre ténébreux armé de ciseaux à couper les
oreilles. Du jardin voisin, un arbre, du bout de sa

branche, leur fait l'aumône d'un marron d'Inde. Martin le ramasse, l'extirpe de son écrin de daim blanc. Quoi ! les roses et les marrons ensemble ? Son calendrier vacille... Vivant mais froid comme l'automne, le marron tient juste dans son poing fermé : c'est un ami. Oublié, il ira grossir quelque temps la poche d'un petit pantalon comme la noix d'octobre dernier ou le mouchoir tout dur de décembre. Le géant Albert observe de haut, sans grande amitié, cet enfant qu'il enrage de trouver à la fois si semblable au sien et si différent. Sa dignité d'homme libre au service des gens riches le rend bougon envers le petit de ses maîtres.

Un crépitement d'insecte attire Martin au fond du jardin. Albert y a allumé un feu d'automne dont un vent résigné rabat la fumée à hauteur d'enfant. Elle prend le petit garçon à la gorge et lui pique les yeux : debout devant cette pyramide de feuilles putréfiées qui se consument à regret, il ne peut se retenir de pleurer. De vraies larmes ! mais pourquoi ? pourquoi ? Cela ne lui est pas arrivé depuis son otite. Il espérait même qu'à partir de l'âge de raison...

Martin cherche anxieusement la cause d'un chagrin qu'il est un peu honteux de ne pas ressentir. Maman ? papa ? l'école ? sa chambre ? ses jouets ?... Bien sûr, il y a l'absence de cette petite sœur ; mais, un matin, elle arrivera, il suffit d'attendre. Non, vraiment, il est un petit garçon très heureux, le plus heureux des petits garçons — et il pleure, pleure, pleure...

II

A HAUTEUR D'HOMME

— En tout cas, monsieur Marc, l'affaire ne doit pas en souffrir !

C'est la première parole de M. Maucouvert. Il a osé poser sa main sur la manche du patron et même l'y laisser un moment, cette main gonflée de veines froides. Elle porte une large alliance à l'ancienne mode, mais c'est à l'affaire qu'est marié ce vieil homme bien plus qu'à Mme Maucouvert. Il a, de huit ans, dépassé l'âge de la retraite ; pourtant, comme il aime à le répéter (moins jovialement depuis que son cœur flanche) : « Je ne partirai d'ici que les pieds devant... » Si on lui demandait pourquoi les Maucouvert ont quitté leur Bourgogne vers 1816, pourquoi le grand-père a vendu son commerce de drap, et son propre père... — ne devrait-il pas répondre : Afin que leur descendant devienne un jour l'ombre du grand Fontaine ?

Il l'appelait « Patron » ; l'autre le convoquait n'importe où, à n'importe quelle heure : Oui, Patron.

— Venez donc passer ce dimanche à Favières : nous pourrons travailler tranquillement.

— Merci, Patron.

— Euh... avec Mme Maucouvert, naturellement.

28

Non, cette fois encore, elle resterait à Paris avec les enfants : un dimanche de veuve.

— Emile, tu viens à la messe avec nous ?

— Partez devant, je vous rejoindrai : le rapport d'Orléans à terminer...

D'Orléans ou d'ailleurs, les rapports auront été sa messe, ses dimanches, ses vacances. Son titre dans l'affaire, chacun l'avait oublié : on disait seulement « M. Maucouvert ». De ses appointements fort considérables il ne savait que faire et les plaçait au nom de ses enfants ; assez mal, d'ailleurs, car il réservait son génie à l'affaire. Dans l'un de ces sursauts fraternels qu'éprouvent parfois les Importants, surtout après les bons repas, Fontaine lui avait proposé de l'associer à lui. M. Maucouvert avait repoussé un projet qui lui paraissait sacrilège : à une affaire familiale on ne devait pas plus apporter de changement qu'à une maison de famille. De ce jour, il avait redoublé de vigilance aux côtés d'un patron que cette générosité même lui rendait soudain suspect. Il avait écarté les neveux incapables, mais, précepteur du dauphin, c'était lui qui avait initié « M. Marc » à l'affaire et qui, pesant ses mots, avait un matin déclaré au patron : « Notre avenir est assuré. »

Et voici qu'aujourd'hui, pour une ridicule histoire de lettre anonyme, de détective privé et de flagrant délit, pour toute cette pacotille de feuilleton, Mme Agnès exigeait le divorce !

— En tout cas, l'affaire ne doit pas en souffrir...

Il avait, pour parler, retrouvé le ton sans réplique du vieux Fontaine, et Marc se tenait devant lui tel un écolier fautif. Enhardi par ce silence à la tête baissée, il fit peser sa main sur la manche bleue.

— Enfin, monsieur Marc, cette jeune femme, vous n'auriez pas pu... Je ne sais pas moi !

— Rompre ? demanda l'autre un peu trop vivement.

— Trouver un arrangement.

— Si vous le voulez bien, ce sont des problèmes dont nous ne discuterons pas.

Depuis huit jours, chacun de ses interlocuteurs en arrivait, sans jamais le prononcer, au mot « rompre » et l'ancrait ainsi un peu plus obstinément dans ce qu'il nommait, sans l'exprimer davantage, son attitude chevaleresque.

— D'ailleurs, je suis prêt à mettre toutes mes parts au nom de mon fils et à quitter la société. Oui, reprit-il en s'échauffant, repartir de zéro, monsieur Maucouvert. Vous ne m'en croyez pas capable ?

« Il est fou, pensa le vieil homme, ils deviennent tous fous dans ces cas-là... » Il avait depuis longtemps oublié, s'il l'avait jamais connue, la sorte d'aliénation que provoquent les choses de la chair. Il jeta un regard suppliant à la photographie du fondateur qui, à défaut d'images familiales, ornait seule son bureau ; et sans doute y puisa-t-il son intonation tranquille :

— Vous n'y pensez pas, monsieur Marc. Je vous... je me permets de vous l'interdire.

L'autre s'en trouva extrêmement soulagé : cette insistance lui permettait de rester chevaleresque sans cesser d'être millionnaire. Il se fit encore prier ; un peu trop : le vieux renard fidèle en déduisit que la partie était gagnée et, tout en continuant à jouer le jeu, prépara l'étape suivante. « Il ne faut pas que l'*autre* nous démolisse tout à présent ! »

— Je vais préparer un protocole concernant les parts, monsieur Marc, et je demanderai à Tillouin (c'était le notaire) un projet de réforme de l'acte de société. Mais il faudrait m'envoyer Mme Agnès.

De nouveau Marc détourna la tête et les trois

sillons apparurent au confluent de ses sourcils. Il prenait, d'un coup, dix ans d'âge lorsqu'il devenait soucieux ; cela lui avait été fort utile pour réussir.

— Nous ne nous adressons plus la parole, monsieur Maucouvert.

— Mais le petit...

— Oh ! il n'en souffre pas. A cet âge, les enfants ne comprennent pas.

— Je voulais dire : quel âge a-t-il exactement ?

— Huit... Non, sept ans.

Il vit les gros doigts gris remuer l'un après l'autre : M. Maucouvert comptait combien d'années il faudrait encore *tenir* avant que « Martin » puisse, à son tour, assumer l'affaire. Presque vingt ans... Il y aurait longtemps que le vieil ange gardien l'aurait quittée « les pieds devant ». Marc observa avec surprise une expression tout à fait inconnue envahir ce visage familier ; c'était le chagrin.

Agnès fut appelée par M. Maucouvert, puis par Tillouin, puis par l'agent de change. « J'ai appris *les événements*, chère madame, et j'ai pensé qu'un petit entretien... »

« Les événements », n'était-ce pas ainsi que, dix ans plus tôt, la presse nommait pudiquement la guerre d'Algérie ? Cette hypocrite réserve rappelait à Agnès la définition si polie du cancer dans le carnet mondain des journaux : « une longue et douloureuse maladie ». Elle avait envie de leur crier : « Il n'y a pas d'événements ; il y a seulement un homme qui devait tout à mon père et qui couche avec une fille de vingt ans ! » Et plus bas, pour elle seule : « Un homme que j'avais choisi et que j'aimais et qui, parce que j'ai dix ans de plus, me préfère une inconnue... » Elle se le répétait sans une larme, car l'ingratitude et l'indifférence de Marc ne la blessaient pas vraiment ; elle s'en tenait encore à la hargne de l'animal qu'on dérange dans son sommeil : toutes griffes dehors pour défendre ce qu'elle appelait son bonheur et qui n'était qu'un confort paresseux. Mais cela ne s'avoue pas, fût-ce à soi-même. D'ailleurs, « bonheur était un mot de femme de chambre » — Marc le lui avait dit le soir terrible. Cependant, comme l'automne, par les déchirures de sa cape, laisse deviner la nudité de l'hiver, Agnès pressentait déjà que cette amertume rancunière allait faire place à la douleur, cette agitation à la solitude, et la blessure de son amour-propre à celle inguérissable de l'amour délaissé. La mer se retirait et, de tant d'écume battue, il ne resterait qu'un port à sec.

Contre toute logique, elle rudoyait pareillement ceux qui prétendaient la plaindre et ceux qui tentaient d'excuser Marc. Comme elle eût aimé se sentir vraiment une victime ! Mais qui se réveille n'est pas toujours innocent du mal qui s'est tramé durant son sommeil : car s'est-il fait tandis que l'on dormait, ou parce qu'on dormait ? Elle seule se savait coupable, mais sans bien distinguer en quoi. Cela ne rend guère conciliant.

M. Maucouvert eut donc beaucoup de mal avec elle. Il l'avait vue naître et le lui rappela. Il usa, sans plus de succès, du « Si votre pauvre papa était encore de ce monde », refrain que tous les hommes de poil blanc lui chantaient depuis une semaine et qui l'enrageait. Car enfin qu'avaient-ils tous en tête, qu'est-ce qui leur importait le plus ?

— L'argent, monsieur Maucouvert ! L'argent, l'argent, rien d'autre !

Cette phrase, elle l'avait presque criée afin de choquer la vieille nounou à moustaches et chaîne de montre.

32

— Allons, répondit-il seulement, vous devenez raisonnable.

Tout à fait déraisonnable, au contraire ! mais avec aussi peu de conviction et de persévérance que Marc. Elle voulait liquider ses parts : après tout, que lui importait l'affaire ? (« Bon, elle récite », pensait l'autre, paisible.) Elle allait vivre pauvrement (« Mais connaît-elle seulement le sens de ce mot ? ») elle travaillerait pour élever son enfant...

Agnès vit M. Maucouvert porter une main à son cœur en grimaçant.

— Vous ne vous sentez pas bien ?

— Mon cœur fait un peu l'imbécile, à présent.

Oui, chaque fois que son vieux maître recevait un choc imprévu. « J'élèverai mon enfant... » Comment n'y avait-il pas songé ? Martin serait confié à sa mère, à cette ingrate qui n'avait jamais aimé l'affaire et s'était égoïstement choisi pour mari un apprenti médecin au lieu d'un bâtisseur ou d'un banquier. Mais, cette fois, M. Maucouvert ne serait plus là pour retourner la situation.

— Mademoiselle Agnès...

— « Madame », rectifia-t-elle avec un sourire assez amer.

— Pardon ! Je vous ai si longtemps appelée ainsi...

« Il va dire : du temps de votre pauvre papa », songea-t-elle, mais il n'en fit rien.

— Madame Agnès, il faut penser à l'avenir de Martin.

— Il n'y a que cela qui m'importe !

Elle mentait : jusqu'à cet instant elle n'y avait jamais songé ; mais cette évidence venait de la frapper que lui seul était innocent. A présent, elle tentait de s'en dépêtrer aussi maladroitement qu'une bête de la flèche qui la tue et, comme elle, ne parvenait qu'à s'en pénétrer davantage.

M. Maucouvert crut qu'Agnès l'écoutait docilement alors qu'elle n'était attentive qu'à elle-même. « Assumer la continuité... former Martin peu à peu... compter sur moi jusqu'au bout... » — Avec ces lambeaux elle tenta, lorsqu'il fit silence, de reconstituer l'étoffe de son discours.

— Vous avez peut-être raison, hasarda-t-elle afin de se débarrasser de M. Maucouvert.

Elle aurait voulu pouvoir penser seule : ces couvertures, soudain, l'étouffaient ! Mais, tout encouragé, il repartit de plus belle. Cinquante années de pratique des affaires lui avaient appris qu'aux hommes il faut répéter trois fois les mêmes arguments en termes à peine différents, mais pas que cela exaspère les femmes. Pourtant, cette fois-ci, Agnès l'écoutait avec gratitude. Cette soif de sécurité, le besoin d'être sans cesse rassurée, Marc, à la mort de son père, les lui avait procurés ; aujourd'hui, M. Maucouvert prenait la relève : à chacun de ses naufrages, elle retrouvait un capitaine. Il lui vint bien à l'esprit que cette angoisse n'était que veulerie, et que l'actuel désastre constituait son ultime chance de devenir adulte ; mais le porte-parole des Fontaine avait des mots magiques : ne rien changer, prendre Martin en charge, s'occuper de tout — et elle se laissait volontiers persuader que son devoir maternel exigeait d'elle cette apparente lâcheté.

— Et puis, ma pauvre enfant, mener seule votre barque après un coup pareil, vous n'en auriez pas la force. Vous êtes... vous êtes une convalescente, ma petite Agnès, une convalescente !

Devant l'effet qu'elle produisait il répéta cette parole. La plupart d'entre nous ne se payent pas de mots : un seul leur suffit.

Lorsqu'elle fut sortie de son bureau, M. Maucouvert poussa un long soupir de soulagement et retrouva, pour regarder la photo du fondateur, l'expression à la fois satisfaite et servile du bon élève.

Dehors, Agnès se trouva face à face, corps à corps, avec le soleil de la Saint-Martin. Il tirait de tout des ombres légères, presque transparentes, et procurait aux dernières feuilles l'illusion qu'elles allaient guérir : il était l'image même de l'espoir. Agnès dut fermer ses yeux et, pour la première fois depuis l'autre soir, sourit à son insu. Elle affrontait cette tentation nouvelle : croire que tout allait s'arranger, qu'elle pourrait éluder l'épreuve comme les riches escamotent l'hiver en partant pour le Midi.

Un brusque, un aigre tourbillon de vent la détrompa. Non, ce sursis n'était pas une grâce, et l'on ne passait pas ainsi de l'automne au printemps.

L'agent de change aussi lui parla raison, c'est-à-dire argent. Le notaire, lui, se maintint dans un mélange douteux d'avenir et de passé, de calculs et de tradition. Il avait, à tout hasard, fait sortir des archives trois dossiers qui avaient pris la teinte blafarde de l'étude et de ses employés. Agnès y lut, d'une écriture de liseron : *Statuts de la Société Fontaine et Cie, Succession de M. Fontaine Charles-Emile Désiré, Contrat de Mariage...* Elle se rappela les interminables séances dans la pénombre et le chuchotement. Meubles, langage, tout paraissait de style Empire, quoique certaines périphrases vinssent des Romains, d'autres du Moyen Age et certaines de Molière — comme on peut voir, autour des vieilles cités, les remparts que les âges successifs ont édifiés en vain pour les défendre. Tant de précautions juridiques pour se heurter sans recours à l'obstination d'une jeune femme triste, triste parce que son époux se détourne d'elle ! Dans les drames humains, on rencontre souvent un innocent qui barre toute issue raisonnable en secouant la tête, sans un mot. Antigone, Jeanne, Jésus... Il leur serait si facile de se rétracter, cela mettrait tout le monde à l'aise, mais ils préfèrent affronter le bûcher un instant, plutôt que leur conscience le reste de leur vie.

Pas Agnès ! elle acquiesça très vite aux compromis du notaire. Après son départ, celui-ci put téléphoner à M. Maucouvert avec un sourire qu'elle n'eût pas aimé ; la veille, l'agent de change en avait fait autant. Allons, « sur l'essentiel » ces deux énergumènes n'avaient rien cassé. Le reste — la solitude, le remords, les regrets, l'enfant — le reste ne regardait qu'eux !

Paul-Louis Terrasson — P. L. T. pour le Tout-Paris — déploya son agenda de bureau qui, d'année en année, devenait plus luxueux et plus vaste, plus encombré aussi. Le récepteur d'une main, de l'autre *désordonnant* avec soin ses cheveux car sa secrétaire l'observait, il lut tout haut, non sans complaisance :

— Impossible, mon pauvre vieux : cet après-midi, je plaide... Ce soir, le ministre... Mardi, le Congrès — et, j'oubliais, l'arbitrage Saint-Gobain... Mercredi, le Conseil de l'Ordre... Le colloque des écrivains historiens... Jeudi...

— Non, coupa Marc, je ne peux pas attendre jusque-là.

— C'est donc si urgent ?

— Non, grave.

— L'affaire ? demanda vivement P. L. T.

Il rêvait d'en devenir l'avocat-conseil ; mais comme les millionnaires ne se font opérer que par des professeurs agrégés, les grandes firmes ne connaissent guère que les bâtonniers.

— Pas du tout : je divorce.

En un éclair, l'autre mesura les conséquences économiques, bancaires, juridiques de cette décision, et il ne put s'empêcher de murmurer :

— Tu es fou, Marc !

— Alors, aujourd'hui ? quelle heure ?

— Non, demain, rectifia P.L.T. par principe. (Depuis l'école de Sérignay, le lycée de Châteauroux, la faculté de Poitiers, le fils du Dr Lapresle jouait de son ascendant sur celui de Me Terrasson, notaire. A quoi servait de « réussir » si les sujétions de l'enfance se prolongeaient ainsi la vie durant ?) Demain. Je n'ai plus un seul rendez-vous libre, mais je fais du footing au Bois de 9 à 10 : viens m'y rejoindre.

Dans sa voiture, il changea ses chaussures pour d'invraisemblables souliers jaunes plus ridés qu'un vieux Mexicain et qu'il cirait lui-même depuis quinze ans. La Commère avait parlé d'eux dans sa rubrique ; chaque fois qu'il lui advenait quelque chose qu'il croyait singulier, P. L. T. l'en avisait lui-même : comme beaucoup de « célébrités » parisiennes, il était moins soucieux de sa personne que de son personnage.

Il était en train d'attacher ses lacets lorsque la Porsche se rangea brutalement contre le trottoir : frein, moteur, portière, clef — tout cela si vite expédié et si bruyamment que l'avocat en déduisit l'humeur de Marc. Mais non, ce visage pétrifié, ces yeux qui semblaient avoir perdu leur couleur et appartenir à un autre, cette voix si basse, tout cela n'était pas de l'humeur. P. L. T. escomptait un préambule sur le footing, l'automne et « quels drôles de souliers ! » mais Marc l'entraîna aussitôt à son allure.

— Bon. Naturellement, ce n'est pas moi qui demande le divorce. C'est Agnès qui l'exige.

— Elle a des raisons ?

— Formelles.

Il aurait bien voulu n'en pas dire davantage pour l'instant, mais le silence de l'autre était plus pressant qu'un interrogatoire. Il raconta donc Marion et la scène ridicule.

— Flagrant délit !

— Je suppose que c'est ainsi que cela s'appelle.

— Et ça ne facilite pas les choses, crois-moi.

— De toute façon...

Marc eut un geste à la fois désinvolte et désespéré ; il n'attendait qu'un mot pour se mettre en colère, mais P. L. T. comprit que c'était contre lui-même. Pour la première fois son ami lui donnait l'occasion de le plaindre, et il trouva cela bien agréable.

— De toute façon, répéta-t-il, de toute façon, tu préférerais que cela s'arrange, non ?

— Cela ne peut pas s'arranger.

— Sauf s'il se produisait un fait nouveau.

— Qu'est-ce que tu veux dire ?

— Si... si les choses revenaient comme avant ?

Il vit son compagnon froncer les sourcils puis les lever en signe d'incompréhension. « Il ne saisit pas. C'est plus sérieux que je ne le pensais... Quel âge a-t-il donc ? Le mien, pourtant... » Il ne s'imaginait pas compromettant son avenir pour une femme ni, d'ailleurs, pour quiconque.

— Que je rompe avec Marion ? dit enfin l'autre avec un sourire contraint. Toi aussi... Eh bien, non, Paul-Louis, la réponse est non.

— Quel âge a-t-elle ?

— Quel rapport ?... Ah ! la nymphette et le démon de midi ? Non, mon vieux, pas du tout.

— Alors, c'est quoi ?

— L'amour. Tu connais ? ajouta-t-il d'un ton agressif.

38

— Très bien : c'est le mot que tu as employé, il y a dix ans, pour m'annoncer tes fiançailles, fit l'avocat, plus aigrement encore.

— Peut-être. Marche quand même un peu plus vite ! reprit-il après un silence.

— Pourquoi ? Nous n'allons nulle part ! Et puis ce ne serait plus du footing. (Et il allongea le pas avec application.)

Marc observa ce profil empâté de tragédien bon vivant. Tout y paraissait ordonné à la réplique : les narines si promptement arquées, les lèvres frémissantes. Dans ce visage mou, on eût dit que muscles, nerfs, tendons, tout se concentrait autour de la bouche pour en faire, sur l'instant, cet instrument strident et sûr. La tête se tenait toujours un peu levée, comme la gueule d'un canon. « Une machine à parler, songea Marc sans amitié. La pensée ne vient qu'ensuite : d'abord paralyser l'adversaire, puis le dévorer, à la manière des gros serpents. Une machine à répliques — mais ne devenons-nous pas tous des machines à quelque chose ? Et n'est-ce pas ce qu'on appelle réussir ? »

Il était visible que l'autre comptait ses pas avec un sérieux de nonne. Il possédait une théorie sur le footing sport complet, et on l'aurait désarçonné en lui rappelant que, de tout temps, cela s'était appelé la marche. « Il prend du ventre », constata Marc avec une satisfaction absurde. Cela lui remit en tête sa propre lutte contre l'embonpoint et, presque aussitôt, le corps de Marion. Le corps de Marion... P. L. T. l'entendit reprendre son souffle comme un homme qui, l'instant d'avant, se noyait.

— Cette jeune femme, reprit l'avocat d'une voix si douce qu'elle remplit son compagnon d'une sorte de remords à son égard, cette jeune femme, tu l'aimes... définitivement ?

— Je le crois. Oui, répéta Marc avec la lenteur et la gravité de celui qui prête serment, définitivement : elle aura toujours besoin de moi.

« Quelle illusion, songea l'avocat, et quelle prétention ! » Mais, au moment de répliquer, il regarda son ami et lui vit une expression si navrée qu'il s'arrêta brusquement de marcher (ce que sa théorie bannissait formellement) et passa le bras par-dessus ses épaules.

— Besoin de toi ? toujours ?

Il avait posé cette question sur le ton dont, quinze ans plus tôt, ils sollicitaient mutuellement leurs confidences : par affection, non par curiosité. Leur amitié, que Paris et ses vanités avaient tuée, venait de renaître ; et ils la sentaient si précieuse, si fragile aussi, qu'ils se mirent à parler à mi-voix, comme au chevet d'un malade.

— Oui, Paul-Louis, besoin de moi, toujours. Cela peut paraître prétentieux ; pourtant, si tu connaissais Marion, tu comprendrais.

— Mais Agnès aussi a besoin d'être protégée.

— Son argent la protège de tout !

— De tout ?

— Agnès et Marion...

C'était la première fois qu'il prononçait tout haut leurs prénoms accouplés ; ce petit sacrilège parut lui couper le souffle. Il reprit :

— Elles ne se ressemblent que comme... comme une fleur sauvage et une fleur de serre.

« C'est justement celle-ci qui a besoin du jardinier, se dit P. L. T., mais il se retint de l'exprimer. Dans un instant, ce sera la faute d'Agnès si la fille en question est pauvre — ce qui, d'une certaine manière, est la vérité ! Mais ce n'est pas à Marc de rétablir la balance, surtout de cette façon... »

— Je me demande quelquefois, poursuivait Marc,

si ce n'est pas seulement un gérant que Agnès a épousé ; comme les femmes riches se marient en secondes noces avec un médecin, pour leur tranquillité. Ah ! si seulement elles pouvaient, devenues vieilles, épouser un prêtre !

— Tu dis n'importe quoi, fit sèchement P. L. T. Agnès...

— Je t'assure qu'inconsciemment, elle est inquiète que je puisse gagner de l'argent par mes seuls moyens, qu'elle m'en veut de pouvoir à présent me passer du sien. Ah ! reprit-il avec violence, cet argent gâche tout, Paul-Louis. J'en ai assez, assez !

« Non, tu en as trop. » P. L. T. qui avait eu beaucoup de mal à en gagner un peu n'appréciait pas du tout ce romantisme gratuit des riches. Il dit :

— Quand les femmes le transmettent, comme l'hémophilie, l'argent aussi est une maladie.

— Marion ne sait pas ce que c'est, poursuivit Marc comme s'il n'avait pas entendu. Ce n'est absolument pas par intérêt que...

— Sa réaction devant votre divorce ?

— Je ne lui en ai pas parlé, elle se serait affolée.

— Mais le flagrant...

— Je lui ai dit que les choses s'arrangeraient.

— Cela devrait l'affoler tout autant : les choses ne peuvent « s'arranger » que si elle te perd.

Marc lui jeta un regard vif : comment un célibataire égoïste possédait-il cette clairvoyance dans un domaine qui lui était absolument étranger ? A cœur sec regard froid, mais Marc l'ignorait.

— Tôt ou tard, dit Paul-Louis en reprenant sa marche laborieuse, tôt ou tard elle te demandera de l'épouser.

Cette manière de lever les coudes et de respirer

par saccades était si ridicule que Marc répondit avec humeur.

— Eh bien, je l'épouserai !

— Tu ne crains pas...

— Je ferai d'elle une femme parfaite.

— Pygmalion, murmura l'autre. Voilà le plus grand piège pour hommes, après celui de la compassion.

« Et le troisième, Bogomoletz : espérer se rajeunir en choisissant une fille trop jeune. Cela n'est vrai qu'un temps ; ensuite, l'effondrement. » Mais il garda pour lui cette réflexion.

— Pygmalion ? reprit Marc, nous y jouons tous, et heureusement ! C'est en partie pour cela qu'on aime ses enfants.

Il se tut, il venait de songer à Martin ; son compagnon le devina.

— C'est Agnès qui aura la garde du petit, fit-il à mi-voix. (Il avait oublié son prénom.)

— En permanence ? Ce n'est pas possible, Paul-Louis !

Le cœur lui battait ; il se sentait soudain beaucoup plus coupable envers le petit qu'envers Agnès — pensée absurde mais insupportable.

— Tu auras un droit de visite.

— Ça ne me suffit pas.

— Je pourrai essayer d'obtenir un partage : six mois chez elle, six mois chez toi ; mais il faudra le bon vouloir d'Agnès et l'accord de son avocat. Qui choisit-elle ?

— Me Vallier du Tour.

— Le bâtonnier ? Il est mort.

— Sa fille.

— Je ne peux pas la souffrir, dit P. L. T. sèchement. Elle n'a aucun talent ; mais, dans un divorce, sa hargne peut la rendre redoutable.

Il parlait d'elle sans passion, comme un médecin d'une maladie.

— C'est une amie d'enfance d'Agnès.

— Elle aussi !

— Oui. C'est un peu triste, ces amis d'enfance avec lesquels on s'est tant amusé et qui, devenus avocats ou médecins... Alors, pour Martin ? reprit-il sans achever.

— Pour Martin, je te le répète, tout dépend de la bonne volonté d'Agnès, donc de... de votre entente. Tu habites encore chez toi ?

— Non, bien sûr. J'ai pris une chambre au Cercle. Mais, ajouta-t-il vivement, je vais chercher le petit à son école chaque fois que je sors à temps du bureau.

Ce n'était arrivé qu'un soir, et Marion lui avait demandé : « Pourquoi arrivez-vous si tard ? » Elle pleurait pour rien, ces temps-ci. Martin, lui, riait toujours entre ses deux fossettes.

— Si j'obtiens qu'il te soit confié une partie de l'année, comment feras-tu ? Il ne peut tout de même pas habiter au Cercle avec toi.

— Je ne sais pas, dit Marc avec une grande lassitude. Je le placerai chez mon père.

— Vous n'êtes pas au mieux !

— Martin ne souffrira de rien.

Il affirmait afin de couper court ; mais chaque problème nouveau le prenait au dépourvu et son imprévision lui faisait honte. A qui avait-il songé avant ce désastre ? A Marion, à l'affaire, à lui-même.

Ils marchèrent en silence. L'ombre dérisoire de P. L. T. se dégingandait ; sur la sienne, Marc observa qu'il allait tête basse ; il se redressa, retrouva le ton du président-directeur général :

— Bon. Alors, pratiquement parlant ?

— Agnès a dû envoyer sa requête en divorce ; elle

va être convoquée par avoué afin de confirmer sa demande, simple formalité.

— Est-ce que nous ne devrions pas... ?

— Non : la garde provisoire de l'enfant va lui être attribuée, parce qu'il est petit et qu'elle n'a aucun tort ; la question du domicile séparé, vous l'avez déjà réglée ; quant à la pension alimentaire, le problème ne se pose pas, je pense.

— Non. Dieu merci, l'argent...

— Les pauvres, eux, ne divorcent qu'à la dernière extrémité, dit l'avocat d'un ton neutre. Plus tard, il y aura la tentative de conciliation.

— Qui sert à quoi ?

— A rien. Pratiquement à rien, depuis soixante ans. Le magistrat devrait vous dire : « Réfléchissez et revenez dans six mois », mais il n'en a plus le temps : trop de divorces à juger. C'est là que j'essaierai d'obtenir que la garde soit partagée entre vous deux en attendant l'instance.

— C'est-à-dire combien de temps ?

— Neuf mois, un an, davantage même : on peut faire traîner.

Il parlait avec lassitude, dégoût presque ; Marc en fut effrayé et le saisit par le bras.

— Paul-Louis, au stade où tu en es, un divorce est une affaire sans intérêt. Je t'en prie, ne te crois pas obligé de...

— Tu es fou ! je tiens absolument à te défendre.

— Me défendre ? Tu sais, je ne crois pas qu'Agnès...

— Tu oublies son avocate ! Il faudra faire distribuer l'affaire à telle chambre plutôt qu'à telle autre et qu'elle soit mise au rôle au bon moment... Je me charge de tout, mon vieux.

Marc imagina ce ballet de robes noires, ces monceaux de papiers, ce fatras de paroles et, très loin derrière, le visage enfantin, effrayé, boudeur de Marion mordillant ses cheveux. Il lui semblait soudain absurde que ceci ait pu engendrer cela. Il frôlait une vérité accablante : que chacun de nos gestes met en route une machinerie précise mais aveugle qui fait vivre beaucoup d'autres hommes. Qu'est-ce que la liberté ? Il se rappela avec une précision aiguë l'instant où il avait pris la main d'Agnès dans la sienne, attendu encore un peu, puis : « Ma chérie, est-ce que vous accepteriez... » Ce moment de silence avant qu'il ne parlât avait été son dernier sursaut de liberté ; la minute suivante, c'en était fait pour sa vie entière : ses paroles engageaient, à plus ou moins longue échéance, l'armée des autres hommes, la Société. Les moines, les bandits, les sauvages eux-mêmes vivent en société.

Il marchait, le dos rond, le regard à terre ; la tête haute et le buste tendu, Paul-Louis, à son côté, ne songeait déjà plus à ce divorce, affaire banale. Cette marche l'exaltait, c'était l'un des bienfaits du footing. Mardi, le Congrès du parti ; serait-il élu à l'une des cinq vice-présidences ? Mercredi, les écrivains historiens... Comme beaucoup d'hommes célibataires, il avait gardé de son adolescence une naïveté d'imagination. Chaque lundi, en marchant, il se voyait député, secrétaire d'Etat, ministre et, dans le même temps, l'historien à la mode, les conférences, la télévision... Il s'arrêtait au seuil de Matignon et de l'Académie, peut-être par bon sens ; ou par crainte des cheveux gris qui, en France, en sont la rançon ; ou, plus inconsciemment, dans le désir de se ménager une étape suivante. Un ambitieux qui, même en rêve, a engrangé tous les honneurs est un homme perdu.

Cependant, Marc, à son côté, venait, pour la première fois, de porter son regard sur le décor de leur entretien : le Bois par un lundi matin d'automne.

Hier, les Parisiens l'avaient envahi, en quête du dernier soleil et de couleurs douces aux yeux. Il restait d'eux, comme toujours, quelques sièges démantelés, des emballages de biscuits et des jouets oubliés. Maigres, précocement vieillis, les arbres ressemblaient aux enfants gris des quartiers misérables. Ils avaient presque tous perdu jusqu'à la grâce de leur maintien ; les gestes de leurs branches, quand le vent ne s'en mêlait pas, étaient ceux des mannequins de cire. Ils ne prenaient vie que dans un air pollué par les voitures et dans une terre si piétinée qu'elle ressemblait à un trottoir. Les feuilles elles-mêmes, fardées de poussière, avaient la tristesse des prostituées. Marc se mit à respirer profondément, comme s'il étouffait. Il perçut alors, à l'extrême pointe du souffle, une senteur de terre froide et de feuilles amères, de chrysanthème et de fruitier qui était celle de l'automne. Le petit garçon Marc avait longtemps cru que c'était l'odeur des marrons d'Inde. Ce parfum si fugace mais si grave suffit à le plonger dans une mélancolie sans recours. « On est de son enfance comme d'un pays » ; il retournait au pays avec sa besace de regrets, de vagues remords. Sérignay, les cloches à l'heure froide où le ciel se détourne, la lampe du soir, Faraud, le pas du cheval... Pourquoi évoquait-il ce temps comme un automne perpétuel ? Parce que, hormis son père, tous ses témoins étaient morts ? ou bien parce que le souci d'aujourd'hui étendait injustement son ombre sur sa vie entière ? « Pourtant, j'étais heureux alors, se disait Marc. Et même je n'ai jamais été aussi heureux qu'alors... » Lui vinrent à l'esprit l'image de Marion et celle de Martin. D'habitude, l'une suffisait à chasser l'autre ; mais, à cet instant, les deux visages l'assaillirent ensemble et cela le consola, il ne savait guère de quoi. Deux enfants dont l'une seulement était triste. Allons, il fallait faire le bonheur de Marion (car il ne s'imaginait pas que Martin pût être malheureux). D'Agnès il n'était pas question.

Martin, solitaire, tourne dans la cour de l'école. Ses camarades sont tous sortis ; on les attendait avec des cache-nez de laine : ils ont trouvé le bâillon rugueux oublié depuis l'autre automne. D'un geste prompt on a étouffé sur leur bouche toujours entrouverte l'interminable récit du jour : « Alors la maîtresse a dit... », le même qu'hier. Cependant, personne encore n'a demandé Martin. Les enfants, comme les chiens, ne vivent que de manies et, depuis quelques jours, toutes ses habitudes sont bouleversées. L'absence de papa, les silences de maman et ses brusques embrassades, les chuchotis des domestiques, tout cela alimente encore agréablement les films que Martin se joue ; mais hier il s'est réveillé en pleurant : il était en train de rêver que... Tiens, il a oublié.

Aujourd'hui, qui viendra le chercher, Albert ou papa, la « Déesse » ou la Porsche ? Il tourne dans la cour en donnant un coup de pied dans la murette tous les trois pas bien exactement. Les billes s'entrechoquent dans sa poche droite et roulent à chaque mouvement comme des muscles fabuleux ; dans la gauche, bosse encore le marron de l'autre jour. D'une main, le petit garçon tient sa collecte quotidienne de feuilles d'arbre, du havane tendre à l'écarlate ; il la brandit comme un drapeau, elle rejoindra sa collection d'automne. L'autre main soutient le cartable, kilo de plume ce matin, ce soir kilo de plomb.

Aussi brusquement qu'un oiseau s'envole, Martin pose là cueillette et cartable et court au parloir où se trouve un méchant piano aux dents jaunes. Sans perdre le temps de s'asseoir, il y frappe d'un seul

doigt son petit morceau : do la-si-do, do, mi-ré-do...
Puis il repart aussi vite, laissant porte et piano
béants : il a entendu s'arrêter une auto. « Mais non,
mon vieux, ce n'est aucune des deux : regarde-moi
ces ailes avant et ces cuisses arrière ! »

Coup d'œil anxieux à l'horloge : il ne sait pas très
bien lire l'heure, mais le dessin des deux aiguilles le
renseigne assez. De sa place en classe il l'aperçoit, et
la seconde demi-heure lui semble toujours plus longue, plus lente. C'est naturel : la grosse aiguille a
plus de mal à remonter qu'à descendre. Elle doit
même, pour l'instant, faire halte à mi-chemin de son
ascension car Martin trouve soudain le temps interminable. « Si c'est Albert, maman sera peut-être avec
lui. Si c'est papa... Oh ! si c'était papa ! » La joie
le saisit dans ses mains chaudes et l'élève à bout de
bras comme le fait son père — « comme il le *faisait* »,
corrige en lui une petite voix.

Martin se met à courir sans autre raison que sa
hâte à vivre, à être heureux. Mais il s'arrête aussi
net : « Et si papa ne revenait pas ? ni ce soir ni jamais ? » Il n'a que le temps de se précipiter au petit
coin. C'est la troisième fois, cette semaine, que son
ventre le trahit.

Du même regard que Martin, Marion, derrière une
vitre, guette une silhouette — la même. Le voilage
écarté laisse voir la moitié de sa figure ; mais, bizarrement, l'angoisse qu'exprime ce demi-visage n'en
est que plus pathétique. Elle n'a pas ouvert sa fenêtre au soir parce qu'une fraîcheur y prédit déjà l'hiver et qu'elle en a peur. Hiver, capitale Noël : trop
de Noëls sans Dieu, sans père, sans joie parmi la
joie confite ou bruyante des autres ! Et voici qu'à
peine Marion redressait enfin la tête, les nuages
s'amassent dans son ciel. « Les choses s'arrange-

ront », a dit Marc. Au détriment de qui ? Il n'y a que quatre pions sur l'échiquier : la partie ne peut plus être bien longue. Marion a pu ignorer les autres aussi longtemps que Marc les oubliait lui-même ; à présent qu'il les a quittés, eux ne le quittent plus. Chaque soir, elle prend dans ses mains (« Tes mains fragiles, tes mains-oiseaux ») un visage lourd comme une pierre, elle scrute un regard habité. De Marc, tout l'inquiète à présent : ses silences, et puis ses brusques embrassades. Hier, elle s'est réveillée en pleurant. *Attendre*... Comment un même mot prétend-il exprimer la certitude impatiente qui, chaque soir, la faisait vivre, et le doute et le vide de ces jours-ci ? Comment le cœur peut-il battre aussi fort pour des raisons opposées ? « Et si Marc ne revenait pas ? ni ce soir ni jamais ? » Elle mord ses cheveux. Il lui dira : « Marion, tu as encore pleuré... »

Me Vallier du Tour avait conservé l'appartement de son père le bâtonnier ; mais, sans les réceptions, les fleurs, les domestiques, il était devenu une sorte de musée poussiéreux et mal éclairé. Le mauvais goût et le disparate y dominaient car, les plus belles pièces vendues pour conserver leur ancien cadre, les cadeaux des clients fournissaient l'essentiel du décor. Le bronze, le marbre, le silence, la pénombre faisaient du grand salon un mélange de cimetière et de caveau.

— C'est triste, dit Martin en entrant. (Et, comme sa mère lui soufflait « chut ! », il ajouta tout bas :) Est-ce que c'est laid ?

Tous ces objets baroques l'enchantaient mais il n'était pas sûr d'avoir raison.

— Agnès !

Me Vallier du Tour apparut dans un entrebâillement qui donnait sur d'autres ténèbres.

— Tiens, tu as amené ton enfant ? Quelle drôle d'idée ! Tout cela ne le concerne pas...

— C'est une façon de parler, remarqua doucement Agnès.

— Bonjour, toi !

A Martin elle parlait de haut, regard gris, cheveux pauvres, avec le sourire-grimace de ceux pour qui les enfants sont des étrangers. Le petit garçon le lui rendit puis, du regard, questionna sa mère.

— Irène et moi nous nous sommes connues quand nous avions ton âge.

Martin secoua la tête : impossible que cette dame ait jamais été une petite fille. Il connaissait bien cette race maigre, au teint blanc et luisant, figures de bougie ; elle fournissait des profs et des chaisières, sûrement pas une amie pour sa mère. Martin était très troublé par la tête que montrent, au réveil, toutes les grandes personnes ; mais celle-ci du matin au soir, gardait sa « tête de réveil ». Elle devait fabriquer une salive amère ; il la plaignait de devoir l'avaler toute sa vie.

— Passons dans mon cabinet.

— Et Martin ?

— Il restera ici, bien sage.

— Bien sage, répéta Agnès sur un autre ton et elle se pencha vers lui pour l'embrasser.

Lorsqu'elle en faisait autant, chaque soir, au-dessus de son lit, Martin s'accrochait à son cou : ce parfum, cette vie si chaude... Il aurait voulu faire partie d'elle, s'endormir en elle. Il ressentit de nouveau cet élan et prit peur.

— Allons-nous-en, dit-il si bas que lui-même douta de l'avoir dit.

— Alors, ma pauvre chérie, nous en sommes là...

« Je ne suis pas sa pauvre chérie, songea Agnès ;

et si j'en suis vraiment là, c'est mon affaire et non la sienne. » Elle regretta brusquement d'avoir fait appel à Irène. Le mois dernier, ils avaient dîné avec un chirurgien en renom, de ceux dont on attend des miracles, et elle l'avait trouvé cynique et frivole. Pour ne pas le mépriser, elle ne cessait d'observer ses mains en se répétant : « Demain, elles sauveront des vies humaines. » Aussi, lorsque la foudre était tombée, avait-elle voulu choisir un avocat « qui prît la chose à cœur ». Elle se jugeait stupide à présent : « C'était un roué qu'il me fallait. Ah ! j'aurais dû demander conseil à Marc... » Cette pensée lui révéla d'un coup l'absurdité de leur situation et l'étendue de sa solitude. Pourtant, il ne lui venait pas à l'esprit qu'elle pût tout dénouer d'un mot. Lorsqu'elle se permettait d'y songer : « Ce serait lâche », se disait-elle — car la plupart se trompent de lâcheté comme ils se trompent de courage. Et puis, elle s'était persuadé que Marc ne l'aimait plus du tout, ce dont, tout compte fait, son orgueil souffrait moins. « D'ailleurs, m'a-t-il jamais aimée ? » poursuivait-elle sans s'aviser que cette coquetterie rétrospective l'enfermait à double tour. Marc, de son côté, se fournissait des raisons semblables. Ennemis devenus fous, chacun construisait les défenses de l'adversaire ; c'est le propre des malentendus.

Etonnée par ce long silence, l'avocate faillit répéter sa phrase mais s'aperçut à temps qu'elle ne signifiait rien. Elle en formula une autre où persistait le « nous ».

— Comment allons-nous faire, ma chérie ?

Agnès s'entendit répondre à mi-voix :

— Est-on obligé d'aller jusqu'au bout ?

— Qu'est-ce que tu veux dire ? (Et, sans attendre la réponse :) Ne pas divorcer ? Ce serait reculer pour mieux sauter.

— Tu connais à peine Marc, comment peux-tu juger ?

— Marc ou un autre ! Il n'y a qu'à ouvrir les yeux ; prends toutes nos amies d'autrefois : combien de mariages « réussis », comme on dit ? Chantal... Annick... Marie-Pierre...

Son regard décoloré brillait d'un tel éclat, tandis qu'elle poursuivait cette triste litanie, qu'Agnès comprit enfin. « Elle s'en réjouit : chacun de ces échecs lui rend le sien plus léger. Quel cadeau la « pauvre Agnès » vient-elle de lui faire ! » Cette idée la rendit méchante à son tour et, comme l'autre achevait : « ... tous les hommes, tous les hommes, c'est dans l'ordre des choses. »

— Ma pauvre Irène, tu ne raisonneras donc jamais qu'en fonction de ton père ?

— Qu'est-ce que mon père..

— Il a tué ta mère de chagrin et de ridicule, et pourtant tu as pris docilement la relève. (Il y avait dix ans qu'elle refrénait cette phrase.)

— Mon devoir...

— Peut-être, mais ton père t'a empêchée de vivre.

— C'était un grand bonhomme, dit faiblement Irène.

Mort, elle le détestait, et bien plus encore elle-même de n'avoir pas osé le détester vivant. Non seulement sa présence exigeante, égoïste l'avait empêchée de faire sa vie, mais son seul nom lui interdisait à présent de faire carrière : il n'y aurait jamais qu'un seul Me Vallier du Tour. Elle était nouée de la main de son père, et personne ne saurait défaire ce double nœud.

Sous le portrait du bâtonnier que la flagornerie du peintre a représenté un peu plus grand que nature, Martin debout. Ce salon sur qui tombe la nuit, quel champ de bataille ! Bustes, tableaux, statuettes, chacun y joue son rôle dans l'immobilité tragique des musées de cire : *le Rétiaire vainqueur* (Barbedienne), *la Fantasia*, la maquette du monument à Bolivar, *les Trois Mousquetaires* (Salon de 1907)... Le grand état-major est représenté par un portrait du général Gallieni, Jeanne d'Arc écoutant ses voix, et Martin. Sur un glacis, *le Gaulois blessé* (don de l'Ordre des Avocats) n'en finit pas d'agoniser.

— En plaidant pour toi, ce n'est pas seulement une amie d'enfance que je défends mais, à ma manière, toutes les femmes contre tous les hommes.

Elle s'était levée, elle arpentait son bureau avec des gestes qui semblaient la doter des fameuses manches noires, traditionnellement trop longues et trop larges. Au moment même où elle aurait dû lui être le plus suspecte, elle en imposa à Agnès qui ne parvint à dire que :

— Quelle affreuse vision du monde !

— Un champ de bataille, Agnès, où ce sont toujours les mêmes qui se portent volontaires et qui sont les vaincues.

« Elle plaide, pensa Agnès, mais seulement pour elle. » Il lui vint à l'esprit que juges, procureurs, avocats n'accusaient, ne défendaient, ne condamnaient que leurs propres démons ; ce pompeux simulacre n'était qu'un exorcisme. Mais, avec un instinct très sûr, elle chassait toutes les pensées qui mettaient son équilibre en péril ; du moins y était-elle parvenue jusqu'à présent. On la croyait, pour cette raison, peu intelligente ; c'est le cas de beaucoup de femmes.

— Irène, fit-elle calmement, tu parles comme un médecin qui ne verrait partout que des malades.

— Déformation professionnelle ? Tu crois peut-être que c'est par goût que je me suis spécialisée dans les divorces ?

— Je ne le savais pas.

Elle n'osa pas répondre : Oui, je crois que c'est par goût.

« Spécialisée dans les divorces... » Cette horrible compétence la rassurait.

— Divorce, reprit Irène, on n'emploie ce terme que pour les mésententes conjugales, mais il a une autre envergure, crois-moi. A mes yeux, c'est la définition, le symbole même de la condition humaine. Divorce entre les races, les nations, les classes sociales, les générations...

— Tu mélanges tout !

— Non, fit l'autre en se rasseyant, toute l'histoire de l'humanité n'est que cela : la nostalgie d'une entente à jamais perdue.

— Je te croirais peut-être si tu en parlais avec douleur, murmura Agnès, mais tu as l'air de t'en réjouir.

— Je me réjouis seulement d'être lucide.

« Elle préfère sa lucidité au bonheur, elle est perdue. Il vaut mieux être la dupe de son cœur que celle de son esprit. » Agnès s'étonna de cette pensée et d'avoir su la formuler. Depuis qu'elle vivait seule, elle devenait décidément beaucoup plus intelligente ; elle en enregistra cette nouvelle preuve avec satisfaction. A son tour elle devenait la dupe de son esprit.

— Et toi, poursuivit Irène, tu te réjouiras d'être libre. Marc a eu l'imprudence de t'en offrir l'occasion, ne la laisse pas échapper ! Il y a, dès l'origine, divorce entre l'Homme et la Femme, entre tout homme et toute femme. Génération après génération, chacun d'eux s'ingénie naïvement — non ! présomptueusement, à prouver le contraire. Mais, sauf lorsqu'un des deux — la femme, presque toujours — accepte le joug de sa vie perdue, cela s'achève toujours ꞏar une ordonnance de non-conciliation...

— Allons, tu plaides, fit Agnès avec humeur, nous ne sommes pas au tribunal ! La majorité des couples ne divorcent pas.

— Pas besoin que le divorce soit prononcé pour être consommé !

Elle avança son visage jusqu'à la clarté de la lampe ; il étalait crûment ce mélange de navrement et de joie mauvaise qu'engendre un désespoir sans recours.

— Au fond, ajouta-t-elle à mi-voix comme pour elle seule, ce sont les plus naïfs qui divorcent : ils croient qu'ils réussiront mieux la prochaine fois.

A cette parole qui, la première, évoquait l'avenir d'Agnès au-delà de l'instance, elle ne vit pas son amie changer de visage.

« Qu'est-ce qu'elles fabriquent, à la fin ? se demande Martin. Je vais regarder par le trou de la serrure. » Mais il est trop petit, son œil n'y atteint pas. Il se venge de cette humiliation en explorant sans permission l'appartement et se glisse dans un couloir aux murs écaillés où cheminent des intestins de plomb, où pendent des fils. En poussant une ou deux portes au hasard, il découvre des pièces désaffectées ; c'est le taudis de la Belle au bois dormant. Ce corridor ténébreux débouche sur — mais sur quoi ? Pour Martin, une cuisine c'est clair et luisant, plein d'instruments très amusants, avec un coffre-fort blanc qui déborde de choses à boire et à manger. Ici, un compteur à gaz accroupi comme un crapaud rouge, un vieux fourneau sur le dos duquel ronflent deux casseroles à l'odeur maigre. Depuis dix ans, comme dans les romans de police, l'horloge marque 11 h 17 : c'est à peu près l'heure où mourut le bâtonnier. Sur une table qui porte un pansement de toile cirée, le couvert ébréché est mis pour une personne. « Pour la cuisinière ? » Mais le porte-serviette brodé à l'ancienne annonce *Mademoiselle Irène*, et Martin sait lire. Il devient triste d'un seul coup : il pressent confusément que les grandes personnes passent leur vie à faire semblant, mais pas pour jouer, et qu'elles sont à l'image de leurs appartements où de beaux salons dissimulent des entrailles honteuses. Il retrouve inexplicablement le désespoir de ce jour où il a bien fallu admettre que maman allait aux cabinets tous les jours, comme lui. Il remonte le couloir jusqu'au salon. Allons bon, c'est une salle à manger aux volets clos où douze chaises attendent en vain douze fantômes. Il retrouve le salon et sa place « bien sage » au moment même où sa mère y rentre avec *Mademoiselle Irène*. A la pensée qu'elle va dîner seule dans cette cave, il voudrait l'embrasser. Mais tant de poussière, de solitude, de salive amère doit être contagieux et il évite lâchement de lui serrer la main — ce qui enchante l'avocate : ces petites pattes sales et griffues...

Naturellement, il ne s'avise pas que sa mère est pâle, son regard fixe, ses mains froides. Les enfants n'observent pas plus leurs parents que nous ne voyons Dieu : il leur suffit pareillement qu'ils existent.

— On n'y voit plus rien, dit Me Vallier du Tour.

Elle allume un lustre pleureur ; on y voit encore un peu moins.

Tandis qu'ils descendent l'escalier, Martin se suspend à la main de sa mère :

— On n'y reviendra plus jamais, dis, maman ? Plus jamais !

III

SEUL LE DIAMANT

Le décor représente le bureau d'un des quatre juges chargés des tentatives de conciliation au palais de justice de Paris. Figurants : un garde et un greffier. A gauche, une porte s'ouvre sur la pièce grise où attendent les femmes ; à droite, une autre, les hommes. Ces deux salles où pas un mot et presque aucun regard ne sont échangés, où chacun des silencieux croit son cas unique et, de temps à autre, remonte avec un grand soupir son invisible fardeau de griefs et d'arguments, ces salles alimentent tristement les cabinets des deux juges qui opèrent « en batterie ». Disposition aussi rationnelle que celle des piscines, des écoles ou des prisons ; la croix aussi, remarquez-le, par rapport au corps du supplicié, est parfaitement « fonctionnelle ».

Il est 18 h 17 lorsqu'un juge tout à fait las et sans espoir fait entrer Agnès et Marc, ensemble mais chacun par sa porte. Aucun d'eux ne lui jette un regard : ils ne se sont pas revus depuis... — à quoi bon préciser ? Deux humains qui se déprennent l'un de l'autre ne vivent plus dans le même temps. Pour le juge, pour lui seul, six semaines se sont écoulées entre la requête en divorce et cet après-midi. Agnès et Marc se regardent sans un mot, d'un œil neuf et pourtant surchargé d'images, comme aux retrouvailles d'un long voyage : un coup d'œil de gare. Et chacun pense : « C'est absurde, ce n'est pas possible... » Malheureusement il croit être le seul à le penser.

Marc est venu « aux ordres » ; il se sait coupable, il aurait honte de plaider devant cet inconnu : c'est ce qu'il nomme sa dignité et, comme souvent, elle est l'ennemie du bonheur et du bon sens. Mais d'Agnès il attend la parole que lui-même n'a pas le droit de prononcer. « Réglons d'abord cette affaire, débarrassons-nous des avocats, avoués, juges, greffier, de toute la bande noire : tirons-nous du piège pendant qu'il en est temps ; ensuite nous mettrons de l'ordre entre nous. » *Sérions les problèmes :* au bureau, sa formule est célèbre. Mais la première démarche ne dépend pas de lui : Agnès seule peut les réconcilier, il suffit d'un mot.

Elle allait le prononcer, dissiper ce brouillard, chasser l'insomnie, la solitude, le silence, lorsqu'elle remarqua la cravate de Marc. Depuis dix ans (et ç'avait été son premier cadeau, dès avant leurs fiançailles), elle choisissait toutes ses cravates. « Je ne veux pas que mon mari s'habille comme à Poitiers ! » Et lui, conscient d'avoir rejoint et dépassé ces fameux Parisiens, concédait en souriant cette part du feu : le goût provincial, soit ! Agnès avait le goût exquis ; la cravate que Marc portait aujourd'hui lui parut vulgaire, à l'image même de cette fille qu'elle ne connaissait pas et qui, sans aucun doute, l'avait choisie. Elle se trompait : c'était Marc, de nouveau livré à Poitiers. Elle tint pour preuve et provocation ce qui n'était qu'un achat inutile, quelque samedi désœuvré. « S'il accepte qu'elle choisisse ses cravates, c'est qu'il a tout oublié. Et s'il a noué celle-ci pour venir ici, c'est qu'il me signifie mon congé définitif... » Elle ne pouvait quitter des yeux ce morceau d'étoffe ; et Marc, qui ne s'en doutait pas, lui trouvait l'air étrange, c'est-à-dire étranger, et le regard plus lointain que jamais, ce qu'il traduisait par méprisant. Le juge parlait ; Agnès n'écoutait pas. A ce vide qui se creusait en elle, à ce dédoublement vertigineux (une Agnès livrée à cette comédie, et l'autre qui aurait voulu crier, s'enfuir, mourir), elle mesurait l'espoir qu'elle avait placé dans cette tentative de conciliation et, partant, son présent désespoir. Elle oubliait tout à fait que l'échec ou la réussite ne dépendait ici que d'elle; comme d'habitude, comme toutes les femmes de sa lignée, elle attendait que les autres, les adultes, les hommes décident de tout. Elle n'osait prononcer un seul mot, de crainte qu'il ne correspondît pas au rôle qui lui était dévolu dans ce cérémonial ridicule mais inévitable. Elle se rappelait avoir assisté, dans un théâtre japonais, à un drame incompréhensible, à la fois futile et implacable ; c'était à peu près cela. Aussi vit-elle avec un soulagement désespéré entrer, par une troisième porte, ce Paul-Louis qui longtemps avait été leur meilleur ami et cette Irène qu'au fond elle détestait et qui incarnait l'*inarrangeable*. Il lui semblait parfois que son avocate était devenue un obstacle au retour de Marc, pire que cette Marion.

Les avocats entrèrent sur un coup de sonnette du petit homme à l'air si las qu'elle considéra enfin. Ils l'appelaient « monsieur le Président » — mais de qui, de quoi ? Il était tout seul. Le garde se curait les dents avec sa langue ; le greffier consultait fréquemment sa montre ; à cause de sa mauvaise vue, il l'approchait tout contre ses yeux comme s'il allait baiser sa propre main. La pièce sentait l'homme ; plus un souffle d'air, rien que des haleines. Tout cela qu'elle vit d'un coup d'œil (jusqu'alors elle n'avait guère fixé que la cravate) lui parut une histoire d'hommes, comme la chasse, la police, les banquets ; l'autre Agnès, celle qui ne songeait qu'à fuir, gagnait du terrain d'instant en instant.

Elle entendit les avocats proposer une garde partagée de ce qu'ils appelaient « l'enfant » (et ce mot revenait sans cesse), mais dont ils parlaient comme d'un meuble ; ou comme Salomon avait dû parler de l'autre enfant. On le coupait en deux : « Six mois chez l'un, six mois chez l'autre... » Les avocats paraissaient à ce point d'accord qu'Agnès songea : « Si je ne peux même plus compter sur la hargne d'Irène... » Etre privée six mois de Martin, pourquoi ? Irène lui avait exposé les méandres de ce donnant-donnant ; elle ne se les rappelait plus ; elle ne se rappelait plus rien. Il y avait Martin, la voix, les fossettes, les taches de rousseur, le pas précipité de Martin et puis, à trois mètres d'elle, Marc qui allait repartir sans avoir prononcé un mot. « Ma chérie, est-ce que vous accepteriez... » Ce même Marc... Oh ! le matin transi où leur petit garçon était né... Et Marc allait repartir. Personne ne pouvait donc l'en empêcher ? Son cœur battait dans ses oreilles. Mourir là, devant eux... Elle allait tomber. Comment tenait-elle encore debout ?

— Vous ne vous sentez pas bien, madame ?

Elle ne répondit pas au juge. L'avait-elle entendu ? Et voyait-elle les sourcils froncés de Marc et sa bouche entrouverte ?

— Paul-Louis, ne peut-on pas arranger les choses ? souffla-t-il à son avocat.

— Elle, oui ; toi, non.

— Mais tu vois bien qu'elle est incapable de... Elle va se trouver mal !

— Qu'est-ce que tu veux que j'y fasse ? demanda Me Terrasson avec humeur.

Irène s'approcha de son amie, la prit entre ses ailes noires.

— Ça ne va pas, Agnès ? Agnès, tu m'entends ?

— Je voudrais.. Je ne sais pas... Allons-nous-en, murmura-t-elle enfin sur le ton de Martin.

— Monsieur le Président, dit Mᵉ Vallier du Tour, nous vous demandons la permission de nous retirer. Ma cliente...

— Je le vois bien.

— D'ailleurs tout est réglé, hasarda le greffier et il consulta sa montre.

Le garde se leva.

— Bon. Je vais signer l'ordonnance de non-conciliation. A moins que... Maître ?

— Rien de plus à dire, monsieur le Président, fit P.L.T. avec un geste qui pouvait passer pour navré — et il foudroya du regard Marc qui allait parler.

Celui-ci le retint par le bras.

— Ecoute, il y a quelque chose qui ne va pas. J'ai l'impression qu'Agnès... Si nous étions seuls, nous pourrions...

— Vous avez eu des semaines pour le faire si vous l'aviez voulu, dit l'autre, exaspéré.

— Mais Agnès est malade !
— A qui la faute ?

Marc faillit se précipiter vers sa femme sans bien savoir ce qu'il ferait ou dirait alors. C'eût été la première fois qu'il se fût abandonné à l'instant, à l'instinct ; il s'en avisa et cela le figea sur place. D'ailleurs, Agnès était déjà sortie au bras d'Irène qui la remit à celui d'Albert, et l'odeur familière de sa voiture lui servit enfin de refuge. Le chauffeur se demanda pourquoi Madame ouvrait ainsi la vitre à l'air si froid. Une migraine la torturait, un turban qui, de minute en minute, se serrait davantage, et elle était incapable de formuler une autre pensée que celle-ci : « Je vais retrouver Martin... retrouver Martin... retrouver Martin... » Mais elle éclata en sanglots au moment de l'embrasser, se réfugia dans sa chambre, refusa de dîner, éteignit la lumière. Elle repassait dans sa mémoire ce qu'elle avait retenu de cette séance et c'était incohérent. Allons, il n'est pas possible que cela comptât ; on allait recommencer et, cette fois, quelqu'un parlerait vraiment. Marc dirait... Marc ! Elle revoyait cette ignoble cravate et cela lui semblait tantôt sans importance et tantôt décisif. Et, chaque fois qu'elle revivait la scène, elle sentait resurgir en elle ce dédoublement, cette aliénation de soi qui la terrifiait. « Il faudrait dormir », se répétait-elle ; mais la pensée d'être allongée, livrée sans défense à *l'autre*, lui était insupportable. Pareille au gibier que son immobilité condamne à mort, elle s'imaginait d'avance assaillie de rêves dont le pire eût été qu'ils ressemblassent à la réalité.

Une heure avant minuit, elle gagna la chambre de Martin et s'assit en silence dans le noir. Elle voulait seulement respirer le même air que lui, et d'abord s'assurer qu'il vivait, car aujourd'hui elle craignait tout. Elle prêtait l'oreille à ce souffle court ; elle demeurait penchée sur le lit jusqu'à discerner dans les ténèbres cette tache blême dont l'odeur tiède et sauvage montait jusqu'à elle. Ce petit être si profondément endormi et qui rêvait loin d'elle, rien d'autre ne la protégeait cependant de la nuit, de la folie. Elle murmura : « Mon chéri... toi tout seul... mon tout petit » — et plus bas, par deux fois : « J'ai peur... »

Lorsqu'elle fut sortie, étrangement apaisée, épuisée aussi, le petit garçon ouvrit grands ses yeux dans le noir. Son cœur battait si fort que le drap, sur sa poitrine, tressautait chaque fois.

Le lendemain, Agnès Lapresle était transportée dans une maison de repos et plongée, pour un temps indéterminé, dans un sommeil artificiel. Après un duel violent et vain (Irène en gardait de l'écume blanche au coin des lèvres comme, dans ses anses, un marais garde une crème putride), les avocats se mirent d'accord : on intervertirait les gardes prévues ; Martin serait confié, cet hiver, au Dr Lapresle son grand-père. Mais qui l'y conduirait ? La Biennale du Bâtiment s'ouvrait à Milan le surlendemain et Marc, délégué général pour la France, s'y trouvait déjà. Il téléphonait chaque jour à Marion, à P. L. T. et même à Martin qui lui racontait, à 10 F la minute, ses petites histoires d'école et que, dans le jardin, il croyait bien avoir reconnu un écureuil ce matin. Il fut décidé qu'Albert accompagnerait l'enfant jusqu'à Châteauroux où Joseph, l'homme de confiance du Dr Lapresle, le prendrait en charge. L'issue de cet événement serait confirmée par quatre télégrammes : à Milan, à la clinique et aux deux avocats. La méfiance aidant, ce transfert prenait les proportions d'un récit d'espionnage. A quoi devaient se reconnaître les deux émissaires sur un quai, d'ailleurs à peu près désert à cette heure, voilà qui fit l'objet de descriptions minutieuses. Lorsqu'il y pensait, le Dr Lapresle en riait tout seul : « N'importe qui reconnaîtrait mon Joseph au milieu d'une armée ! Suffisait de dire : il se teint le poil, et une de ses dents sur deux est noire... Marc a donc tout oublié ! »

C'était la première fois qu'Albert voyageait en première classe et il s'y trouvait aussi mal à l'aise qu'un homme dans un vêtement trop ample. En tant que chauffeur, il jugeait humiliant d'être assis plus confortablement en train que dans une voiture ; et l'homme fraternel en lui, avait la nostalgie du petit monde imbriqué et saucissonnant des secondes classes. Pareil au riche qui se gave dans une pâtisserie tandis qu'un mendiant se tient devant la vitrine, Albert détournait les yeux chaque fois qu'un permissionnaire, un vieux ou une paysanne passait dans le couloir de son wagon calfeutré.

Martin, qui n'avait jamais voyagé qu'en avion pour se rendre avec ses parents vers la neige ou le soleil les plus coûteux, s'émerveillait de tout. De la gare, cathédrale obscure et tumultueuse, autrement imposante que ces aéroports ouatés, tout en vitre et en métal creux. Du train qui glissait à la vitesse de la foudre alors qu'en l'air les avions n'avancent pas. D'ailleurs, voler est tout simple — voyez les oiseaux ! — tandis que rouler exactement sur des rails aussi minces... Et puis, dans un compartiment, on a des gens assis en face de soi ; on peut jouer à les imaginer en curé ou en militaire. Et surtout on peut remuer : marcher dans le couloir à contresens du train, ou courir dans le même sens, c'est-à-dire aller plus vite que lui ! Dans les cabinets, à la condition de ne pas « rabattre le couvercle de la cuvette après usage », on apercevait la voie, film vertigineux, on entendait ce grondement d'enfer. Albert, mameluk grognon, veillait devant la porte au verrou interdit. « Alors, c'est bientôt fini ? »

Sur le quai gris de Châteauroux, le rat des champs reçut du rat de ville sa précieuse cargaison. La petite main changea de grande ; celle de Joseph était rugueuse et tout engravée de noir. Martin observait avec stupeur les moustaches d'ébène (cela ne devait pousser qu'à la campagne) et ce sourire matois plein de dents dièses.

Le Dr Lapresle observa l'autre vieux par-dessus ses lunettes avec cet air ironique que le paysan lui connaissait depuis l'école.

— Bah, tu n'as rien du tout, Gaston : rien que la vieillesse ; nous sommes d'un autre siècle, que veux-tu...

Le vieux se rhabillait — « avec plus de peine que moi », songea le docteur.

— Je ne te prescris presque pas de médicaments : ce n'est pas la peine que tu donnes ton argent au pharmacien. Ni au médecin, ajouta-t-il au moment où son vieux camarade portait à sa poche une main noueuse. Rajuste-toi tranquillement, Gaston. Moi, je file à la gare chercher mon petit-fils.

— Le garçon à Marc ?

— Eh oui, Paris n'est plus assez grand pour lui !

— Ça lui fait combien ?

— Sept ans, répondit le docteur sans hésiter. Facile à calculer : il y a six ans que je ne l'ai pas vu. Pourquoi me regardes-tu comme ça ?

— Parce que tu ne ris plus, fit l'autre en évitant cette fois de croiser le regard.

— Allez, adieu, Gaston.

Il sortit de son cabinet, décrocha d'un porte-habits fait de cornes de cerf son pardessus d'octobre (une veste de chasse avec des poches un peu partout), prit sa canne et puis, par coquetterie, la remit en place et sortit. Jamais rien sur la tête ! « Le seul moyen de conserver ses cheveux. » Les siens étaient d'une blancheur bleutée de lessive, mobiles comme l'écume au vent mais toujours dans un désordre admirable. Parfois, il les brossait-peignait de ses deux mains avec la hâte anxieuse d'un petit garçon à la porte d'un salon, mais ils retournaient d'eux-mêmes à leur tumulte harmonieux.

Demeuré seul, Gaston fit le tour de la pièce en boutonnant posément sa veste : d'accablantes rangées de livres gros comme mon bras, des médailles, des coupe-papier, des pyramides de médicaments... Aux murs les portraits des docteurs Lapresle : Etienne-Albert (1836-1912) et Marc-Etienne (1867-1935) et, sur le bureau de leur successeur, une grande photographie de sa femme. « Quand donc est-elle morte ? se demanda Gaston. En 50 ? Non, 51, la même semaine qu'Angélina, celle à Joseph... »

Novembre, les deux hommes s'étaient trouvés veufs en même temps : on avait fermé des pièces dans la maison, l'odeur du tabac froid y avait remplacé la lavande de Madame et le fumet de la cuisine d'Angélina ; les vases de fleurs étaient restés veufs, eux aussi. Une vieille du pays montait en boitant préparer les repas au « château » (lequel n'était qu'une maison bourgeoise mais flanquée de tourelles et surmontée d'un arsenal de paratonnerres) ; une autre, chaque lundi, faisait la lessive de la semaine et repassait celle de la précédente ; un bonhomme grattait le jardin. Joseph s'occupait de tout le reste, conduisait la voiture et, déguisé d'une blouse blanche, jouait les infirmiers, le cas échéant. Mais ces fonctions-là devenaient honoraires : depuis ce qu'en hochant la tête tout Sérignay nommait son « alerte au cœur », le Dr Lapresle ne faisait plus guère de visites et les consultations elles-mêmes se raréfiaient. Ne montaient plus jusqu'à la grille blanche et le gravier crissant, ne s'asseyaient sur les chaises alignées, le regard tourné vers la porte molletonnée comme une redingote, que les anciens du village, ses camarades d'école ou de guerre, que le docteur n'aimait pas faire payer et qu'il désespérait de guérir depuis que lui-même se sentait atteint.

Gaston ajusta ses lunettes et lut la brève ordonnance avec contrariété : à quoi servait de pouvoir se faire rembourser des médicaments coûteux si l'on ne vous en prescrivait pas ? Le nouveau médecin, le jeune, vous en ordonnait pour des milliers de francs — à la bonne heure ! Il est vrai qu'il se faisait payer, lui.

Le Dr Lapresle atteignit la grille qui ressemblait à un entrelacs de lettres majuscules, « à une signature de pharmacien », et se retourna pour regarder sa maison. Depuis ce matin, il essayait d'observer toute chose d'un œil étranger, celui de Martin. « Allons, tout cela lui plaira beaucoup, pensa-t-il ; les enfants raffolent d'une certaine laideur : une laideur à « histoires »...

Il descendit vers la gare sans se hâter. Pour trouver encore quelque intérêt à vivre, il mettait toujours un peu de provocation dans ses faits et gestes ; le fameux sourire ironique ne le quittait plus depuis que, jour et nuit, en pensée comme en rêve, il portait le deuil. Joseph seul s'en doutait — mais « pas un mot là-dessus ! » avait ordonné son maître peu après les doubles funérailles qui avaient figé de stupeur la maison aux tourelles. « Pas un mot là-dessus ! » Sa voix se brisait en achevant ; les deux hommes noirs s'étaient regardés en silence de leurs yeux rougis et soudain brillants, car chacun éprouvait pour l'autre une immense compassion ; puis, comme son menton se mettait à trembler, le docteur avait tourné le dos brusquement. Le lendemain, il reprenait ses consultations et son ironie si rassurante ; et Joseph, qui avait oublié de teindre cheveux et moustaches comme le lui prescrivait Angélina, se faisait rappeler à l'ordre : « Tu te laisses aller, mon vieux. Pas de ça ! »

Vers la gare, et sans se presser dans la mesure même où l'impatience l'eût fait courir ! Son cœur allait plus vite que ses pas. Ce petit-fils dont on l'avait frustré, ce Martin qui jamais au premier jour de l'an... Mais savait-il écrire seulement ? Et lui-même n'aurait-il pas dû monter le voir, ou l'inviter ici, ou lui envoyer des présents ? Et d'abord pardonner : pardonner à Agnès, à Paris, d'avoir volé son fils à Sérignay, à la médecine ? Vieil homme solitaire et scrupuleux, il recensait tous ses torts au moment même où les événements lui donnaient tristement raison.

Du clocher impassible, à sa gauche, l'angélus tomba sur ses épaules. Heure détestable qui, chaque soir, le revêtait d'une chape de solitude ; cloches indifférentes qui, le matin des funérailles, avaient tinté interminablement, et, trois fois le jour, sonnaient joyeusement dans un ciel vide... Le cri enroué du train leur répondit du côté de Saint-Hilaire : elle approchait, sa seule revanche sur ces cloches, sur l'hiver, sur le temps ! Il cessa de sourire, il allongea le pas. On le suivait des yeux derrière vingt rideaux hypocrites : tout Sérignay savait que ce matin même Joseph avait pris le train pour Châteauroux et pourquoi le docteur allait à sa rencontre. Celui-ci prit cependant le temps d'arrêter un gosse qui toussait creux, de lui donner en pleine rue un coup d'oreille et « Dis donc à ta mère qu'elle t'envoie demain chez le médecin ! » — ce qui signifiait : chez son jeune confrère, car d'enfant, chez lui, un seul l'intéressait désormais. Le train s'annonça, du côté du passage à niveau, par ce timbre creux, indifférent mais obstiné qui, dans le soir tombant, est la voix même du Destin. Le docteur s'était mêlé aux autres attendants ; il se tenait debout près de la bascule, sous une affiche qui recommandait aux paysans de passer l'hiver aux Baléares. Le chef de gare coiffa sa casquette trop étroite, prit le drapeau rouge et se posta contre la porte, mendiant galonné, la main tendue pour recevoir les tickets. Le monstre s'arrêta en grinçant et la foule un peu hagarde des voyageurs pénétra dans la gare nue. Chacun d'eux cherchait un visage et, dès qu'il l'avait aperçu, changeait de regard. Le docteur, qui guettait à hauteur de petit garçon, vit Martin, ou plutôt Marc enfant coiffé d'une tignasse blonde, et ses yeux se remplirent de larmes. Pourtant il ne murmura ni « Marc » ni « Martin » mais « Françoise », le prénom de sa femme morte depuis quinze ans. Une vieille paysanne l'entendit, se retourna et dévisagea comme un étranger l'habitant le plus connu du bourg.

Joseph aperçut son patron et sa grosse main allait, sans lâcher sa tendre proie, le désigner à l'enfant mais le regard que lui lança le docteur le paralysa. Martin jetait de gauche et de droite les yeux vifs d'une petite bête qui se risque hors du terrier. Soudain, il se défit de la poigne épaisse, marcha délibérément vers la bascule et les Baléares, écarta sans égards quelques vieilles personnes et se planta, les yeux levés, devant ce grand-père qu'il n'avait jamais vu. Jeanne d'Arc reconnaissant le dauphin : n'était-ce pas ce que le docteur n'osait espérer ? Il s'attendait à ce regard intransigeant, à cette gravité de chat, mais pas à ces taches de rousseur et encore moins à la première parole de Martin :

— Maman n'est pas avec toi ?

Pour Martin, *rêve* et *réveil*, c'était le même mot : il ne s'étonna donc pas, après une nuit traversée d'images, de s'éveiller dans ce décor bizarre. Le dernier soleil d'automne sabrait les volets. D'un œil aux coins tout ensablés, Martin vit une chambre verte, couleur irréelle car sa mère la détestait. Malgré la nuit passée ensemble, ce lit, ces draps lui restaient étrangers. Il sauta à terre, se battit avec un système de fenêtre et de volets qui n'étaient pas les siens et se pencha au bord d'une planète inconnue : cette pelouse vallonnée, pareille à un océan immobile et d'où émergeaient, tels des mâts engloutis, d'immenses arbres à peine vêtus ; ce troupeau de toits gris massés autour de leur berger l'église ; et, à perte de vue, le triste habit d'Arlequin des champs de novembre. Mais n'était-ce pas le silence qui, à son insu, intriguait le plus le petit garçon des villes et le mettait si mal à l'aise ?

Il aperçut Joseph qui s'en revenait lentement de la grille, et il se sentit fier et rassuré de le reconnaître : le voir ainsi de haut sans être vu lui conférait un vif sentiment de supériorité. A mi-chemin, Joseph s'arrêta, tira d'une poche de velours où plongeait la moitié de son avant-bras un briquet qu'il battit et dont la flamme parut griller entièrement le mégot demi-deuil et les moustaches noires, cracha de côté, puis repartit.

Martin se retourna vers sa chambre et, sans trop s'en étonner, n'aperçut guère aux murs que des photos de lui-même, assez peu ressemblantes. Il vit aussi la porte s'entrouvrir et son grand-père passer la tête. C'était la septième fois depuis ce matin qu'une impatience inquiète le conduisait sur le seuil de l'ancienne chambre de Marc et la troisième, au moins, qu'il réprimandait Joseph : « Ne traîne pas tes pieds comme ça, tu vas réveiller le petit ! » Etant allé jusqu'à Châteauroux chercher Martin, Joseph s'attribuait confusément un droit de priorité sur cette petite personne ; ces remarques l'offensèrent. Joseph traînait les pieds depuis trente-cinq ans ; depuis aussi longtemps, le docteur possédait un éternuement célèbre dans toute la région : fracassant, trois fois répété et si soudain qu'il ne laissait le temps de prévenir personne. Mme Lapresle n'avait jamais pu s'empêcher de sursauter ; après le troisième, elle levait les yeux vers son mari, guettant le suivant pour formuler un reproche, mais le quatrième ne survenait jamais. C'était cet éternuement irrépressible qui venait de tirer Martin de son sommeil, et le remords qui avait conduit son grand-père jusqu'à la chambre verte.

— As-tu bien dormi, mon grand ?

— Quel jour c'est, grand-père ?

— Jeudi, mentit l'autre précipitamment. (Il ne voulait pas qu'on parlât d'école avant qu'il eût apprivoisé Martin.) Tu ne m'embrasses pas ? demanda-t-il en l'embrassant lui-même.

— Tu ne piques pas, toi.

Ce compliment remplit le docteur d'une fierté démesurée ; il était toujours rasé comme un évêque.

— Ton papa pique donc, lui ?

— Non, cria Martin, mon papa est le plus...

Il s'arrêta, ne sachant comment exprimer ce nouveau record ; son père et sa mère étaient « les plus » en tout domaine. Le soir parut tomber sur le petit visage rond. « Imbécile, se dit le docteur : je l'ai fait songer à ses parents. » Le bras tendu, Martin désigna les murs de la chambre :

— C'est quelle couleur ?

— Vert, répondit le docteur. (« Eh bien, il va falloir s'habituer à passer vivement d'une idée à l'autre ! »)

— Ma maman n'aime pas du tout cette couleur.

— Ta grand-mère la préférait à toutes les autres.

— Ma grand-mère ?

« Quoi ! pensa le vieil homme, Marc ne lui aurait jamais parlé d'elle ? »

— La maman de ton père, répondit-il patiemment,

mais il songeait seulement « Françoise » et sa blessure se rouvrait. Regarde !

Il conduisit l'enfant vers la cheminée, lui montra un portrait, le même que sur sa table de travail : c'était la meilleure image de Mme Lapresle, et la maison en était remplie.

— Elle est moins jolie que ma maman.

« Elle nous le volera donc aussi », ne put s'empêcher de penser le docteur, mais il se sentait stupide et injuste. En fait, Martin aimait assez cette inconnue qui ressemblait à son père ; mais entre elle et lui s'interposait il ne savait quoi dont il sentait qu'il fallait se méfier. C'était la mort ; il l'ignorait mais, pareil aux chiens, la flairait avec une horreur panique. Levant les yeux sur la glace, il vit, de profil, un vieux monsieur qui le regardait avec une tristesse absolue. Il lui fallut un instant pour...

— Grand-père, fit-il d'une voix enrouée par l'angoisse, embrasse-moi encore !

Mais, cette fois, ce fut lui qui baisa la joue d'évêque.

Le docteur sentit qu'il allait éternuer et parvint à crier : « N'aie pas peur ! » Lorsque, après le troisième séisme, le calme fut revenu, Martin demanda, en montrant les portraits sur les murs :

— Comment tu as ces photos de moi ?

— Ce n'est pas toi, mais Marc : oui, ton père quand il avait ton âge.

Les petits sourcils se froncèrent, comme ceux de Marc. Qu'il dût être un jour une grande personne, Martin le concevait ; mais que son père eût été si semblable à lui, voilà qui le déconcertait, l'inquiétait : le rempart devenait poreux. Il n'aurait pas aimé voir paraître son père, là, maintenant : la présence de ce vieux monsieur n'eût-elle pas suffi à le réduire en enfance ? Son trouble s'accrut encore lorsque le Dr Lapresle lui montra, le long du chambranle de la porte, les tailles successives de Marc :

— 1931, quatre ans... 1934, sept ans... Mets-toi là !... Regarde donc, tu es plus grand que lui !... Ça ne te fait pas plaisir ?

Pas du tout ! Quelle protection attendre d'un père plus petit que vous ? Et d'un vieux bonhomme qui peignait exprès votre chambre en vert et qui prétendait que sa femme était plus jolie que votre mère ? Martin sentit qu'il allait le détester.

— Je veux retourner à la maison, dit-il faiblement.

— Quoi ?

— Rien.

« Déjà ? pensa le docteur. C'est sûrement ma faute. Qu'ai-je dit qui lui ait déplu ?... Françoise ! » Il appelait à son secours celle qui devinait et dénouait tout sans une parole et dont la mort l'avait laissé lourd et terne comme un galet quand la vague se retire. Françoise !... « Pas seulement veuf, mais orphelin », se disait-il parfois quand il ressentait son inutilité, son impuissance — en ce moment, par exemple. A quoi lui servait-il d'être admiré de toute une région et d'inspirer confiance à des milliers de gens si ce petit garçon se défiait de lui ? « Hier matin, à cette heure-ci, je ne le connaissais même pas », songea-t-il sans bien savoir où cette pensée le conduirait. Mais elle ne fit que le désoler davantage : en quelques heures cet enfant avait pris une telle place qu'hier matin lui parut être un autre monde, un autre temps. Si Martin avait dû partir, à présent... Le docteur se rappelait cet autre petit garçon qu'il n'avait pas su aimer, dont il avait si peu profité parce qu'il lui préférait son métier. La mort de Françoise les avait laissés face à face et si sûr, chacun, que sa peine était la plus grande. Si elle avait vécu,

Marc n'aurait déserté ni Sérignay ni la médecine. Comme il le lui reprochait au moment des fiançailles : « Le premier des Lapresle qui ne sera pas médecin ! »

— Médecin ? avait répliqué Marc, les yeux brillants de colère (mais non, vieil homme, de chagrin !) Médecin, à quoi cela sert-il ? Tu n'as même pas été capable de l'empêcher de mourir !

Marc était parti, et Martin voulait partir. La vieille maison était-elle maudite ? Du moins elle allait se défendre avec ses propres munitions ! M. Lapresle saisit la main du petit.

— Habille-toi vite ! Je t'emmène visiter *ta* maison...

Il eut le génie de commencer par le grenier. « Ils n'en ont pas à Paris ! » L'escalier qui y conduisait avait été orné de trophées d'équipages ; de ces pauvres créatures haletantes, pourchassées jusqu'au fond des étangs, déchiquetées, fumantes de sang, il ne restait qu'une galerie de bustes guillerets. Leurs yeux de verre suivaient l'étrange couple : ce vieux qui laissait, comme un chasseur son chien, l'enfant fureter devant lui. Le tricycle Peugeot, un mannequin de couturière, la collection complète de *l'Illustration* depuis l'assassinat du président Carnot, « le Petit Chimiste », une arbalète et un violon (tous deux sans cordes), un microscope borgne... Martin tombait en arrêt devant chaque merveille. La charpente et l'envers du toit n'étaient pas les moindres.

« Quand je pense que, l'autre année, j'ai failli faire jeter tout ce bric-à-brac, songeait le docteur. (Il avait allumé l'une de ses cigarettes de maïs qu'il jetait à moitié fumées afin de préserver ses moustaches.) Quelle rage ont donc les hommes vieillissants de vouloir faire place nette ! » Heureusement, Joseph, mi-paresse, mi-bon sens, avait répondu :

— A quoi sert d'avoir de la place si on ne garde pas ce qui ne sert à rien ?

Qui ne sert à rien ? Ce n'était pas l'avis de Martin qui prétendait tout transporter dans sa chambre.

— Non, non, c'est toi qui monteras ici quand tu voudras, mon grand. Je retire la clef.

Trente ans plus tôt, il avait fait poser cette serrure afin d'empêcher un autre petit garçon de perdre son temps au grenier ; il se le rappela et se pencha vers Martin pour l'embrasser. « Il embrasse trop », se dit l'enfant qui d'un coup retrouva toute sa méfiance. Il pressentait confusément la vérité : que ce trésor et cette hâte à le montrer étaient dirigés contre son père et sa mère, et qu'à trop l'admirer, lui-même trahissait les siens ; ce grenier n'était qu'un immense piège. Martin se mit donc à bouder tout ce qui, l'instant d'avant, l'enchantait. L'autre surenchérit en vain. Un vieux magicien qui rate ses tours, quoi de plus triste ? Il déballait les déguisements d'un coffre bossu avec des gestes de camelot ; la cigarette s'était éteinte.

— Et ce palais chinois en moelle de sureau ! Veux-tu que je retire le globe ?... Bon. Ah ! tu n'as jamais vu ça : un trois-mâts dans une bouteille... Quoi ! tu ne vas pas me dire que...

— A la maison, il y a tout, dit Martin et il sortit noblement du grenier, la mort dans l'âme.

— Tu n'as pas vu le billard Nicolas ! criait la vieille voix derrière lui. Ni le cheval-jupon, le cheval-jupon !

Martin descendait très droit l'escalier aux cerfs. Son grand-père le rattrapa :

— Je vais te montrer les écuries, viens !

C'étaient les dernières cartouches. En passant devant le piano du salon, Martin eut une faiblesse, se rua pour jouer son petit morceau : do la-si-do... L'instrument, qui n'avait pas été accordé depuis la mort de Mme Lapresle, n'en tira qu'un refrain édenté, aigrelet qui acheva de murer le garçon dans sa défiance.

Comme ils sortaient, une brève bourrasque les cueillit ; les spadassins du vent et de la pluie les guettaient en silence. Depuis ce matin le temps était fantasque et le ciel habité. Cette querelle de la pluie et du vent, c'était la leur : légère mais immense, et sans raison. Ces larmes de pluie, le docteur les reçut comme un message personnel. La chevelure blanche dansait telle une flamme. Il leva les yeux et, tout haut cette fois, appela : Françoise !

Il vit deux paysans qui se dirigeaient vers son cabinet en disputant au vent leur chapeau. « Attendez-moi, j'arrive », leur cria-t-il, mais il se moquait bien de leurs rhumatismes et de leur catarrhe. En approchant des communs :

— Tu vois ce puits, dit-il plein d'espoir en ces paroles magiques, en 70, on y a jeté des Prussiens, des Hussards de la Mort.

— Chez nous aussi, murmura Martin, mais le vent emporta ce mensonge dont l'énormité eût rassuré le docteur, ou plutôt l'aurait éclairé.

Les écuries ne sentaient plus le cheval mais, au-dessus de chaque stalle, on déchiffrait encore le nom de son dernier pensionnaire : *Flambard*, *Muscadin*, *Gamin*, *Fanfaron*.

Le vieux guide évoquait ses souvenirs et, pour Martin qui avait la tête épique et ne saisissait guère qu'une phrase sur deux, les défuntes bêtes devenaient chevaux d'apocalypse. Il heurta du pied un bat-flanc et, dans l'écurie sonore, le choc se répercuta comme une ruade fantastique. Affolé, Martin s'agrippa à la main de son grand-père, ce qui réjouit l'un et humilia l'autre. En ce moment même, sa mère dormait d'un sommeil cotonneux dans une chambre de clinique à l'odeur fade, et son père, entre deux ministres italiens, inaugurait un bâtiment. Il avait bien raison de s'accrocher à la vieille main, ce petit garçon dans le désert !

— Et voici le coupé de ton arrière-arrière-grand-père.

Pour Martin tout ce qui roulait tiré par un cheval était un carrosse ; cela dut se lire dans ses yeux.

— Tu veux monter dedans ?

— Non, mon père a une Porsche.

Cette fois, ce fut le docteur qui lâcha la main de cet obstiné. « Après tout, je suis bien bon (c'est toujours ce qu'on dit quand on va cesser de l'être), bien bon de chercher à plaire à ce petit bougre. Arrêtons les frais ! » De temps à autre une brève colère l'empoignait ainsi, retour de flamme qui le flattait assez.

— Bon, dit-il d'un ton bref, tant mieux pour vous si ton père a une... enfin, ce que tu dis. Moi, je n'ai plus le temps de m'occuper de toi : des malades m'attendent. Tu trouveras Joseph dans les communs. In-ter-dic-tion de franchir la grille !

Ce grand-père qui soudain lui parlait rudement, Martin le considéra d'un autre œil. Les enfants aiment déplaire sans risque ; c'est leur seul moyen d'éprouver l'affection qu'on leur porte, c'est-à-dire leur sécurité. Ils le font comme le voyageur éprouve du pied un sentier douteux. Mais lorsque le sentier s'effondre...

— Grand-père, cria Martin, je voudrais...

— Pas le temps, jeta l'autre sans même se retourner.

Martin le détesta. « Je vais repartir à la maison, décida-t-il, il n'y a qu'à prendre le train. » Maison vide, mais il l'ignorait. D'un pas assuré, avec l'espoir que son grand-père le suivait du regard, il marcha jusqu'à la grille interdite, persuadé que la Porsche ou la « Déesse » allait y surgir. Passèrent seulement quelques écoliers qui se poursuivaient en reniflant et en changeant de main leur cartable tous les trois pas. De part et d'autre des barreaux blancs on se regarda comme, d'un train à l'autre, le font les voyageurs : avec une indifférence un peu agressive. Pas un instant Martin ne songea que sa place eût été, serait, allait être parmi ces écoliers.

Le Dr Lapresle venait de congédier la vieille Augustine dont il avait sauvé la vie à trois reprises en quarante ans ; cette fois la partie était perdue. Il essuya longuement ses lunettes avec son mouchoir, s'y moucha plus longuement encore et ouvrit une revue médicale. Il « se tenait au courant » de toutes les thérapeutiques modernes, filtrant attentivement la mode et le progrès, et cela le confirmait dans sa croyance au bienfait des anciens. Il reprochait à ses jeunes confrères de préférer la chimie à la médecine et, pour les meilleurs, la médecine au malade.

Il tressaillit en entendant soudain sonner la cloche et son cœur se mit à battre comme chaque fois que, cheval sans cavalier, l'esprit galope en quête d'une explication. Cette cloche muette depuis quinze ans... ? Pardi, c'était pour appeler le petit ! Entre Augustine, M. Vairon, le second vicaire et *la Presse médicale*, il avait entièrement oublié l'existence de Martin. Il la retrouva avec une joie qui avait un instant d'avance sur le souvenir de leur brouille.

— C'est trop bête, dit-il tout haut. Je vais... Est-ce qu'il va cesser de sonner, l'animal !

Il se leva et sortit de son cabinet par la salle d'attente. La pluie et le vent étaient partis jouer ailleurs, mais le sol et les feuilles demeuraient étonnés de leur passage.

— Alors, tu vas sonner jusqu'à ce soir ?

— Comme autrefois, fit Joseph en clignant un œil, comme au bon temps...

Il souriait en blanc et noir ; ils se regardèrent en silence, certains d'avoir les mêmes pensées, de revoir les mêmes images.

— Ça fait du bien, ma vieille, hein ? cria enfin Joseph, le visage levé vers la cloche. Tu faisais comme nous autres : tu te rouillais...

— Où est le petit, Joseph ? Comment veux-tu qu'il comprenne... ?

— Je l'ai prévenu.

— Tu l'as donc vu ?

Il se sentait jaloux et s'en voulut de l'avoir montré. Ensemble ils tournèrent la tête : Martin accourait, « les pieds en dedans, observa le docteur : c'est encore un tout-petit... » Le tout-petit venait d'explorer le jardin qui lui semblait immense ; il était prêt à affirmer à son grand-père que celui de ses parents possédait les mêmes arbres, mais il sentait bien que ceux de Neuilly, comparés à ceux-ci, n'étaient que des animaux de zoo. Il était retourné aux écuries pour s'enfermer dans le carrosse de l'arrière-arrière. Claquées les maigres portières, il y avait respiré un air humide et confiné, tout imprégné de ce qu'il croyait l'odeur du temps passé et qui n'était que le froid relent du tissu et du crin moisis. Il y étouffait ; il avait, pour baisser la vitre, cherché en vain la manivelle et même cru un instant qu'il ne pourrait plus rouvrir la portière. Saisi de panique, il s'était enfui sans se retourner, persuadé qu'un fantôme en houppelande et haut-de-forme le regardait, son fouet à la main, du haut du siège, en ricanant. C'était enivrant de mourir de peur à portée de cri des grandes personnes! Dans sa course vers la maison il avait pris le temps de s'arrêter près du puits de l'Année terrible et de se pencher sur sa margelle : horreur! un soldat allemand, au ras de l'eau, le regardait, de ses yeux grand ouverts... Non, ce n'était que le reflet de son propre visage; mais qui sait si quelque sur-vivant prussien ne se cachait pas sous l'eau à la moindre approche, telle une grenouille ?

En rôdant près des communs, il avait enfin trouvé Joseph, le buste plongé dans le moteur d'une vieille voiture dont le capot s'envolait de part et d'autre comme la cornette d'une bonne sœur. « Une bougie qui ne donne pas... » Ce drame s'inscrivait sur son visage qui paraissait en deuil de tout. Martin avait brusquement songé que son grand-père aussi portait moustaches. Tous les hommes de ce pays, peut-être ? Quand la bougie avait enfin consenti à *donner*, Jo-seph avait retrouvé son sourire de renard et s'était accordé une cigarette. Il avait aussi tenté d'apprendre à Martin à en rouler une et, après pas mal de gâ-chis, décrété que ses doigts étaient trop fins :

— Ben, pourquoi tu t'en vas ? Ma parole, il est vexé ! En tout cas, quand tu entendras la cloche...

Martin venait de l'entendre et s'en retournait, au grand galop, du fond du jardin. Il était Flambard, Fanfaron, le train, les Hussards de la Mort, l'Année terrible ! La vue de son grand-père lui rappela quel-que chose de désagréable, mais quoi donc ? « Pourvu qu'il ne m'embrasse pas ! »

Il avait fallu un siècle d'encaustique, de pain frais et de plats fumants pour conférer à la salle à manger cette odeur appétissante mais étrangère que le garçon flairait avec méfiance et que M. Lapresle ne percevait même plus.

— Je ne suis pas à ma place, observa Martin. (Il se trouvait toujours à la gauche de sa mère.)

— Peut-être, mais je te veux en face de moi, mon grand.

Les verres, les couteaux, la serviette immense et roide nouée en oreilles de lapin derrière la nuque, le goût de ce pain sans façon, tout était sujet d'étonnement.

— Donne-moi ton verre !

— Non, dit vivement Martin. (L'eau du puits ? les Prussiens ?) Je ne bois jamais.

— Allons bon, voilà autre chose. C'est la mode à Paris ?... Joseph, sers-le mieux que ça ! Mais si, encore un peu de viande...

Martin n'en finissait pas de finir.

— On ne doit rien laisser dans son assiette, mon grand.

— Ma mère en laisse toujours.

C'était la vérité, mais elle remit le feu aux poudres. Le docteur repoussa son assiette (vide) et jeta sa serviette sur la table :

— Ça ne m'étonne pas, figure-toi ! Tes parents sont juste un peu trop riches pour mon goût. Laisser des assiettes pleines alors que des millions d'enfants meurent de faim, jamais ta grand-mère ne l'aurait admis, jamais je ne l'admettrai !

— Si vous voulez, dit Martin.

Le docteur reçut ce « vous » comme une gifle ; ou plutôt il eût de beaucoup préféré une gifle. Il hésita entre l'armistice et la reprise des hostilités ; mais il baptisait le premier « capitulation » et la seconde « dignité », et le retour de flamme fut le plus fort. Il reprit donc sa tirade en torchant ses cheveux et en rebroussant par instants ses moustaches d'un geste vif. Sa colère lui tenait lieu de conviction : car, pour le moment, il se moquait bien des négrillons affamés, seul ce petit bougre au ventre plein lui importait. Sur le seuil, le plat à la main, Joseph contemplait avec effarement ce tribun qui ressemblait, en tout rouge, à son maître si taciturne. Il ne comprenait pas pourquoi la faim dans le monde l'induisait aujourd'hui en une telle fureur. Comment se serait-il douté que cette attaque visait seulement une jeune fille trop riche qui avait détourné un fils unique de la maison et de la profession paternelles ? C'était contre Paris, les millions, les présidents-directeurs généraux, contre le divorce aussi que le vieux docteur s'enflammait ; nullement contre un petit garçon à l'oreille écartée, qui serrait sous la table ses poings dérisoires et se répétait : « Il déteste ma mère, je le déteste, il déteste ma mère, je le dét... »

— Atchoum !... atchoum !... atchoum !...

Le triple éternuement éteignit d'un coup l'incendie.

— A *vos* souhaits, dit Martin, glacé.

La guerre dura cinq jours. Mais qui parle de guerre ? Il n'y avait que le silence, des prévenances sans chaleur et le code des bonjour-bonsoir. Deux banquises dérivaient en gardant leurs distances, ou plutôt deux navires hautains prenant bien garde d'échanger les saluts réglementaires. A table, Martin buvait de l'eau, ne laissait pas une miette dans son assiette ; vingt fois le docteur se retint de lui dire : « Si tu en as trop, mon grand, ne te force pas ! » Il passait les journées dans son cabinet, Martin au grenier ou dans le fond du jardin ; lorsqu'ils se rencontraient, chacun faisait à l'adresse de l'autre un petit geste crispé. Non qu'il se forçât : au contraire, il se contraignait à ne pas exprimer davantage. Une fois, ils se retournèrent ensemble après six pas et leurs regards désolés se croisèrent ; le docteur s'arrêta, Martin faillit courir vers lui mais il enfonça les mains dans ses poches (« Tiens, le marron ! »)

et repartit. Pour l'honneur de ses parents il tenait bon : laisser le vieux monsieur l'embrasser, c'eût été confusément accepter que ses parents ne l'embrassent plus — ce dont il pleurait chaque soir. Chaque soir, caché sous ses draps, il appelait « Maman » avec une sorte de fureur ; il arquait ses narines pour retrouver le parfum chaleureux, mais ne respirait qu'une senteur un peu aigre, la sienne car il ne se lavait guère. Il se consolait en *faisant crucrune*, même avec ces draps détestés : une boule de linge frais dont il se tamponnait le nez et les lèvres en répétant « Crucrune... » Jamais il ne s'était endormi autrement, Dieu seul savait pourquoi. Pour garder son courage contre le vieux monsieur, l'eau du puits et la chambre verte, il possédait un talisman : une carte postale reçue de son père et qui représentait une sorte de fouillis, de gâteau pointu, « le Dôme de Milan » ; elle ne le quittait jamais. C'était devenu pour lui une sorte de sport que de tout détester ici : son lit, les arbres, le ciel même. Il se persuadait qu'à Neuilly, l'été resplendissait, que son père y faisait installer une piscine, que sa mère avait acheté un chien plus gros que lui, que l'école était fermée. Il parvenait même à regretter Albert, qu'il n'avait jamais aimé, afin d'être plus sûr de ne pas s'attacher à Joseph. Consterné, celui-ci multipliait les avances : il lui avait bêché un carré de jardin, réparé l'arbalète, proposé d'atteler au coupé le cheval du voisin. Il aurait bien sacrifié son paquet de gris et gâché cent feuilles de papier à cigarettes pour obtenir un sourire ! Non seulement ce petit étranger ne le regardait pas, mais son vieux maître n'ouvrait plus la bouche ; seule, cette imbécile de cloche restait joyeuse. Un matin, en faisant la barbe du docteur avec un rasoir sabre et un bol de mousse aussi blanche que les cheveux qu'elle rejoignait aux tempes, il ne s'aperçut pas qu'il se laissait penser tout haut :

— Ça ne peut pas durer, murmura-t-il.

— Non, répondit le docteur qui voguait dans les mêmes eaux, je vais écrire à son père. A quoi bon le garder ?... Fais donc attention, tu viens de me couper !

Ce jour-là, l'évêque eut sur la joue une estafilade qui intrigua beaucoup Martin ; moins pourtant que cette parole que Joseph lui souffla sans le regarder :

— Monsieur va écrire à ton père.

Quoi ! les puissances ennemies négociaient sur son dos une paix séparée, on trahissait de toutes parts. Et lui, alors ? qui le protégerait ? Tout cela battait dans sa tête ; il avait froid, mal au ventre, mal au cœur. Ce fut une journée terrible : tout ici, au moment de le perdre, lui paraissait soudain solide et ravissant. S'il avait seulement baisé la joue de son grand-père, l'estafilade eût disparu d'un coup : aujourd'hui, il l'aimait de nouveau jusqu'au miracle. Impossible de s'endormir ! Pourtant ces draps fournissaient un *crucrune* exquis — il était bien temps de s'en aviser...

Joseph aussi passa cette journée dans l'hébétude. Vers 7 heures, il laissa le couvert à moitié mis, entra sans frapper dans le cabinet du docteur :

— Mais pourquoi n'essayez-vous pas de l'amadouer, ce petit ? de le... est-ce que je sais, moi !

— J'ai essayé, Joseph, répondit l'autre sans lever les yeux de son livre ; j'étais une vieille bête. Le diamant, c'est ce qu'il y a de plus dur au monde, tu savais ça ? (« Allons bon, pensa Joseph, voilà que son esprit se dérange à son tour. ») Et comment crois-tu qu'on parvienne à le tailler ?

— Le... le fer, l'acier ?

— Non, puisque l'autre est plus dur qu'eux.

— Alors ?

Cette fois, le docteur leva la tête, ôta ses lunettes, et regarda son homme bien en face ; il avait même retrouvé son sourire ironique.

— Seul le diamant taille le diamant, Joseph.

Le lundi était le jour de marché et, le lendemain, Sérignay, toutes boutiques closes, se reposait de ce grand branlebas. Le Dr Lapresle se donnait également congé tous les mardis matin et partait à pied faire la tournée de ses « témoins » : un certain nombre d'arbres, de toits, de calvaires champêtres qu'il connaissait depuis l'enfance et qui, dans un siècle où tout changeait si vite, surtout les humains, demeuraient ses repères.

C'était le matin du cinquième jour ; le ciel était vaste et vacant, le vent salubre, le temps vivace. Martin, de sa fenêtre, aperçut son grand-père qui franchissait la grille blanche, nu-tête et ses mains croisées derrière le dos. Il lui sembla que la maison, les communs, le jardin, tout allait tomber en sommeil, comme dans les contes, à partir de l'instant où le vieux monsieur disparaîtrait de leur vue, et il faillit lui crier « Attends-moi ! »

Une heure plus tard, un radeau gris traversa l'océan du ciel avec une hâte étrange, puis une flottille, puis un archipel ténébreux et, sur terre, tout changea soudain de couleur. Martin descendit voir Joseph :

— Qu'est-ce qui se passe ?

— Il va pleu...

Il n'eut pas le temps d'achever : la pluie se mit à hacher de biais le paysage comme un écolier en classe de dessin. L'eau crépitait sur les toits, les gouttières se gargarisaient, les troncs d'arbres ruis-

selaient déjà. Joseph leva les yeux vers ce ciel méconnaissable :

— Tiens, dit-il placidement, il y a quelque chose
qui ne *leur* plaît pas.

— Et grand-père ?

— Je vais partir le chercher en voiture. Il doit se
trouver à hauteur de la Martaugère, à cette heure.
(C'était une ferme assez éloignée : on passait devant
l'ancienne mairie, on prenait à gauche, et tout droit.)

— Je vais avec toi.

— Reste au sec.

Martin guetta longtemps derrière une vitre que la
pluie aveuglait puis, n'y tenant plus, courut d'une
traite jusqu'aux communs.

— Alors ?

Du fond du moteur, la voix lui répondit :

— Toujours cette sacrée bougie !

— Qui ne donne pas ? fit Martin d'un air entendu.

Sans s'accorder le temps de reprendre son souffle,
il repartit vers la maison : le temps de cueillir un
parapluie dans la patte d'éléphant qui les recevait
à l'angle du vestibule, puis, au galop, en direction
de l'ancienne mairie.

La tête levée, il riait tout seul : cette pluie torren-
tielle le nettoyait de tout, quelle bonne lessive ! Ses
souliers n'avaient pas résisté longtemps : il marchait
sur les eaux, au sein d'une grotte translucide, dans
une planète de verre sans autre habitant que son
grand-père, quelque part à gauche, parmi cette colon-
nade glacée.

Il l'aperçut brusquement, sans surprise, debout
contre un arbre aussi ruisselant que lui, saint Sé-
bastien transpercé par l'averse.

— Martin ! Mais qu'est-ce que tu... Pourquoi n'as-
tu pas ouvert ton parapluie ?

— Il était pour *toi*, grand-père.

— Comment as-tu dit ? demanda M. Lapresle d'une voix tremblante.

— Pour toi.

M. Lapresle ouvrit le parapluie, opposa au déluge ce toit dérisoire mais providentiel et, dans sa main libre, saisit celle de Martin qu'il trouva brûlante. « Il a pris froid, se dit-il. A cause de moi — non ! pour moi... Je m'en vais te le soigner, te le soigner... Allons (mais c'était à Marc qu'il s'adressait), ça sert à quelque chose, la médecine ! »

IV

LA SEMAINE DES SEPT JEUDIS

« Arrête ! » commanda le docteur sans remuer les lèvres. Le *sabre* que maniait Joseph s'écarta de la joue de neige où il venait de défricher un champ rose ; la serviette nouée autour du cou, M. Lapresle se leva et marcha jusqu'à la croisée qu'il ouvrit. Il vit ce ciel terne, morne, jaune ; à je ne sais quoi de sourd dans l'air il sut qu'il allait neiger.

— Le petit dort encore ?

— Comme une pionce.

— Tant mieux.

Entre la seconde mousse et la serviette fumante, la neige, en effet, commença d'effacer patiemment le paysage noir. D'abord espacés, lambins, désorientés, les flocons parurent s'affairer ; ils tombaient obstinément, obliquement, avec une hâte silencieuse. Sous sa housse, Sérignay désert retenait son souffle.

Un peu plus tard, sous sa capuche d'hiver dont il disait : « C'est tout ce que m'a rapporté la Campagne de 39-40 » (car, ayant connu l'autre, il refusait à celle-ci le nom de *guerre*), le docteur sortit, une cuvette à la main. Il cueillit sur les barrières et les branches basses une neige intacte, en remplit le froid récipient, monta droit à la chambre verte où il fit le jour, sans ménagement pour la forme qui geignait au lit.

— Je suis malade, grand-père... Quelle heure c'est ?

— On dit « Quelle heure est-il ? » Et puis tu n'es plus malade mais convalescent. La preuve, c'est que tu joues.

— Non, je m'ennuie.

— Vraiment ?

Il tendit la cuvette débordante de nuages, de montagnes et, tout entier, le visage rond exprima « Oh ! »

— Je m'en vais, dit M. Lapresle.

Il aurait bien aimé voir ce qu'allaient modeler ces mains impatientes avant que leur chaleur même fît fondre la neige ; mais il savait que la présence des grandes personnes clôt de remparts le génie des enfants.

— Si je ne suis plus malade, cria Martin qui voulait que sa joie fût parfaite, tu ne me mettras plus de turbigos dans le pataf ?

— Non, plus besoin.

« Un turbigo dans le pataf », c'était un suppositoire dans le derrière ; de père en fils les docteurs Lapresle se transmettaient un certain vocabulaire à l'usage des enfants malades.

Au moment de sortir, le vieux monsieur aperçut un carton sous un meuble ; il se pencha et ramassa une carte postale signée « Papa » et représentant le Dôme de Milan. Rentré dans son cabinet, il la déchira et la jeta au feu tranquille qui brûlait de novembre à mars dans sa cheminée — geste qu'il regretta un instant plus tard, un instant trop tard.

Assez fier d'être « convalescent », Martin prétendit demeurer encore au lit. Il y avait établi un royaume-fouillis qu'encombraient surtout les volumes de *l'Illustration*. Ils faisaient à longueur de temps vivre Martin en 1910, époque qu'il situait plutôt dans l'espace que dans le temps : coiffés d'oiseaux, de plumes et de chapeaux de cocher, les habitants de cet autre pays où l'on souriait sans cesse posaient devant d'extraordinaires inventions. On aurait stupéfié le dévoreur d'images en lui prouvant que ce n'étaient que des avions, des automobiles, des locomotives. Comme il ignorait le sens d'« Exposition universelle », il apprit aussi dans l'*Illustration* qu'il existait au moins trois autres Paris : Paris-1900, Paris-1925, Paris-1937, villes composées de palais et de pavillons bizarres, surpeuplées, hérissées de drapeaux et n'ayant en commun avec l'autre qu'un fleuve et une tour Eiffel. Il dévora encore les livres de la comtesse de Ségur ; ou plutôt en enjamba le texte d'une gravure à l'autre en ânonnant les légendes. Le général Dourakine, la mère Mac'Mich, la Papovska et l'Anglais aux dindons, désormais il les reconnaîtrait entre mille dans une gare ou sur un marché — et comment ne les avait-il pas déjà rencontrés ? Sur des draps chiffonnés par les « crucrunes » vespéraux, Joseph et la vieille laveuse montaient jouer avec lui au jeu des Sept-Familles. On laissait entrouverte la porte du palier et Joseph tendait si anxieusement l'oreille aux appels possibles du docteur qu'il ne jouait jamais que de profil. Les familles *Lahure, Talonnette, Vol-au-Vent* dressaient autour d'eux un village idéal où, du mitron à la crémière et de la fille à l'aïeul, chacun avait sa place, son métier, sa face hilare. Que le monde était bien fait, Martin ! Le mégot noir aux lèvres, les yeux brillants, Joseph réclamait « *l'aïeuleu Mi-fa-sol* » et si impérieusement qu'il en postillonnait.

— Tu pleus, observait le convalescent.

Hélas, il fallut se lever. Martin trouva le jardin maigri, les journées brèves ; décembre montrait déjà son nez rouge.

— Je devrais t'inscrire à l'école, dit M. Lapresle un matin.

— Oh, grand-père !

— Et même t'avoir inscrit depuis plusieurs semaines.

— Mais je suis *convescent*, protesta Martin qui crut devoir tousser.

— Je sais. Et puis, poursuivit le docteur en détournant les yeux car c'était un peu mentir, ils ont des cas de rougeole et de coqueluche à l'école ; je ne tiens pas à ce que... Bref, c'est moi qui te ferai la classe ; j'en saurai toujours assez.

Ils s'installèrent donc, chaque matin, de part et d'autre de la table de travail de M. Lapresle, dans la bizarre odeur de poussière sacrée et de médicaments. Le *pataf* juché sur deux annuaires téléphoniques, le garçon commençait à bâiller dès les premiers mots.

— On met sa main devant sa bouche ! faisait remarquer le professeur assez vexé.

« Et quand on éternue ? » pensait Martin qui guettait les signes avant-coureurs du séisme : regard fixe, sourcils froncés, ailes du nez frémissantes.

Chaque soir, plus soigneusement que l'élève, le maître préparait les leçons du lendemain. Morale, histoire naturelle, texte français, dans son enseignement tout confluait souterrainement vers la médecine : tel était le but du docteur qui comptait bien réussir avec Martin ce qu'il avait manqué avec son fils Marc. Il pensait qu'il n'était pas trop tôt pour mettre la petite barque dans le bon sillage et qu'il valait mieux s'en occuper lui-même, l'instituteur et le curé ne rêvant pour leurs meilleurs sujets que d'Ecole normale et de séminaire. Aussi les disciplines qui, même par des chemins détournés, ne conduisaient pas à la médecine étaient-elles allègrement sacrifiées. Ou plutôt M. Lapresle les enseignait d'une manière singulière et parfois efficace.

— Bon ! pour finir, nous allons apprendre un département : l'Yonne.

Sur un tableau noir que Joseph était allé acheter en ville, il inscrivait Y.O.N.N.E. Martin observait avec ravissement que, comme lui, son grand-père tirait la langue en écrivant ; et aussi que la vieille main portait les mêmes taches de rousseur que son visage.

— Chef-lieu : Auxerre. Répète !

— L'Yonne, chef-lieu Auxerre.

— Sous-préfectures... Ecoute bien : « Un homme avait une soif de l'*Yonne*. Il *Joigny* le *Sens* à la parole et se dit : *Tonnerre, Avallon !* »

La veille, « tous les rideaux de la Corrèze étaient... en quoi, Martin ? — En Tulle. » L'avant-veille, « *Ma concierge* avait, de tabac, *son nez noir* » (Saône-et-Loire, chef-lieu Mâcon).

Une à une les préfectures clignaient de l'œil à Martin sur l'immense carte murale que son grand-père avait pendue dans son cabinet et qui intriguait si fort les malades. Dans leur cadre de bois doré, les docteurs Etienne-Albert et Marc-Etienne Lapresle, officiers de la Légion d'honneur, surveillaient de haut l'apprivoisement de cette petite créature en qui coulait un sang rebelle à la médecine.

— Bon, disait le professeur lorsque sonnait enfin l'angélus de midi, je te libère.

Et il allumait sa cigarette couleur de maïs.

Martin poussait un cri sauvage, se jetait sur la porte capitonnée, retournait sur ses pas.

— Merci, grand-père !

— Ça va bien, ça va bien. File !

Assis très droits sur leurs chaises, quelques patients dont la liste commençait à s'émousser, voyaient passer une flèche, un bolide en direction des communs. Martin en ressortait pédalant sur le tricycle Peugeot, abordant les virages sur deux roues seulement en hurlant *Marchpountz !* — ce qui, dans son langage secret, signifiait « Attention ! » Ou bien il montait au grenier poursuivre quelque expérience du « Petit Chimiste » que, la crainte au cœur, M. Lapresle tolérait parce que chimie et médecine sont cousines germaines. S'il pleuvait, si la salle d'attente était vide, Martin demandait à son grand-père la permission de s'installer en face de lui afin de « faire son courrier ». C'était, pour les cinq amis de l'école dont les noms composaient son « carnet d'adresses », toujours la même lettre :

« Je vais bien. J'espère que tu vas bien. Je m'amuse. J'espère que tu t'amuses. Ton ami pour la vie. »

Ou encore, ayant fermé portes et fenêtres, il s'asseyait devant le piano (que le docteur avait fait accorder) et il improvisait, les paupières closes, se balançant d'un côté puis de l'autre comme il l'avait vu faire à sa mère. Sa mère ! Des larmes lui montaient aux yeux malgré la bonne odeur du déjeuner qui déjà filtrait sous les portes jusqu'à lui. Il essayait de retrouver ses gestes sur le clavier : peut-être cette musique étrange la ferait-elle apparaître. Deux lettres seulement, et si brèves, et sur un papier qui ne sentait même pas son odeur — deux lettres depuis tant de mois d'absence (mais cela ne faisait que treize jours). En tendant désespérément la jambe, Martin atteignait la pédale forte ; un tonnerre emplissait le piano, le salon, le monde : n'allait-elle pas entendre, à la fin ? Seule une vieille oreille écoutait la bizarre mélodie : « Voici le petit qui *Debussyse* », se disait le Dr Lapresle.

Son grand-père venait de l'embrasser dans son lit et de lui répéter sans conviction que Crucrune, à son âge, non, non, et non ! Lui-même s'était accroché à son cou afin de faire provision de cette odeur qu'il commençait à bien connaître, à bien aimer : un peu froide, tabac et verveine mêlés, la dernière qu'il sentît avant de s'endormir chaque soir. Le docteur descendait l'escalier en souriant encore lorsque le téléphone sonna. « Une urgence, Augustine ? » Mais non, le timbre irrégulier, impatient, annonçait un appel de plus loin.

— Ne quittez pas, dit quelqu'un, on vous parle.

« On » ? Le docteur s'aperçut que la main qui tenait le récepteur tremblait légèrement ; et aussi — mais pourquoi s'en aviser ce soir ? — que c'était une vieille main.

— Allô, fit une voix qu'il ne reconnut pas aussitôt, c'est vous, père ?

— Agnès !

Sa surprise fut si brusque et si mêlée d'angoisse qu'il n'écouta pas la suite.

— J'entends mal, Agnès. Pouvez-vous répéter ?

— Je dis : Comment va Martin ?

— Très, très bien. Mais vous ?

— Pas très bien. Assez mal, même.

— Ah !

Il ne put s'empêcher d'en ressentir une espèce de soulagement, mais il n'eut pas le temps d'en éprouver du remords.

— Est-ce que je peux parler à Martin ?

— Il dort à cette heure-ci, Agnès. (Ce n'était pas encore vrai.) Et, de toute façon, je... je n'aimerais pas le téléphone, ni pour lui ni pour vous. C'est le médecin qui parle ! ajouta-t-il avec un petit rire crispé.

— Je n'ai guère le choix.

— Je pense que, parfois, le téléphone ne fait qu'accuser l'absence et augmenter l'éloignement au lieu de les atténuer. Vous comprenez, Agnès ?

— J'ai besoin d'entendre Martin, père, reprit-elle d'une voix si sourde qu'il lui sembla qu'elle se trouvait à l'autre bout du monde et, tout ensemble, à ses côtés.

— De l'entendre et de le voir, Agnès, c'est bien évident et... (Il hésita, mais la compassion, cette fois, parla plus haut que le ressentiment.) Et lui aussi a besoin de vous. Venez donc vous installer ici. Vous serez heureux ensemble, et je vous soignerai.

De son autre main, maladroitement, il sortit un mouchoir pour éponger son front qui transpirait.

— Vous êtes gentil, père. D'autant plus... d'autant plus que vous ne m'aimez pas, fit-elle d'une traite pour se délivrer de cette pensée qui se tenait entre eux depuis le début.

— Non, Agnès, ce n'est pas vrai. J'ai peut-être eu des torts, moi aussi. Et puis ne parlons plus de tout cela ! Il s'agit seulement de Martin et de sa mère. Venez à Sérignay.

— C'est impossible, répondit-elle d'une autre voix, les médecins me suivent de trop près. Ils ne permettraient pas... D'ailleurs, mon avocate... Mais ses conseils n'ont pas d'importance ! (Elle pensait tout haut ; ce désordre serra le cœur du vieil homme.) Ce sont des spécialistes, vous comprenez ? Ils n'ont pas encore tout à fait trouvé l'équilibre...

— Je sais, dit le docteur amèrement, ils vous abrutissent avec des « tranquillisants », puis ils vous réaniment avec des « dopants » : un peu trop de ceux-ci, un peu trop de ceux-là !

— Peut-être. Ce sont des médicaments nouveaux et on ne connaît pas bien encore...

— Ce sont surtout des médecins nouveaux, rugit le vieux lion.

— Vous n'aimez pas les psychiatres.

— Si; mais pas les apprentis sorciers !

— C'est le nom qu'on donne aux savants tant qu'ils n'ont pas achevé leurs découvertes...

A son ton, il sut qu'elle souriait ; il revit son sourire aux coins tombants. « Martin lui ressemble », pensa-t-il soudain et il eut honte de ne pas aimer la mère de Martin.

— Sans eux, poursuivait-elle, je serais peut-être... internée à l'heure actuelle. J'ai subi un tel choc, père.

« Par la faute de Marc ! » Sa honte redoubla. Jusqu'ici, il n'avait guère ressenti que le dégoût d'un gâchis dont Agnès était, à ses yeux, la première fautive : « Si elle n'avait pas déraciné mon fils... »

— Je sais, Agnès. De tout cela aussi j'aimerais parler avec vous.

— Surtout pas ! Il paraît que je remonte doucement, mais c'est à condition de ne jamais en parler et d'essayer de ne pas y penser.

— Revoir Martin serait le meilleur remède. Donnez-moi le nom de votre médecin, je vais lui écrire.

— Non, non, je suis en plein traitement. Bientôt, peut-être, mais, pour l'instant, je sens bien moi-même que... Est-ce que Martin, lui, ne pourrait pas venir ?

— A la clinique ? Agnès ! Vous parliez de choc : lui aussi est « fragilisé », comme ils disent.

— Alors ?

Le mot était chargé d'un tel désespoir que M. Lapresle songea un instant : « J'irai moi-même conduire Martin là-bas » — mais il n'eut pas le courage de dévaster son paradis. Les *bonnes raisons* vinrent à sa rescousse : « Et mes malades ? Augustine qui se meurt ? Et puis le petit passe avant ses parents : lui seul est tout à fait innocent. »

— Alors ? Alors, écrivez-lui souvent, et de vraies lettres ; et dès qu'ils vous le permettront, venez ici : ma maison vous est ouverte, Agnès.

C'étaient les phrases, déjà ; l'instant de vérité entre eux était passé. Agnès en prononça quelques-unes à son tour, raccrocha, et pleura longuement malgré les « tranquillisants ». Toutefois, elle prit garde de le faire en silence afin de ne pas alerter l'infirmière. Quand sa peine s'apprivoisa, elle songea à regarder la montre et calcula le temps qu'il lui restait à dormir avant son insomnie de 4 heures du matin. Allons, que dirait le médecin ?

L'état de la vieille Augustine s'aggrava subitement et le docteur partit s'installer à son chevet : « J'y resterai jusqu'à la nuit, dit-il à son homme. Occupe-toi du petit. »

Toute la journée, Joseph joua au pêcheur qui a attrapé une anguille ; le garçon lui filait entre les doigts, faisait exprès de ne pas répondre à ses appels, observait de haut ses recherches : il éprouvait avec délice son pouvoir tout neuf sur cette grande personne. « Est-ce que le docteur ne va pas bientôt rentrer ! » se demandait le pauvre gardien qui n'avait jamais su donner un ordre de sa vie, car c'était Angélina qui régentait le ménage. Il en voulait à Augustine « qui n'en finit pas de mourir, vingt dieux ! »

Le soir tombait, décuplant ses angoisses ; il voyait déjà le petit noyé dans le bassin du potager ou tombant d'une fenêtre du grenier — et lui, Joseph, obligé d'annoncer la nouvelle au docteur. Cette dernière scène oblitérait à ses yeux tout autre drame. N'y tenant plus, il sonna la cloche : Martin accourut, étonné de ne pas avoir faim.

— Mon garçon, je t'emmène jusqu'au bourg voir ma maison.

— Quelle maison ?

— Celle où Angélina et moi aurions pris notre retraite, répondit le veuf en reniflant, car jamais il ne prononçait ce prénom chéri sans larmoyer. Mets ton cache-nez !... Eh bien, où vas-tu ?

— Le chercher.

L'autre considéra avec effarement cette créature qui lui obéissait. Main dans la main, ils partirent vers le bourg ; le soir avait libéré un vent aigre, estafette de l'hiver, et il leur semblait qu'ils s'enfonçaient, pas à pas, dans l'eau fraîche. Les ampoules s'allumèrent d'un coup à tous les carrefours. Martin se demanda par quel sortilège ou quelle invention, au moment même où il arrivait... mais Joseph expliqua bonnement :

— Tiens, l'Armand vient de tourner le bouton. (C'était le garde champêtre.) Il serait donc 6 heures ?

Le clocher lui répondit de sa voix d'hiver.

— J'ai froid, dit Martin.

— On arrive. Tiens, la voilà !

Il se déhancha à la recherche d'une clef dans le gouffre de velours de sa poche, l'introduisit dans la serrure après pas mal de « vingt dieux ! » et tourna deux fois. La porte résista un peu avant de le reconnaître ; il engagea son bras dans les ténèbres et dut fouiller longtemps avant de trouver le commutateur.

— Je n'ai pas encore l'habitude, tu comprends !

Une lumière sans pitié se fit enfin sur deux chambres luisantes et froides qui sortaient toutes vernies du catalogue d'un marchand de meubles : « Les 7 pièces pour 899 francs seulement. » Devant les fenêtres, des rideaux au crochet, contre les murs, quelques images aux couleurs aveuglantes et, sur le lit, une poupée-coussin. Martin trouvait tout cela très laid : non pas parce que ce l'était, mais dans la mesure où cette maison ne ressemblait pas du tout à la sienne. Il sentit pourtant qu'il ne fallait pas le dire à Joseph qui mit ce mutisme sur le compte de l'émerveillement.

— Mais quand tu habiteras ici ?

Joseph éteignit prestement l'électricité afin de cacher son embarras. A son tour il se retint de dire la vérité : « Quand ton grand-père sera mort. »

— Bah ! fit-il, est-ce qu'on sait ?

L'horloge de la mairie, dont le cadran haut perché demeurait allumé toute la nuit (« Le cyclope veille ! » disait M. Lapresle), révéla à Joseph que la visite n'avait duré que quelques minutes. « Vingt dieux, et le docteur n'est sûrement pas rentré... Le garçon va encore me filer entre les doigts et il fait tout noir... » Cette fois, il le voyait se perdant dans la campagne, mourant de froid, les yeux picorés par des corbeaux. Entre deux maux il crut choisir le moindre :

— Tiens, entrons dans le café. Regarde donc voir ! il est éclairé au néon à présent. Je te paye un verre, entre hommes...

Entre hommes : hormis la servante qui virevoltait et se cognait partout comme la boule stupide des billards électriques, la salle n'était, en effet, peuplée que de bonshommes, leur chapeau ou leur casquette sur la tête. A hauteur de table, Martin flaira le vin acide, la bière amère et l'âcre relent des mégots trois fois rallumés, odeurs d'hommes ; et cette rumeur catarrheuse, nourrie de défis roublards, de vantardises et de jurons, que Martin écoutait avec une révérence mêlée de crainte, était la voix même des hommes.

— Finette ! appela Joseph d'un ton déjà différent. Tiens, salut, l'Anselme !... Salut, père Gaston !... Finette !... Tiens, salut, l'Armand, t'as pas apporté ton

tambour ? (Rires.) A nous deux, Finette. Euh... Sers-
moi donc... voyons voir... bah ! un petit blanc. (Dix
ans qu'il hésite, dix ans qu'il ne commande jamais
autre chose.) Et une grenadine pour le petit !

— Qu'est-ce que c'est ? demande Martin.

— Je ne saurais pas te dire ; c'est ce qu'on donne
aux enfants.

Le petit ne quittait pas des yeux Finette, ses fesses
larges et autonomes roulant sous l'étoffe trop mince ;
il cherchait ce que cela lui rappelait. Ah oui ! l'un
des rares chevaux qu'il avait vus tirant un fourgon :
il trottait sur la chaussée, tout nu, vêtu de quelques
lanières de cuir ; cela l'avait beaucoup frappé. Il ne
vint pas du tout à l'esprit de Martin que cette Finette
pût être de la même espèce que sa mère. Comme
elle se retournait, il vit que « ses poitrines » ne
suivaient ses mouvements qu'avec un certain retard
et une double indépendance. Cette personne, qui
était *plusieurs*, et qui, à tout moment, devait com-
mander des actions différentes aux diverses parties
de son corps, le fascinait. Au passage, Finette jeta
quelques mots bizarres à celui qui se tenait immobile derrière le comptoir, bouddha en chandail, ses
manches roulées afin de libérer des avant-bras velus
qui, eux, s'agitaient sans cesse, sortant de sa soute
invisible des bouteilles de toutes les formes et des
verres remplis de liquides de toutes les couleurs.
Martin avait vu, une fois, un presgi, un presdi —
un magicien, quoi ! qui, d'une valise entrouverte,
exhibait ainsi des merveilles. Mais, plus confusément,
que lui rappelaient donc cet homme seul, face au
peuple, ce comptoir encombré d'ustensiles, ces gens
assis qui parlaient tous ensemble ? — La messe !
On l'y avait conduit une ou deux fois, sans raison,
sans explications. Ici aussi, ce devait être un lieu
sacré, un rassemblement solennel, une mystérieuse

cérémonie qu'il convenait d'observer avec respect.
— Attends-moi là !

Verre en main, Joseph rejoignit devant le comptoir deux compagnons qui, d'une voix forte, se prenaient l'un l'autre à témoin de leurs mensonges. Martin les considéra plus attentivement et passa sans transition du respect au malaise. Leurs gestes d'ours, à la fois lents et brutaux, leur voix qui paraissait charrier des graviers comme celle des clowns, lesquels effrayaient tant Martin, la couleur même de leur visage, et cette impression qu'à tout instant ils étaient sur le point de tomber... Il se sentait, au milieu d'eux, plus qu'un prisonnier : un otage ; et il en découvrit brusquement la raison : pas une femme ici ! Car Finette ne comptait pas : un étrange animal domestique, et captive comme lui.

— Je veux partir, dit-il dans le tumulte.

Il exprimait toujours ainsi ses volontés tout haut : comme si quelque mystérieuse présence dût l'entendre et, sur-le-champ, l'exaucer. Il *lui* laissa quelques instants pour agir et, déçu, se leva pour s'en aller. Son verre de grenadine était intact. Pourtant, à deux pas de sa chaise, il se figea tel un chien d'arrêt : son père était là... Il venait de sentir l'odeur unique du tabac que fumait son père.

Il se retint d'appeler « Papa » car, depuis un instant, tous ces hommes étaient devenus ses ennemis, mais il tourna lentement la tête en fermant les yeux afin de mieux flairer. A la table voisine, un soldat noir américain (ils tenaient garnison dans la forêt de Sérignay), la joue appuyée sur sa longue main, les jambes étendues interminables, venait d'allumer une cigarette. Martin fixa du regard cette minuscule lueur rouge qui, soudain, lui paraissait la seule lumière de cette salle, comme sa fumée bleue en était devenue le seul air respirable. Il crut même percevoir, malgré le vacarme des hommes, le grésillement du tabac qui se consumait. La face noire s'empourpra d'enfer, un instant, parce que le soldat tirait une longue, longue bouffée, comme boit un cheval. Puis Martin ne distingua plus rien parce qu'il pleurait ; puis il revit, encore très flou, le soldat qui souriait en le regardant et lui tendait sa cigarette. Martin lui rendit son sourire, les fossettes apparurent.

— Toi ne pas fumer, si ?

Le garçon, qui n'avait rien compris, fit oui, de confiance ; et le grand soldat se renversa en arrière pour rire à son aise. Il montrait l'intérieur de sa bouche, grotte de corail ; puis il tendit le paquet de cigarettes d'une main dont la paume était du même rose. Martin empocha ce trésor sans un mot ; mais son visage entier, fossettes comprises, disait merci.

Il était temps ! Ragaillardi par le vin et l'amitié, Joseph se rasseyait pesamment.

— On s'en va, dit Martin.

— Mais ta grenadine...

— J'ai mal au cœur.

Cela fait partie des paroles magiques qui réduisent à merci les grandes personnes ; Martin en fit une fois de plus l'expérience. Le paquet de cigarettes occupait toute sa poche ; il le sentait lui meurtrir délicieusement la cuisse. Dégrisé, anxieux, Joseph l'observait :

— Vas-tu mieux maintenant que tu es à l'air ?

Martin n'était pas menteur : il ne mentait jamais plus qu'à sa suffisance. C'est aussi le critère des gourmands. Il ne répondit rien.

Une lumière, en sentinelle sur la façade close, leur apprit que le docteur était rentré. Il se sentait très triste : Augustine, qui était née le même jour que

lui (mais qu'il appelait cependant « la vieille Augustine ») venait de mourir entre ses bras avec l'angoisse d'un enfant. Joseph le devina sur son visage
et, peu habile aux paroles, disparut. Mais Martin se
précipita pour embrasser le docteur.

— Tu sais, grand-père, le café est éclairé au néant !

— C'est bien vrai, dit M. Lapresle.

Martin continua de vivre sans savoir quel jour on
était, ce qui est le propre du malheur comme celui
de l'extrême bonheur ; mais il ne savait pas non
plus qu'il était heureux — et cela en ôte tout le
prix. Chaque matin, le maître et l'élève s'attablaient
face à face ; pour Martin, c'était un peu prendre
place devant un miroir, car il imitait passionnément
les manières et les manies de ce grand-père qui n'était
qu'à lui et qu'il aimait. Il tirait la langue avec application, passait dans ses cheveux une main criblée
d'encre afin d'y semer un tourbillon de soleil qui
ressemblât à la tornade de neige. Lorsqu'il cherchait
la solution d'un de ces problèmes transparents que
lui posait le docteur (et qui, de préférence, commençait par : « Un médecin doit parcourir 3 km pour
aller soigner... Non ! mets plutôt : pour *sauver* un
malade... ») il brossait de bas en haut des moustaches imaginaires, à la manière de M. Lapresle.

— Qu'est-ce qui te prend ? demandait celui-ci
qui, d'un regard narquois, l'observait par-dessus ses
lunettes. Laisse ton nez ! Déjà, tu n'en as pas tellement...

Martin brûlait de répondre : « Je fais comme toi,
grand-père » — mais il préférait accumuler ses petits secrets.

Le professeur nettoyait laborieusement ses lunettes
puis, cette besogne achevée, se mouchait dans un
bref tumulte.

— Tu salis tes lunettes, grand-père !

— Comment ça, puisqu'elles sont sur mon nez, gros malin ?

Martin, qui ne s'était jamais mouché de sa vie, prit l'habitude de le faire, pour pouvoir ensuite caresser, lui aussi, interminablement ses moustaches.

— Bon ? Un département, pour finir. (Au tableau noir.) ALLIER, chef-lieu MOULINS. Répète !

— Il faut que tu me trouves une phrase, grand-père. Sans ça...

— Une phrase, une phrase... (La main dans les cheveux.) Eh bien... « Meunier, meunier, tu fais *Allier* ton *Moulins* trop fort ! » Tu te rappelleras ça ?... Bon. Fini pour aujourd'hui. Mais où cours-tu ?

Martin sait bien qu'heureusement M. Lapresle n'attend pas de réponse. Car comment lui avouer que, par un itinéraire de Sioux, il rejoint l'écurie dont il rabat sur lui le vantail. Lorsqu'il s'est habitué aux ténèbres, il s'enferme dans le carrosse de l'arrière-arrière, découvre son trésor : le paquet du soldat noir et une boîte d'allumettes, et allume une cigarette qu'il va laisser se consumer jusqu'au bout. La vivante fumée bleue remplit la vieille caisse dont elle chasse le passé ; pelotonné sur la banquette, Martin, qui a fermé les yeux, se retrouve dans le fauteuil-à-tout-faire du bureau de Neuilly. Maman, comme Dieu, marche au-dessus de sa tête ; sous lui, Maria prépare un dîner dont il joue à se rappeler les plats ; Albert travaille au jardin, il l'entend d'ici ; et papa va rentrer : « Quoi de neuf ? » — c'est sa phrase. Les premiers jours, Martin pleurait, comme au café quand le soldat avait allumé sa cigarette ; à présent, il n'en a plus envie mais s'y oblige.

— « Quoi de neuf ? » répète-t-il tout haut et c'est son Sésame. « Quoi de neuf ? »... Oh ! papa, mon papa...

Parce qu'elle a cru entendre du bruit, Marion refait prestement le paquet. Ses longs doigts — « Tes mains de princesse », disait sa mère d'un ton de reproche — retrouvent les plis du papier de soie, du rose, puis de l'étoilé, et renouent bien exactement le ruban rouge parsemé de sapins verts. C'est le présent de Noël qu'elle a choisi pour Marc après beaucoup d'hésitations : un porte-photographies dépliant de cuir noir où l'on peut insérer huit images. « Il le dressera sur sa table de travail ; il y placera huit photos de moi — ou de son petit garçon ? (Voilà pourquoi elle hésitait.) Ou, peut-être de nous deux... » Elle partage, elle capitule. Chaque jour elle pense à Martin, et c'est elle qui parfois demande à Marc de ses nouvelles, maladroitement. Le plus souvent elle songe à lui comme à un frère cadet ; elle pressent qu'il est son vrai rival — mais comment serait-ce possible puisque eux deux, eux seuls, sont de la même race ? Envers Agnès, elle n'éprouve aucune compassion ; elle ne la connaît que par Marc, et Marc ne parle d'elle que pour se donner une bonne conscience : une femme riche, qui n'a jamais rien fait de ses dix doigts, qui croit que le monde est à son service et qu'il suffit d'un carnet de chèques. « Il lui reproche de n'être pas à plaindre... » Marion sent bien que c'est le contraire que Marc aime en elle, et cela lui paraît fragile et sans avenir. Car, dans le même temps, il désire qu'elle cesse de travailler, il l'habille comme une femme riche et lui donne des bijoux. Comme elle voudrait, sans l'offenser, lui rendre ces robes, ce manteau de fourrure, cette bague si longtemps désirés ! Comme elle aimerait partir avec lui dans une pension de famille dans quelque village de neige inconnu, ou voir de vieux films dans les cinémas de quartier... Mais il n'est question que de Saint-Moritz et des Champs-Elysées. Elle ne veut pas être riche, mais rassurée ; malgré son enfance et les tristes litanies de sa mère, l'argent lui fait peur aujourd'hui — l'argent et ce petit inconnu, Martin, dont elle s'imagine parfois qu'il lui ressemble.

127, rue des Granges — à présent Marc arrête sa voiture devant l'immeuble ; il ne la ferme plus et claque la portière. Quand le divorce sera prononcé, il s'installera avec Marion dans les deux derniers étages d'un immeuble que sa société fait construire le long du parc Monceau. Il se persuade qu'il est bien agréable de ne plus devoir se cacher, ce qui est faux ; et d'être attendu par une fille jeune, belle, qui ne se livre à aucun calcul, ne pose aucun problème, attend tout de lui : que rien n'est plus exaltant que d'être à la fois un père, un amant et un dieu. Jamais il ne s'est senti aussi Homme. Faire de Marion une épouse que tout Paris reconnaîtra, c'est aussi l'ultime revanche du petit étudiant de Poitiers. Marion ne lui reprochera jamais, elle, d'avoir « le goût provincial » ! Elle est plus jolie que toutes les femmes qu'il connaît et plus intelligente que la plupart d'entre elles ; le reste — dont ces Parisiennes sont si fières — peut s'acquérir ; lui-même en a fait la preuve, à sa manière, en son temps. La seule à qui il évite de comparer Marion est Agnès ; la seule à qui il évite de penser... la seule dont... — « Ah ! laissez-moi tranquille avec Agnès ! » M. Maucouvert, Me Terrasson, le notaire se sont, un jour ou l'autre, fait ainsi rabrouer. Albert aussi, qui demandait si, dans le jardin, Monsieur désirait, pour l'été prochain, d'autres fleurs que celles dont Madame... — L'été prochain ? alors que Marc s'obstine à vivre au jour le jour ! Quelquefois, à son bureau ou dans la rue,

il s'arrête foudroyé : Agnès, Martin, le divorce...
Cette absurde machine qu'il a mise en branle — mais
non, qu'Agnès seule a mise en branle ; Agnès et son
avocate venimeuse, et leur silence devant le juge.
Coucher avec une fille ? Presque tous ses amis du
Cercle s'en vantent. Si l'on devait remuer ciel et
terre chaque fois que... D'ailleurs, Agnès est déséqui-
librée, ses médecins le laissent entendre. Très bien
soignée, à l'abri de tout souci dans cette clinique
coûteuse ; tandis que lui travaille dix heures par
jour pour lui assurer une vie luxueuse et préparer
l'avenir de Martin. Tout repose sur lui ; n'a-t-il pas
le droit de se reposer chez Marion ? de disposer en
sa faveur d'un peu de tout l'argent qu'il gagne ?
Certains de ses amis, de ses faux amis, lui battent
froid ; mais il préfère encore leur désapprobation
à l'horrible curiosité des autres, au regard brillant
de certaines femmes lorsqu'il entre dans un salon,
à cette hypocrite pêche aux confidences et au triomphe condescendant des « bons ménages ». Il voudrait leur crier qu'il a bonne conscience, mais c'est
seulement à Marion qu'il l'exprime, à Marion qui
voudrait tant le croire. Bonne conscience ? Alors
pourquoi prêter l'oreille chaque fois qu'il franchit
la porte du 127, rue des Granges ? et, lorsqu'un pas
descend l'escalier, pourquoi froncer les sourcils jusqu'à ce qu'il soit bien sûr que ce n'est pas celui
d'un petit garçon de sept ans aux dents trop larges ?

— Pour Noël, commença Marc en s'étirant devant
le feu de bois... (Marion à peine couverte était assise
à ses pieds et, d'un regard, il embrassait son corps
tout entier ; avivé par la chaleur, son parfum montait jusqu'à lui et Marc se sentait si heureux qu'un
instant, par superstition, il eut peur de mourir subitement.) Pour Noël, je t'emmènerai au Lido. A
moins que tu ne préfères une auberge de campagne.

Ou encore... Mais tu n'as pas l'air heureux, ma petite fille.

— Je ne peux pas être plus heureuse, dit-elle lentement.

C'était une phrase à double entente, et chacun l'entendit à sa manière. « Jamais Agnès ne m'a parlé ainsi », pensait Marc ; mais Marion songeait que Noël est la fête des enfants. La petite fille sans père en avait été frustrée toute sa jeunesse et, cette année, elle la volait à Martin. Non, elle ne pouvait pas être plus heureuse, et le serait-elle jamais ?

La bicyclette « de la part de Maman, pour le Noël de son petit chéri » arriva la première. M. Lapresle comprit aussitôt que le vieux tricycle allait être relégué ; il souffrit, s'en trouva ridicule mais n'en souffrit que davantage. Martin enfourcha, à peine déballé, l'engin rutilant et refusa l'aide de Joseph qui prétendait tenir la selle en courant à ses côtés. Après trois tours de maison, il dérapa sur le gravier au moment où, ivre de virages, il hurlait « Marchpountz ! ». Le *pountz* lui resta dans la gorge, remplacé par le « Vingt dieux, je te l'avais dit ! » Joseph accourut, emporta dans ses bras un petit tas pantelant qui faisait de tels efforts pour ne pas pleurer qu'il en étouffait ; le docteur soigna cérémonieusement ses éraflures.

— Mais non, ça ne pique pas, qu'est-ce que tu me chantes ? (Puis, regardant ailleurs :) Evidemment, avec le tricycle, ces *accidents*-là n'arrivent jamais...

Joseph rangea la bicyclette dans les communs ; il la cacha même un peu : d'instinct, lui non plus ne l'aimait guère.

Deux jours plus tard, « avec les bons baisers de ton papa qui pense beaucoup à toi », Martin recevait un garage modèle rempli d'autos en miniature, muni d'ascenseurs, et sur le seuil duquel des pompes débitaient un liquide rose. Dieu merci, il se détraqua dans la journée même ; et, comme les enfants s'amusent davantage avec trois bouts de bois qu'avec un jouet scientifique détraqué, le garage émigra au grenier où il commença à vieillir assez mal entre le mannequin et le cheval-jupon.

M. Lapresle avait eu chaud ; les présents de Noël qu'il préparait étaient d'une autre sorte. Pour consoler Martin de ces déconvenues, il retrouva deux trésors oubliés : le tiroir au fond duquel, depuis trois générations, les pères Lapresle enfouissaient ce qu'ils confisquaient « provisoirement » aux fils Lapresle, et la collection de timbres héréditaire. Celle-ci vint, à temps, relayer les phrases magiques des leçons de géographie : on quittait la France-aux-proverbes pour étudier le monde à travers des vignettes dont Martin ne parvenait pas à croire que quelques-unes eussent une valeur fabuleuse. Longtemps, dans son esprit, certains archipels furent ovales et certaines îles lointaines triangulaires à l'image de leurs timbres.

Quand toutes les cigarettes eurent été « fumées » puis l'intérieur du paquet humé jusqu'à ce que toute la senteur en fût éventée, Martin se retrouva bien seul. Ces larmes quotidiennes lui étaient devenues nécessaires à l'égal d'une drogue ; sans fumée, il ne parvenait plus à en raviver la source et s'en sentait vaguement coupable.

Un après-midi, puis le lendemain, puis chaque jour, à l'heure où la salle d'attente éclusait lentement les vieux malades (et où Joseph en profitait, depuis dix ans, pour faire la sieste sur la banquette arrière de la voiture), Martin osa franchir la grille défendue. Désobéir à d'autres que ses parents n'était pas vraiment désobéir ; du moins en avait-il décidé ainsi pour le repos de sa conscience et surtout pour l'honneur des absents. Aussi, en franchissant le plus vite possible la grille blanche, redoutait-il moins d'entendre son grand-père l'interpeller du seuil de son cabinet que de voir survenir la Porsche ou la « Déesse ».

Le premier jour d'insubordination, il descendit jusqu'au café où ne s'attardaient que quelques buveurs de « digestifs », seuls à seuls avec un verre épais et minuscule, et deux ou trois soldats américains. Martin dévisagea ceux-ci anxieusement : il croyait qu'il était impossible de distinguer l'un de l'autre deux Noirs, deux Chinois, deux Indiens. Il croyait aussi que, le plus souvent, les choses se passaient comme dans les histoires : par exemple, que le grand nègre allait sur l'instant pénétrer dans le cabaret, le reconnaître, sortir de sa poche un paquet neuf... Comme cela tardait, Martin crut devoir justifier sa présence aux yeux du bouddha somnolent dont les avant-bras eux-mêmes demeuraient immobiles à cette heure.

— Est-ce qu'on a le droit de demander un verre d'eau ? fit-il avec une froide courtoisie.

— Euh... oui, mon gars.

— Est-ce que c'est gratuit ?

— Ben, oui.

Chacun d'eux attendit en silence ; puis le cafetier, pour la première fois de sa vie, servit un verre d'eau claire que Martin porta jusqu'à sa table avec précaution.

La cérémonie se reproduisit le lendemain. Le troisième jour, dès qu'il aperçut Martin, le gros homme écœuré posa le verre d'eau sur le comptoir et, sans un mot, retomba dans son coma d'après-midi. Un à un les clients se retirèrent — « Allez, salut ! » — et Martin se trouva seul dans la salle. Bouddha vivant dormait, la tête affaissée sur les plis de son menton et le tout sur ceux de son ventre. Sur la pointe des pieds, le petit garçon passa derrière le comptoir, lieu secret et sacré dont il rêvait depuis longtemps. Il n'y vit qu'un plancher spongieux, du métal terne, des bouteilles poisseuses. Ne jamais visiter les coulisses, Martin ! Comme il s'en retournait, il aperçut contre le mur, à portée de main, les piles de paquets de cigarettes et notamment... Il ne prit pas le temps de réfléchir ; ou plutôt le mot *papa* oblitéra sans peine le mot *vol*. Il agit prestement ; plus prestement encore, Bouddha avait entrouvert ses paupières.

Avec la fumée des cigarettes blondes le bon temps des larmes sur commande revint pour Martin ; elles étaient la monnaie facile avec laquelle il payait à ses parents l'immense bonheur qu'il prenait loin d'eux. Après tant de jours sans fumée, la première émotion fut si violente que Martin, évitant soigneusement de se moucher afin de garder amorcée la pompe à larmes, courut à la maison, monta dans la chambre verte et, les yeux encore noyés, écrivit à son père une lettre déchirante. Après quoi il se moucha et descendit au jardin en chantant. Il y cultivait un petit carré qui ne produisait que des salades d'hiver très âpres que M. Lapresle se forçait à manger mais qu'il appelait « des chicotins ».

Celui-ci fut bien étonné de trouver, un après-midi, dans la salle d'attente, Adrien le cafetier dont l'énorme derrière débordait la chaise de toutes parts.

— Malade, Adrien ? Eh bien, c'est justice : depuis le temps que tu empoisonnes les...

Mais devant cet air clos et ce front soucieux, il n'acheva pas sa plaisanterie ; ce fut seulement derrière la porte capitonnée que l'autre, fil à fil, dévida son histoire.

— ... Le petit croyait que j'étais endormi, comprenez-vous ? Mais ce qui m'a frappé, c'est que c'étaient les cigarettes que M. Marc m'achetait avant son mariage.

— Les mêmes que Marc, dit M. Lapresle d'une voix blanche.

Il enfonça machinalement deux doigts dans son gousset, à la recherche de pièces de monnaie ; son regard était devenu étroit et fixe.

— Pensez-vous, docteur ! Je n'accepterais pas... Mais j'ai pensé qu'il valait mieux vous prévenir.

— Tu as bien fait, Adrien. Je... je te remercie, parvint à dire M. Lapresle. (Puis, par politesse :) Mais je ne peux rien faire pour toi ? tu te sens vraiment bien ?

— Mon Dieu, oui, dit l'autre d'un air navré, ne m'en veuillez pas !

Ce même jour, le facteur Mouillereau rapporta au docteur une lettre adressée à M. Marc Lapresle, boulevard d'Argenson, à Neuilly, qui avait été affranchie avec un timbre de *two pence* de l'île Maurice datant de 1884.

— Il paraîtrait que ça aurait une certaine valeur.

— Un million et demi à deux millions d'anciens francs.

— Ah bah ! fit le facteur. Remarquez, il n'y en a besoin que de trente, mais la vignette usuelle.

Le docteur remercia, ouvrit la lettre et lut : « Viens vite mon papa je suis si malheureux que tu es loin. » Diluée dans une larme tombée de haut, la signature était devenue illisible.

Mouillereau parti, le docteur s'assit à son bureau, le front entre ses mains ; il s'efforçait que son amertume ne l'emportât pas sur sa tristesse et il y parvenait mal. La cloche du déjeuner le trouva ainsi et Martin s'en aperçut aussitôt.

— Tu es malheureux, grand-père ?

— Et toi ?

— Moi ?

— Es-tu malheureux ici ?

— Pourquoi tu me regardes comme ça ?

Le vieux monsieur changea d'expression, il crut même avoir retrouvé son fameux sourire.

— Réponds-moi, mon grand, reprit-il d'un ton las.

— Non, je suis très heureux avec toi, grand-père. (Sa face rayonnait de sincérité.) Est-ce que je peux reprendre du gâteau ?

V

LE PALAIS D'HIVER

Après une nuit de pas perdus et de sommeil poreux, M. Lapresle décida d'écrire à son fils. « Noël approche, lui disait-il ; puisque Agnès ne peut se déplacer, viens donc, toi, voir Martin... » Mi-pressant, mi-désinvolte, le ton de cette lettre mit Marc tout à fait mal à l'aise. Sa première réaction, celle de tous les hommes contrariés, fut de colère : une bizarre fureur sans racines contre le docteur « qui, pour une fois, aurait pu jouer son rôle de grand-père », contre Agnès « qui devrait tout de même prendre un peu sur elle », etc. Ce débordement d'injustice lui venait du chagrin qu'il éprouvait à en causer le moindre à Marion ; car il aimait son prochain, mais, comme beaucoup, se trompait de prochain. Annoncer à Marion qu'il serait loin d'elle la nuit de Noël le rendait si malheureux qu'il le fit avec maladresse et presque brutalement. De ce gâchis il prétendit, bien sûr, la consoler par des cadeaux excessifs et ne comprit pas pourquoi ceux-ci ne faisaient que l'attrister un peu plus. Ce qu'on attend de qui vous aime, c'est d'abord du temps, la seule chose au monde que l'argent ne puisse remplacer ; celle aussi dont les Importants savent le moins se priver. Marion acheva,

114

ce jour-là, de se persuader que tout cet argent était son ennemi et menaçait ce que, sans trop de conviction, elle appelait leur bonheur. Lorsque Marc vitupérait les femmes riches, elle transposait ce discours contre lui. Pourquoi ne voulait-il pas s'installer rue des Granges ? Elle ne rêvait que de tenir leur petit ménage et d'une existence qui sentît le bœuf bourguignon. Passagère clandestine de la richesse, elle avait prétendu fuir ainsi son enfance médiocre, et voici que celle-ci la ramenait à elle. Ce qui avait manqué, au foyer de la petite Marie, ce n'était pas tant l'argent que l'homme ; dix ans plus tard, l'argent n'allait-il pas lui voler l'homme ? Cependant, avec cette lucidité que la veulerie aiguise chez les pauvres, elle pressentait que, de tout cela, il ne fallait surtout pas dire un mot à Marc. Ne jamais effrayer les riches !

Il partit en voiture pour Sérignay. Ce seul nom lui donnait l'impression d'être en faute, sensation que détestent les hommes arrivés puisqu'ils ne sont parvenus à cette réussite que pour fuir l'écolier qui demeure en chacun. La peine, le remords, la rancune formaient en lui un mélange amer et trouble. Sérignay, c'était sa mère morte et cette sorte de jalousie que l'émulation du chagrin avait fait naître entre son père et lui ; c'était aussi la dynastie des docteurs Lapresle trahie par leur descendant...

Châteauroux, 67 km. La Porsche et lui aimaient ce temps d'hiver nu, précis, immédiat, quand le regard semble être au contact même du paysage. Il roulait vers Sérignay à travers ce décor simple de l'hiver, et ses problèmes roulaient dans sa tête. A chacun d'eux il apportait une solution provisoire et optimiste, comme un médecin militaire soigne hâtivement des blessés pour les renvoyer au combat.

C'est une manière de ne pas penser assez propre aux automobilistes.

Il dut ralentir brusquement parce que, tout occupé à se disputailler, un groupe d'enfants traversait la rue d'un village sans regarder ni voir ; et soudain son visage s'illumina : il venait de songer, il venait seulement de songer qu'il allait retrouver Martin. Il en éprouva comme un manque physique, une tendresse presque sensuelle, une joie angoissée : quelque chose qui, à son insu, ressemblait à l'amour maternel.

Au même instant, du haut de sa fenêtre, le Dr Lapresle observe Martin qui, suivant un emploi du temps à lui-même imprévisible, se hâte vers le jardin. Il marche bizarrement, les mains derrière le dos et, par instants, passe sa main dans ses cheveux ou retrousse des moustaches fantômes. Le docteur met quelque temps à comprendre que « pardi ! le petit bougre m'imite ! » et cela l'attendrit.

— Mon grand !

L'étrange petite silhouette redevient Martin sur l'instant.

— Grand-père ?

— Viens te promener avec moi.

— Mais c'est ton mardi !

— Attends-moi. Je descends.

Les voici partis sur la route du mardi matin. C'est la première fois que M. Lapresle n'y chemine pas seul ; pourtant, rien n'est changé, sinon qu'au lieu de penser en silence, il parle tout haut à l'intention de cette petite mémoire aussi avide d'histoires que le sable l'est d'eau. Il connaît la joie profonde du jardinier qui arrose, voit la terre boire et pressent ce qui en germera un jour.

— Cet arbre-là, vois-tu, a cent cinquante-trois ans : l'année de la naissance de l'arrière-arrière...

116

— Celui du carrosse ?

— Non, son grand-père Lapresle.

— Il était médecin ?

C'est à peine une question ; le docteur en est si heureux qu'il ment (car l'ancêtre vendait des chevaux).

— Naturellement ! tous, et depuis toujours.

— Et papa ?

— Eh bien, justement, c'est en 1813 que le trisaïeul de ton père est né et qu'on a planté ce chêne.

Mais Martin se moque bien de l'arbre.

— Pourquoi il n'est pas médecin, papa ?

— Il construit des maisons, dit faiblement M. Lapresle, c'est très utile aussi.

— Tout de même, c'est une drôle d'idée !

« La graine est plantée », songe le vieil homme et, il se retient d'embrasser Martin. Puis il enchaîne sur d'autres arbres fameux, sur une mare où, figure-toi qu'un jour d'hiver, un sanglier... une grotte où sept maquisards... une source qui, au Moyen Age... Héros, bandits, chevaux, tanks, biches, foudre : histoires et légendes pénètrent en cataracte, en carnaval, dans la petite tête ronde.

M. Lapresle s'arrête brusquement et, d'un ton anxieux :

— Est-ce que tu retiendras tout ça ?

— Mais je reviendrai avec toi, grand-père, tu me rediras...

— Oui. Donne-moi la main. Retire ton gant : il ne fait pas froid et je veux sentir ta main.

C'est une mystérieuse transfusion de vie qui s'opère de la petite main presque brûlante à la grande que déserte le sang.

Le paysage devient reconnaissable ; on approche de Sérignay. La grille blanche apparaît, et M. Lapresle comprend soudain pourquoi, depuis tout à l'heure, il respire si mal : cette tache grise qui grandit sur la route, il sait déjà que c'est cette Porsche qu'il ne connaît pas et que Martin n'a pas encore reconnue. Deux mondes se heurtent dans un bref tumulte de freins, de portières claquées.

— Martin !

— Mon papa !

Il lâche la vieille main et se jette dans des bras qui l'enlèvent au ciel. Marc a beaucoup fumé en chemin, et Martin flaire sur lui cette bonne odeur qui lui met des larmes aux yeux. Son père le dépose à terre et se tourne vers le docteur immobile qui, depuis un instant, a pris trente ans d'âge.

— Bonjour, papa.

— Bonjour, Marc.

— Vous ne vous embrassez pas ? remarque Martin. Ils le font très maladroitement.

— Montez avec moi, je rentre l'auto dans la cour.

— Non, dit M. Lapresle, allez tous les deux, tous les deux.

Tête nue, tête basse, il va suivre la voiture, comme un enterrement.

Martin dévisagea son père et le trouva changé. Cela le confirma dans l'idée qu'il ne l'avait pas vu depuis très longtemps. Et si sa mère, elle aussi, avait changé...

— Pourquoi tu n'as pas amené maman ?

— Elle est encore malade, répondit Marc sans le regarder.

« Il faudra bien pourtant lui apprendre tout ! » Il n'y avait encore jamais songé. « Marion l'adorera ; elle me parle de lui sans cesse. Et pourquoi ne l'aimerait-il pas ? D'ailleurs, nous aurons d'autres enfants ; cette petite sœur qu'il réclame si souvent... »

En fait, son souci était précisément de ne pas en

avoir ; Marion, elle, ne prenait aucune précaution :
« C'est tout ce que je peux te donner », disait-elle
sans arrière-pensée.

— Papa, tu connais Joseph ?

— Il est entré chez grand-père quand j'avais ton
âge ! Tu l'aimes bien ?

— Grand-père dit... attends... (Il fronça les sourcils comme il faisait pour se rappeler les formules
de géographie.) « Ils s'entendent comme bouton et
boutonnière, ces deux-là. »

— Moi aussi je l'aimais bien, fit Marc d'une voix
altérée.

— Alors tu l'aimes toujours ? tu aimes toujours
la maison d'ici et grand-père ?... Et grand-père ? reprit Martin d'un ton un peu rauque.

Mais son père ne répondit rien. Il avait envie de
pleurer, une envie étouffante d'être de nouveau ce
petit garçon à la tête ronde qui fronçait les sourcils
et se cachait pour ne pas être consolé. Il rangea la
voiture dans le garage, au côté de la vieille, prit la
main de son fils et l'entraîna vers cette maison qui,
elle, n'avait pas changé.

— Tu sais, lui dit Martin, je serai médecin, moi.

Le docteur prolongea ses consultations : il appré-
hendait de se retrouver devant son fils. Depuis la
mort de Mme Lapresle (« Tu n'as même pas su la
sauver ! ») et le départ de Marc pour Paris, il éprouvait à son égard une timidité hautaine, celle qui rend
parfois les officiers si abrupts. « Heureusement, se
disait-il, Martin est entre nous. Mais cette nuit ? Marc
ira-t-il à la messe de minuit ? Croit-il encore ? » Il
s'aperçut qu'il ne savait, quant à l'essentiel, plus rien
de son fils, de son fils unique.

Pourtant il n'eut pas à affronter ce tête-à-tête que
Marc redoutait autant que lui car, entre deux clients,

celui-ci pénétra dans son cabinet, un télégramme à la main.

— Maucouvert... Je t'avais parlé de lui, non ? La clef de voûte de l'affaire. Infarctus !

Oui, suprême récompense de sa fidélité au fondateur, le vieux Maucouvert se mourait, foudroyé par le même mal. Il allait donc se présenter devant Dieu muni de ce certificat de surmenage, en homme irréprochable qui, jusqu'au bout, aurait fait passer le secondaire avant le primordial.

— Alors ?

— C'est un désastre pour l'affaire.

— Quoi, un si vieil homme ! s'étonna M. Lapresle que ce désarroi honorait.

— Un dé-sas-tre. Il faut que je rentre immédiatement.

— Mais Noël ? Martin ?

Marc leva les bras en soupirant ; le docteur lut sur son visage qu'il était déjà à Paris.

— J'avais apporté des jouets ; tu les disposeras devant la cheminée — comme autrefois, ajouta-t-il à mi-voix.

Ils se regardèrent ; chacun sentait son cœur battre avec une violence presque douloureuse, mais pensait qu'il était le seul. Afin de retrouver une contenance, le docteur appela Joseph ; l'autre apparut, déguisé en infirmier ; ses moustaches d'ébène accusaient la blancheur de la blouse.

— Nous déjeunerons plus tôt : M. Marc est obligé de repartir. Eh oui, je sais bien !... Dis à Martin de nous rejoindre ici.

Dans la chambre verte, le garçon étudiait une à une les photos de son père enfant et s'efforçait de percer ce mystère : quand, comment et pourquoi change-t-on, tout en restant le même ? Il venait de décider de se dévisager chaque matin au miroir durant cinq minutes (compter jusqu'à 300) afin d'observer ce qui se modifiait en lui d'une nuit sur l'autre — car *cela* devait se passer la nuit — et de le noter sur un agenda de 1912 provenant du tiroir aux « confisques ». Il entendit Joseph qui criait, au bas de l'escalier :

— Es-tu là-haut ? (« S'il ne répond pas, c'est qu'il y est. ») Descends voir, ton grand-père te demande.

En traversant le salon, pièce qu'on n'ouvrait guère, Martin, comme chaque jour, prit sur la cheminée « le Souvenir » et le tordit dans l'autre sens. Cette relique provenait de l'appareil du lieutenant-aviateur Lapresle, engagé volontaire en 1916, et dont l'appareil s'était abattu en flammes quelque part sur le front de la Somme. Rescapé par prodige, il n'avait recueilli que ce vestige de métal très tendre, le seul souvenir qu'il eût rapporté de la Grande Guerre avec deux ou trois décorations qu'il ne portait plus depuis la défaite de 40. « Le Souvenir » reposait dans un nid de velours grenat sur la cheminée du salon ; et chaque fois qu'il traversait seul cette pièce, Martin tordait la relique dans l'autre sens : la docilité du métal enchantait ses doigts et l'impunité du sacrilège son esprit.

— Mon pauvre bonhomme, je dois repartir dès aujourd'hui. M. Maucouvert est très malade.

— Mais c'est Noël, papa !

— Je sais bien, mais...

— Tu vas monter écrire une belle lettre de Noël à ta maman, dit M. Lapresle, et ton papa la lui... la lui fera parvenir. Va !

Durant le repas, Marc ne cessa de poser des questions sur Sérignay et les survivants de sa jeunesse. Le docteur répondait d'autant plus volontiers que cela lui épargnait de raconter l'existence qu'y menait Martin : leurs secrets resteraient intacts. Martin devait partager cette joie hypocrite puisqu'il cligna un œil vers son grand-père en refrénant un sourire que trahirent ses fossettes.

— Ne récure donc pas ton assiette comme ça, gronda Marc.

« Pauvre papa, il ne sait pas qu'on ne doit rien, absolument rien laisser dans son assiette ! » pensa le garçon. Lorsque, le repas achevé, son père alluma l'une de ses cigarettes, il s'approcha d'elle, les yeux fermés, les narines frémissantes, à s'en brûler le nez.

Le soir, après *crucrune* et la plus longue embrassade de l'année, le docteur descendit au salon avec le sourire heureux de ceux qui jouent à Dieu le père. Il ne s'avisa pas que le Souvenir avait changé de forme, trop attentif à disposer les jouets « comme autrefois » — mais autrefois, ils étaient deux à s'affairer en silence. Il avait fait acheter en ville une panoplie d'infirmier : blouse blanche, calotte marquée de la croix rouge et une trousse d'urgence garnie de pilules en sucre et de fioles de sirop. Mais, en déballant le paquet de Marc, il découvrit avec un grand déplaisir une panoplie d'Ivahnoé. Il songea même à la confisquer. Ah ! si seulement l'épée de caoutchouc n'avait pas été tout à fait inoffensive...

Ce fut Martin qui, le lendemain, osa l'éveiller à l'heure matinale où le ciel de décembre montre le bleu aveugle des yeux de nouveau-nés. Ou plutôt M. Lapresle fut tiré de son sommeil fragile par une discussion entre Joseph et Martin qui, derrière sa porte, chuchotaient avec animation sur l'opportunité de le réveiller. Il eut le temps de s'assurer au miroir qu'il ne faisait pas trop « vieux monsieur » : le passage de Marc avait suffi à raviver en lui une coquetterie angoissée.

— Allons, entrez tous les deux !

— Tu vois bien qu'il ne dormait pas.

— Farceur, c'est toi qui viens de le réveiller !

A défaut de jour on fit la lumière. Vingt dieux ! dans son immense lit à colonnes, c'était vraiment un empereur — Martin en demeura saisi.

— Le dimanche matin, je devrais pouvoir venir dans ton lit.

— Mais...

— On le fait à la maison.

— Alors, entendu. Vite, au salon !

Il enfila une robe de chambre qui paraissait taillée dans le velours d'un trône ; Martin piaffait déjà sur le seuil de la pièce close ; les lustres, depuis si longtemps endormis, parurent aveuglés de leur propre éclat. Joseph et les deux vieilles de la cuisine et de la buanderie avaient disposé leurs souliers qui, auprès de ceux de Martin, paraissaient énormes mais vides, car chacun ne contenait qu'un objet utile. Martin brandissait ses panoplies — « Mais regarde donc, grand-père ! » — sans se douter qu'on épiait jalousement le moindre indice de préférence.

Dans l'après-midi, en raccompagnant un malade, M. Lapresle vit caracoler sur la pelouse un petit chevalier du Moyen Age qui menaçait le ciel avec son épée de caoutchouc en criant « Dieu le veut ! » Il eut assez d'humour pour songer : « Je ne crois vraiment pas que Dieu le veuille », mais il rentra très triste.

P. L. T. (M⁰ Terrasson) aperçut M⁰ Vallier du Tour au vestiaire du Palais : il venait d'y revêtir sa robe, elle d'y déposer la sienne. Comme elle portait un tailleur aussi strict que sa coiffure et qu'à l'inverse P. L. T. portait la chevelure et la toge à la tragédienne, des deux elle paraissait l'homme et lui la femme.

— Heureux de vous rencontrer. J'ai appelé plusieurs fois chez vous, votre secrétariat ne répondait pas.

C'était méchanceté pure : elle prenait elle-même les communications, tapait ses lettres à la machine (avec un *t* cassé depuis trois ans) — et il le savait fort bien.

— Il faudrait nous concerter au plus vite pour l'affaire Lapresle-Fontaine.

— Parlons-en ici et maintenant, dit P. L. T. en consultant sa montre (ce qui retroussait des aunes d'étoffe noire). Cela n'a pas une telle importance.

— U... ne... telle... im... por... tance... ! scanda-t-elle en fouillant fébrilement dans sa serviette, de sorte qu'à *tance* elle brandit le document voulu.

— Je sais : vous m'avez envoyé la photocopie de la lettre du petit. L'avez-vous fait tenir au juge ?

— J'attendais de vous avoir vu.

— Tant mieux : il ne faut pas le déranger pour trois fois rien.

— Trois fois rien ? « Je pleure tous les jours... On m'emmène au café... »

— Bah !

— Et ça : « Grand-père ne veut pas que j'aille à l'école... » ?

— Et il s'en plaint ! Voilà le plus suspect.

P. L. T. observait ce visage de papier, ce regard de souris. « On dirait qu'elle lit la lettre avec ses dents ! » L'antipathie lui inspira cet esprit de contradiction dont il disait pourtant qu'il tient lieu d'esprit aux médiocres.

— Lettre de gosse ! Nous en avons tous écrit d'aussi désespérées entre deux parties de cache-cache. Qui vous dit que ce n'est pas pour faire plaisir à sa mère ?

— Lui faire plaisir !

— Lui prouver que, loin d'elle, il ne peut pas être heureux, alors qu'en fait il l'est parfaitement.

Il venait de découvrir la vérité — mais par hasard et sans y croire, ce qui est la punition des amateurs de dialectique.

— Les faits sont les faits, reprit l'avocate en agitant la lettre.

— Il faudrait au moins procéder à une enquête.

— Nous y sommes prêts !

L'assistante sociale du tribunal départemental venant promener son nez pointu chez M. Lapresle ? Celui-ci en serait mort de honte, de fureur plutôt.

— Allons, mademoiselle ! (P. L. T. se refusait à l'appeler « maître » : il n'avait jamais admis les femmes-avocates et les nommait « maîtresse Une telle » par dérision.) Ne jouons ni la comédie ni la tragédie. Si cet enfant se déplaît vraiment chez son grand-père paternel, eh bien, rendons-le à sa mère !

— Mais...

— N'oubliez pas que c'est pour vous rendre service que nous avons assumé la première garde.

— Mme Fontaine...

— Lapresle, jusqu'à nouvel ordre !

— ... est toujours en clinique.

— Diable, fit P. L. T., feignant d'être navré alors qu'il venait d'acculer l'autre à cette réponse, voilà qui change tout. Je me demande si, dans ces conditions, le juge...

— Mais il n'est pas question du juge !

Elle se voyait perdre pied et regrettait bizarrement de n'avoir pas sa robe. « Je prendrai ma revanche à l'audience : tous les torts sont de leur côté. »

— Puisque vous n'êtes pas en état de prendre l'enfant...

— Je n'ai pas dit cela ! Nous trouverons une solution.

— Encore faut-il que nous l'acceptions.

Il avait retourné la situation ; c'est l'exercice favori des avocats. Malheureusement, la satisfaction qu'il en éprouvait se lut sur son visage ; l'autre le détesta et voulut reprendre l'avantage.

— Dès que nous aurons arrêté notre décision, je vous la ferai connaître. (Ses maigres mains tremblaient au point qu'elle ne parvenait pas à enclencher le fermoir de son porte-documents.) Nous établirons alors un protocole que les deux parties signeront et nous l'enverrons au grand-père. Cette fois encore, nous nous chargerons du transport de l'enfant.

— Martin, dit rêveusement P. L. T., émerveillé de sa propre mémoire.

L'avocate lui vit soudain un air profondément distrait ; son regard paraissait s'éloigner en lui-même comme une pierre tombe au fond de l'eau. « Il a déjà oublié ma présence », songea-t-elle avec humiliation ; elle se trompait. Un caprice de sa mémoire venait de rendre présent à P. L. T. le visage du petit Martin : deux fossettes autour desquelles s'organisaient des dents trop larges, des taches de rousseur, des sourcils froncés, un épi de seigle. Et cette rencontre lui semblait tout à fait déplacée : Martin au palais de justice, dans ce décor si familier au sein duquel, l'instant d'avant, il plaçait son plaisir de vivre et son ambition. « Tout cela n'est-il pas absurde ? se demandait Me Terrasson : absurdes et détestables, ce dédale de pierre hanté de comédiens en robes rouges ou noires, ces caves bourrées d'accusations et de dénonciations ? ce tous-contre-un perpétuel, ces faux soldats protégeant des hommes libres

126

contre des hommes enchaînés ? La violence, la passion, la malice et la méchanceté du monde viennent s'échouer dans cette gare immense, dans ces salles d'école jamais aérées, devant trois maîtres pensifs, un gratte-papier, deux tragédiens bavards, un public méprisable... » C'était la Justice elle-même que Mᵉ Terrasson mettait si imprudemment en accusation. L'avocate l'entendit murmurer :

— Une imposture solennelle...

Puis le visage de Martin disparut à ses yeux et tout rentra dans l'ordre.

Marc fit supprimer du fameux protocole tous les *considérants* :

— Agnès est rétablie, elle reprend son fils, un point c'est tout.

— Mais c'est inexact : on va l'envoyer chez la nourrice de ta femme.

— Je ne veux pas que mon père le sache ; ce déplacement est ridicule.

— Bah ! les gosses adorent le changement.

— Je n'en suis pas sûr. Tu aurais dû...

— Comme tu y vas ! dit P. L. T. avec humeur. Règle donc les choses directement avec Agnès ; son avocate est intraitable.

— Tu m'as prescrit d'éviter tout contact d'ici l'instance.

— Evidemment ! il faut savoir ce qu'on veut.

— Savoir ce qu'on veut, répéta Marc à mi-voix, c'est toujours le conseil que vous donnent les autres.

Le soir de son retour de Sérignay, il était passé au bureau où l'état-major l'attendait, hochant la tête et proclamant l'oraison funèbre de Maucouvert le Prudent, Maucouvert le Hardi, l'Avisé, le... Marc apparut au milieu d'eux, tel Napoléon au bivouac, et leur fit un petit discours du style « haut les cœurs ! ». Après leur avoir affirmé que personne n'est irremplaçable, il était allé assurer le contraire à une dame en noir au nez rouge et s'incliner devant son vieux mort encore défiguré par la foudre.

Puis la Porsche (qui gardait, dans un coin de portière, une poignée d'herbes arrachée aux chemins de Sérignay) l'avait conduit jusqu'à la clinique d'Agnès, aux portes de Paris. Il tenait à lui remettre avant Noël ce qu'il croyait être un message heureux de Martin. Sur l'enveloppe, en dépit des directives de P. L. T., il avait ajouté de sa main : « Je viens de voir *notre* Martin éclatant de santé. Fidèlement à toi, Marc. » Au dernier moment, il avait barré cet adverbe inopportun jusqu'à le rendre illisible et l'avait remplacé par « très affectueusement » — ce qui lui procurait une bonne conscience à bon marché.

Enfin, il avait roulé, un peu trop vite, vers la rue des Granges, ravi de la surprise heureuse qu'il allait provoquer et comptant bien sur ces larmes qui, de peine ou de joie, rendent une chair si douce à consoler. Dernier client de la plus longue journée de l'année, il avait acheté à des vendeuses épuisées les huîtres, le foie gras, la glace, l'arbre, les bougies, les guirlandes et, à présent, il montait l'escalier, les bras si chargés qu'il dut sonner deux coups avec son coude. Marion, qui ressassait sans fin sa solitude et son destin, demanda d'une voix mouillée « Qui est là ? » avant d'ouvrir la porte et de se suspendre à son cou — mais peut-on s'évanouir de joie ? Il la porta sur son lit ; ils ne soupèrent qu'ensuite.

En huit heures de temps il avait joué le père, le patron, le vieil ami, l'époux, l'amant et papa Noël. « Savoir ce qu'on veut ? » — Marc le savait très bien : comme tous les hommes il voulait tout, mais à la fois.

M. Lapresle se retrouve seul dans cette gare qui sent les pauvres. L'affiche des Baléares est toujours là ; l'un des coins s'en est décollé et pend comme une oreille de cochon. Et ce n'est pas que M. Lapresle soit triste, mais il se sent vide et amer, telle une grotte à marée basse. L'autorail vient d'emporter Martin avec Joseph... Eh bien, puisque Agnès est guérie — le papier des avocats l'atteste — n'est-il pas naturel qu'elle reprenne son enfant ? Si Marc n'avait pas eu tous les torts, certes... Mais alors, il ne serait pas question de divorce et M. Lapresle continuerait d'ignorer son petit-fils. Pourtant voilà trois fois qu'il reprend ce faux raisonnement comme on fouille inlassablement dans ses poches à la recherche d'un billet perdu. « Marc... Marc... J'aurais dû lui parler d'Agnès, et surtout de l'autre ! » se dit-il encore. Sa vie entière de père de famille n'aura été qu'un perpétuel *j'aurais dû*...

De ce vide en lui, de cette blessure il ne sait trop qui accuser. Bah ! lui-même, après tout. (C'est toujours le verdict des âmes sensibles.) A-t-on idée de s'attacher ainsi à un petit bonhomme qui vous sera retiré ? « Tu vieillis, ma vieille, tu vieillis ! »

— C'est pour un renseignement, docteur ? demande le chef de gare.

— Pourquoi donc ?

— J'avais cru que vous me parliez.

— Moi ? Non. Bonsoir.

Il sort de cette gare afin de poursuivre impunément son monologue. Il fait, ce soir, le même temps salubre et net que mardi dernier, lors de leur seconde promenade secrète ; mais comment le docteur s'en aviserait-il ? La terre a viré de bord et changé de saison parce qu'un petit garçon ne l'accompagne plus, deux pas pour un des siens, parmi de très vieux arbres.

Voici la grille blanche. Déjà ! Que tout est donc

petit, ce soir... Elle lui paraît *stupéfaite*, comme celle d'une cage vide : ouverte sur l'extérieur et non vers la maison. « Voici la pelouse où, hier matin, il courait quand je lui ai dit : Mon grand... Voici la porte qu'il oubliait toujours de fermer... » M. Lapresle allonge le pas afin de fuir ces lieux témoins. Mais, comme saute au regard l'absence d'un tableau qu'à la longue on ne remarquait plus, la vue du moindre objet lui serre le cœur : celle du portemanteau parce qu'il ne porte plus d'autre manteau que le sien, celle du piano qui... M. Lapresle l'ouvre et, d'un seul doigt dont le tabac ambre l'extrémité, joue dans la maison silencieuse : do la-si-do, do mi-ré-do...

La cloche n'annoncera plus l'heure des repas. En poussant la porte de la salle à manger, M. Lapresle voit le couvert dressé d'avance pour lui seul, comme il le fut dix ans durant ; mais plutôt il n'a d'yeux que pour cette place blanche en face de la sienne, le couvert d'un fantôme. Décidément non, il ne dînera pas ce soir. Au moment de passer sa main dans ses cheveux et de rebrousser ses moustaches, il arrête son geste : Martin faisait le même. « Il a tout emporté avec lui, même ce qui m'appartenait... » Du gousset il tire sa montre qu'il regarde un peu trop longtemps comme si, de l'autre main, il tâtait le pouls d'un malade : « 14 h 20. Ils doivent approcher de Gaultier-La-Varenne », songe-t-il en montant cet escalier qui conduit en vain au grenier.

GAULTIER-LA... Martin qui s'efforce, à chaque station, d'en déchiffrer le nom au passage, n'a pu, cette fois, l'épeler jusqu'au bout. Joseph dort, le mégot pendant, et le garçon l'observe d'un œil méfiant : chaque fois qu'une grande personne apparaît sans défense, il se sent vulnérable.

Albert roule vers eux en ce moment même. Il ne peut s'empêcher de trouver les 2es classes beaucoup moins confortables ; tout à l'heure il retournera vers Paris en 1ʳᵉ et s'en réjouit déjà. « Tous ces voyages à cause de se sacré gosse ! » — c'est son refrain depuis avant-hier. Pourtant, il est enchanté de retrouver ce sacré gosse : valet-chauffeur au château de la Belle au bois dormant, on ne croirait pas combien c'est ennuyeux à la longue...

Joseph ne comprend vraiment que Martin le quitte qu'à l'instant où il le remet aux mains de l'autre ; jusque-là, sa mission l'a occupé tout entier. A travers la vitre, Martin reconnaît à peine son visage qu'altèrent si brutalement une tristesse, une stupeur inexplicables. «ʳ Viens donc t'asseoir », répète Albert, ivre de 1ʳᵉ et vaguement jaloux ; mais le petit fixe ce visage inconnu jusqu'à ce que l'éloignement le rende tout fait indiscernable.

Sur le quai de Paris, sous les lumières froides, il cherche des yeux son père et sa mère côte à côte, elle souriant, lui aussi mais sourcils froncés. « Je ne sais pas trop s'ils seront là, a dit Albert en regardant ailleurs. S'ils vont bien ? Oui, ils vont bien. » Par prudence, Albert adopte un langage de carte postale.

La D. S. attend dans la cour de la gare ; Martin flaire aussitôt que l'intérieur ne sent plus du tout le parfum de sa mère, mais il n'en parle pas.

Ce soir d'hiver, Paris n'est qu'une interminable rue grise. Que des inconnus vivent derrière chacune de ces fenêtres, voilà une pensée accablante, et Martin se recroqueville en chien malade sur son siège.

— Tu as froid, dit Albert, je vais pousser le chauffage.

Mais, de ce froid-là, seule pourra le réchauffer l'étroite embrassade de tout à l'heure, quand maman se penchera sur son lit. Il en frémit d'impatience.

— Dites, elle n'avance plus, la Déesse !

Neuilly... La porte à peine refermée, Martin s'immobilise, incline la tête : maison vide, il en est sûr ! Plus une trace, ici non plus, de l'odeur de sa mère, du tabac de son père. Sans prendre le temps d'ôter son manteau, Albert va jusqu'au téléphone, compose un numéro et, tandis qu'il attend, fait signe à Martin d'approcher.

— La maison de santé ? La chambre 17, s'il vous plaît... Oui, madame... Nous arrivons à l'instant... Mais très bien, madame. Le voici.

— Qui c'est ? demande Martin à voix basse.

— Votre mère, répond l'autre qui ne le vouvoie que devant ses parents.

— Allô ?... Mon chéri, mon petit chéri !

— Bonjour, fait froidement Martin que ces trahisons successives ont rendu de glace.

— Tu ne... tu ne vas pas bien ?

— Très bien.

— Tu n'as pas l'air content d'entendre maman !

— Très content.

Au comble du désarroi, Agnès dit lâchement :

— Tu sais que je suis toujours malade !

La détermination de Martin manque de fondre ; il trouve pourtant la force de feindre l'indifférence.

— Ah ?

— C'est pourquoi tu ne m'as pas trouvée à la maison. (Silence.) D'ailleurs, c'est pour ça que j'ai été obligée de t'envoyer chez ton grand-père.

— J'y étais très bien.

— Demain, fait-elle en hâte car elle sent qu'elle va pleurer, demain Albert te conduira ici et nous passerons la journée ensemble, toi et moi, tout seuls.

— Et papa ?

— Il ne t'a pas dit ? Non, bien sûr... Il ne peut pas venir demain.

— Quand est-ce que je le verrai ?

— Demain soir, ou le jour suivant. Je... Bonsoir, mon petit chéri. Tu vas dîner tout seul et te coucher bien sagement. Je t'embrasse très fort.

— Non, dit Martin logique, vous ne pouvez pas m'embrasser, puisque vous n'êtes pas là.

Pas de réponse. Il attend encore ; mais on a raccroché à l'autre bout du fil, à l'autre bout du monde.

Il lui sembla que cet appareil devenait brusquement pesant entre ses doigts comme un animal qui vient de mourir, et il le reposa très vite. Il ressentait un singulier mélange de remords et de fierté : il venait d'éprouver son pouvoir sur la grande personne qu'il aimait le plus au monde, mais voici qu'il avait un peu envie de vomir — preuve qu'il avait mal agi. Dans le doute, la nausée lui tenait toujours lieu de conscience.

Son père survint en tornade.

— Juste le temps de t'embrasser, mon bonhomme : j'ai un dîner d'affaires. Mais demain nous nous verrons.

— Chez maman ?

— Non, pas demain, c'est vrai. Après-demain je t'emmènerai déjeuner au restaurant.

Mais « après-demain » n'a aucun sens dans le vocabulaire enfantin, et papa disparut de l'univers de Martin avant même d'avoir franchi la porte.

Lorsqu'il se retrouva seul, son mal de cœur reparut. Il se mit à rôder autour du téléphone, ce crapaud maléfique. Près de l'appareil, sur un carton blanc, il lut « MADAME », suivi d'un numéro qu'il se décida brusquement à composer. Il n'en avait pas l'habitude, ses doigts tremblaient, il dut s'y reprendre à trois fois avant d'obtenir une sonnerie.

— La maison de santé ? Je veux parler à maman.

— Nous ne passons plus de communications dans

les chambres après 8 heures du soir. Avez-vous une commission à laisser ?

— Non, dit tranquillement Martin qui attendit que la Puissance inconnue arrache l'appareil des mains de cette imbécile et le passe à sa mère. Mais, cette fois encore, *ils* n'intervinrent pas.

En raccrochant, il vit un second carton : « MONSIEUR — En cas d'urgence : 127, rue des Granges », puis un numéro. Il prit le papier et l'enfouit dans sa poche, contre le marron. Le marron... Il lui sembla soudain que tout avait changé à partir de ce moment précis, quand l'arbre du voisin avait jeté chez eux ce marron comme un sort. Il le sortit, l'examina de près : il avait vieilli, il vivait donc ! A tout hasard, Martin le porta à ses lèvres et baisa ce talisman.

On l'appela pour le dîner. Autrefois (avant le marron), lorsqu'il dînait seul, cela signifiait que ses parents sortaient : qu'ils allaient passer l'embrasser, parés, parfumés, feindre de voler une bouchée dans son assiette : « Mmm, que c'est bon ! quelle chance tu as... » Ce soir, tout lui parut étrange : la forme des verres, le poids de sa cuiller, l'odeur de la cuisine, le goût du pain.

— Alors, demanda Albert en le voyant chipoter, tu ne le trouves plus bon, le pain de Paris ?

— Si, dit Martin, *horriblement* bon.

L'autre haussa les épaules ; deux fois déjà ce sacré gosse l'avait appelé Joseph.

Aussitôt couché, il sombra dans le sommeil ; mais les camions de l'aube, moins indiscrets pourtant que les cloches de Sérignay, l'en tirèrent en sursaut. Il entrouvrit sa porte, tendit l'oreille : cette maison creuse lui appartenait tout entière. « Je vais l'explorer comme si je ne la connaissais pas », décida-t-il, ce qu'il fit sans peur mais sans surprise malgré les histoires terrifiantes que, la nuit aidant, il se racontait. Pourtant, lorsqu'il pénétra dans la chambre de ses parents et vit le vaste lit où, chaque dimanche matin... le jeu cessa. Du geste hésitant puis décidé dont on écarte le suaire pour reconnaître un cadavre, il souleva la couverture et ne vit qu'un morne matelas et des couvertures pliées. Il s'en fit un nid où se rouler en boule et se rendormir.

Cette fois, ce furent des clameurs qui le réveillèrent : le chauffeur et la cuisinière le cherchaient du haut en bas de la maison excepté, par respect, dans la chambre des maîtres. Il entendait voler les mots « fugue » et « police » ; Albert aurait voulu prévenir Monsieur, « mais l'adresse avait disparu » ; Martin ravi se garda longtemps de les rassurer.

Une heure plus tard, le chauffeur qui venait le chercher pour le conduire à la clinique s'entendit répondre : « Je ne suis pas encore prêt. » Prêt, lui qui ne se lavait qu'à l'occasion et ne changeait de linge que sur semonce, il l'était depuis longtemps ; mais il avait trouvé sur le secrétaire de sa mère un album blanc auquel il ne pouvait s'arracher. On y voyait, page après page, un homme en noir assez maigre et une jeune fille en robe blanche qui se donnaient la main ou le bras et s'entre-regardaient d'un air extasié quoique las. Depuis le temps qu'on lui racontait des histoires de princesses, Martin n'était pas fâché d'en contempler une véritable, car celles de *l'Illustration*, chez grand-père, lui avaient paru assez ridicules. Il résista longtemps à la voix intérieure qui, dès la première image, lui soufflait que ces deux-là étaient son père et sa mère. Comme il avait changé ! comme elle... Non, elle n'avait pas changé : *elle s'était attristée*, mais à un tel point que Martin en demeurait fasciné. Qu'advient-il donc aux grandes personnes, soudainement ou à la longue, qui les altère, les dédouble et les rend à charge à elles-mêmes ? Martin ne se posait pas le problème en ces termes, mais il feuilletait inlassablement l'album de la princesse blanche avec une tristesse angoissée.

Cette fois, Albert monta le chercher.

— Dépêche-toi donc, Madame ne sera pas contente. (« *Madame !* Savait-il seulement de qui il parlait ? ») Et puis tu vas trouver une surprise dehors...

La neige ! Elle était tombée toute la nuit sans crier gare, sans même alerter le vent, silence sur silence. A perte de vue Martin ne vit que le Blanc vainqueur et le Noir enfoui, étouffé, bâillonné ; les arbres eux-mêmes se retrouvaient étroitement gardés, chacun, par un jumeau blanc. Un immense naufrage immobile où quelques épars crevaient ici et là l'écume glacée, où tout n'était qu'épave et vestige et fantôme de soi. Martin se rua dans le jardin devenu si petit, saisit à brassées cette neige intacte, en mangea, en but, s'en vêtit, s'en coiffa, s'en...

— Ne crie donc pas comme ça, lui dit Albert d'une haleine fumante. Partons, maintenant, partons !

Ils traversèrent Neuilly, muette et consternée comme une ville occupée par surprise, Paris déjà souillée. Les autres voitures transportaient une impériale de neige ; celles qui avaient passé la nuit le long des trottoirs y alignaient des meules blanches, des igloos. Les passants marchaient, tête basse, mesurant leurs pas, comme s'ils souffraient horriblement des pieds, et Martin, qui pressentait que la neige avait partie liée avec les enfants, s'émerveillait qu'il suffît de si peu pour ôter leur assurance aux grandes personnes. Paris traversée, ce fut de nouveau la housse molletonnée, les maisons bossant du dos sous le faix, et les arbres doublés de blanc. « Si maman est dans son lit, pensait Martin, je lui apporterai une cuvette remplie de neige, comme grand-père l'a fait pour moi... » Et il se prit à imaginer Sérignay enneigé.

— Pourquoi tu soupires comme ça ? demanda Albert que cet enfant de riche intéressait presque autant qu'il l'irritait. Tiens, nous voilà arrivés.

Ils pénétrèrent dans un bois où la route étroite serpentait parmi les arbres en demi-deuil et débouchèrent sur une plaine de neige. Les voitures précédentes y avaient tracé deux raies parallèles, rectilignes : « C'est le Transsibérien, se raconta Martin qui en avait vu les images désolées, dans *l'Illustration*. Nous allons arriver à Tzarskoié-Selo (le seul nom qu'il eût retenu). Tzarskoié-Selo, le palais d'Eté — non, d'Hiver... Le voici ! » Au centre d'un jardin fantôme il venait d'apercevoir la noble demeure coiffée d'hermine ; des colonnes, sentinelles gelées, en gardaient la façade et, derrière la porte vitrée, il reconnut de loin la princesse sa mère, toute vêtue de blanc, qui le guettait.

Elle avait préparé une phrase dont les mots tièdes se perdirent dans le cou, la nuque, les cheveux de Martin. Elle retrouvait son odeur comme l'eût fait un aveugle, une bête dans sa tanière. Elle recevait la certitude merveilleuse, déchirante, que ce petit enfant qui se roulait contre elle, qui se frottait à elle, était sa seule richesse, sa seule vérité, sa seule justification et qu'il était bon d'avoir été mise sur la terre, ne serait-ce que pour cet instant. Ils ne savaient plus lequel pleurait, laquelle riait ; ils formaient une seule et même personne, immortelle. Ce grand mystère de l'amour de Dieu, qu'il n'est donné qu'aux mères d'approcher, l'éternité, la folie, la transparence de l'amour de Dieu, elle y participait soudain avec un tel feu qu'elle crut vraiment qu'elle allait mourir et s'en réjouit. Mourir là, sous l'œil stupide de la surveillante en chef, indulgent de la vieille secrétaire, sévère de l'interne ; mourir avec Martin qu'aucune puissance au monde n'aurait pu lui arracher — mourir...

— Madame, dit l'interne, c'est beaucoup trop d'émotion. Je n'aurais pas dû vous permettre... Le docteur ne sera pas content.

(Le docteur chassait quelque part en Sologne ; demain, avec ses lunettes, son regard et sa blouse, il reprendrait son personnage.)

— Laissez-moi, répondit Agnès d'une voix rauque : c'est lui qui me guérit.

Elle prit entre ses deux mains la tête de Martin. Comment avait-elle pu en oublier la forme, le poids, la chaleur — tout cela qu'elle retrouvait avec une suffocation de joie, d'espoir ou de remords, elle ne savait plus ?

— C'est le docteur qui décidera, dit l'interne (Et, se penchant vers la surveillante, il murmura :) Pourvu qu'elle ne nous fasse pas, ce soir, une belle crise nerveuse.

L'autre hocha la tête ; elle n'avait pas d'enfant et cette scène lui paraissait l'image même du désordre.

— Maman, dit Martin, tu as des bottes, mets ton manteau : nous allons partir. Vite !

Il tutoyait sa mère comme, hier encore, M. Lapresle ; elle ne s'en avisa même pas, prit dans le vestiaire son manteau de fourrure et ils sortirent sans entendre les recommandations des femmes en blanc.

Ils allaient, sans un mot, dans ce silence du ciel et de la terre que rompait par instants la chute à la fois pesante et légère de quelque amas de neige tombant endormi de sa branche. Ils allaient, heureux de marquer leurs traces, suivis du noir troupeau de leurs pas, et il leur semblait prendre possession d'une planète intacte, créée pour eux seuls.

Le reste de la journée se passa dans la chambre chaude, presque sans paroles. Agnès ne voulait pas poser de questions sur Sérignay, et Martin, comme toujours, vivait l'instant. Attablé devant la fenêtre, il dessinait des inventions ou démontait les jouets que sa mère avait songé à faire acheter ; allongée sur un lit de repos, elle lisait. Par moments, mais jamais ensemble, l'un d'eux levait les yeux vers l'autre pour bien s'assurer d'une joie qui les plaçait si paisiblement hors du temps. Exilé au fond d'un ciel atone, le soleil ne marquait aucune heure ; et ils sursautèrent lorsqu'on frappa à la porte pour leur apporter un plateau de nourriture.

Agnès, la première, vit le paysage s'assombrir et son cœur se serra : Martin allait donc partir. De quel droit un médecin, un juge, un avocat disposaient-ils de leur existence ? « Et si je rentrais à Neuilly ? se dit-elle, si nous recommencions à vivre ? » Il lui semblait que, depuis des semaines, elle n'avait fait que dormir.

C'est alors seulement qu'elle songea à Marc et tout reprit son poids détestable : d'un coup, elle retrouvait son harnais de rancune, de défi, de dignité. « Ce serait trop facile ! » pensa-t-elle. C'était la phrase que répétait son avocate lorsqu'elle la voyait indécise ou conciliante. Alors tous les rouages de la fausse fatalité se remirent en marche ; alors l'Honneur et le Devoir, le prétendu Honneur, le prétendu Devoir reprirent leur garde. Il fallait *aller jusqu'au bout, savoir ce que l'on voulait* — toutes ces maximes stupides que se transmettent les humains et au nom desquelles ils fomentent leur propre malheur, s'imposèrent à elle de nouveau.

Martin leva la tête : l'Innocence, la Joie, la Vérité levèrent la tête avec lui comme s'il pressentait le danger.

— Maman...

— Mon chéri.

— Il y a deux lits, je vais rester avec toi.

— On dit : « avec vous » !

— Avec toi, répéta-t-il d'une voix sourde.

— Ce n'est pas possible, mon chéri : c'est le lit de la garde.

— Elle te garde contre quoi ? Moi aussi, je peux te garder.

Elle hésita, frôla le bonheur, puis secoua la tête.

— Tu n'étais pas heureux chez grand-père ?

— Si, très heureux, dit-il tout bas. Mais ici... ici je suis bien... Pourquoi pleures-tu, maman ?

Martin refusa de s'asseoir à côté d'Albert. Agenouillé sur la banquette arrière, le visage collé à la vitre, il regardait, sous le ciel mort, diminuer, diminuer, disparaître le palais d'Hiver. Pourquoi pleures-tu, Martin ?

VI

CHEF-LIEU : ÉPINAL

Albert le remit à l'hôtesse, qui le remit au garçon d'ascenseur, qui le remit à la secrétaire du patron. Tous l'appelaient « M. Martin » et le traitaient avec cette rudesse respectueuse dont les vieux conseillers usent envers les fils de roi. Quand il parut, si petit, sur le seuil du bureau présidentiel, son père, les sourcils hauts, téléphonait d'une voix impérieuse et cassante. « Il parle à un méchant », se dit Martin.

Marc raccrocha assez brutalement et tourna aussitôt vers son fils, que cette duplicité médusa, un visage détendu et souriant.

— Mon bonhomme !

La secrétaire demeurait en extase, les mains jointes.

— Mademoiselle Dubreuil, ne me passez plus de communications.

— Vous êtes en conférence ?

— Avec mon fils, oui, répondit le président en éclatant de rire.

« Depuis combien de temps cela ne m'est-il pas arrivé ? se demandait-il : rire sans raison, ce qui est la seule vraie manière... » Il se retint de saisir Martin et de l'enlever dans les airs ainsi qu'il l'avait fait à Sérignay ; ses bras, son corps tout entier en ressentait le besoin, comme de s'étirer : l'envie de soupeser cette masse de vie, de santé, de bonheur, qui venait de lui et dont il avait la charge. « De bonheur ? »

— Comme tu as bonne mine, dit-il machinalement pour se donner meilleure conscience.

Martin fit semblant de n'avoir pas entendu : bonne ou mauvaise, ces histoires de « mine » étaient une manie des grandes personnes.

— C'est votre bureau ici ?

— Oui.

Cette fois, Marc le prit dans ses bras pour l'asseoir dans son propre fauteuil, sous le portrait du fondateur.

— Ce sera ta place un jour.

— Oh ! non, moi, je veux être médecin !

— Regarde, bonhomme !

Il lui montra, sur les murs, les photos aériennes des cités et des grands ensembles que construisait Fontaine et Cie.

— Tu n'aimerais pas avoir bâti cela ?

— Moi ? fit Martin, flatté.

Pour ces oreilles de huit ans, Marc entreprit alors d'exalter son métier ; cela tenait du *meccano*, du marquis de Carabas et, comme tous les récits des gens arrivés, de Dieu le père. Il s'agissait de proscrire Sérignay, d'exiler la médecine pour la seconde fois, et c'était devant son père et tous les docteurs Lapresle qu'il plaidait si chaleureusement.

Martin secoua la tête.

— J'aime mieux être médecin. Et puis vous êtes tout seul ici.

— Bien sûr.

Martin avait toujours pensé que ce fameux « bureau » dont on parlait tant à la maison ressemblait à une classe : son père sur une estrade et les autres

142

attablés devant des pupitres. Pourtant il ne dit mot de sa déception : à quoi bon se confier à des interlocuteurs aussi changeants ? Hier, maman, grand-père le jour d'avant, et son père aujourd'hui ! Bientôt — tant pis pour eux — il garderait tout pour lui. Cette résolution se lut sur son visage dont le regard se fit étroit et rusé et dont la bouche se gourma, creusant les fossettes.

— A quoi penses-tu, bonhomme ?

— A rien. (Pour avoir la paix, il feignit d'avoir changé d'idée :) A quoi ça sert tout ça ?

Marc, trop heureux, fit fonctionner chacun des appareils dont sa table était encombrée ; lui-même redécouvrait avec des yeux d'enfant sa panoplie de président. La médecine perdait du terrain. L'un des téléphones sonna « pour de vrai ».

— Monsieur, on vient de monter un gros paquet de la part de M. Devillars : vous l'aviez prévenu que M. Martin viendrait ce matin...

— M. Devillars, pour Martin ? Apportez-le, s'il vous plaît. Un cadeau de ton parrain !

— Parrain, répéta le garçon comme s'il se fût agi d'un mot étranger.

Il y avait tout juste un an qu'ils n'avaient pensé l'un à l'autre : depuis les dernières étrennes.

Mlle Dubreuil entra, portant un paquet plus large qu'elle. Martin voulait le déballer sur-le-champ, ses mains en tremblaient ; le président protesta.

— Oh ! Papa.

— Tu l'emporteras à la maison.

— Où c'est la maison, maintenant ?

« Il va tout de même falloir lui expliquer », se dit Marc et il fut saisi de panique : « Lui expliquer quoi ? et comment ? »

— Bon bon, ouvre ton paquet.

C'était un magnifique jeu de construction ; la médecine recula encore.

— On va téléphoner à parrain pour le remercier... Tiens, et si on lui demandait de déjeuner avec nous au restaurant ?

Il avait déjà décroché un appareil ; il n'entendit pas la remarque navrée : « Vous allez parler tous les deux... » Martin aurait tant voulu descendre l'escalier avec son père, s'asseoir auprès de lui dans la voiture puis en face de lui au restaurant : « C'est mon père à moi ! »

— Mademoiselle Dubreuil, vous allez installer Martin (il se reprit :) M. Martin dans la salle de conférences : qu'il puisse jouer tranquillement pendant que je travaille. Va, mon bonhomme... Allons, reprit-il non sans impatience : son regard venait de tomber sur la pendule de bureau et son inconscient calculait le temps perdu.

Mlle Dubreuil fut fort déçue ; elle espérait une scène à la Henri IV : le président d'une grosse affaire survenant inopinément et trouvant son collègue accroupi près du dauphin, sur la moquette, devant un jeu de construction.

Martin vida l'immense boîte sur le tapis vert et commença de bâtir sur ce gazon. Toutefois, dès que la secrétaire eut disparu, il retourna, sur la pointe des pieds, entrouvrir l'autre porte pour ne pas cesser d'entendre la voix égale et sûre de son père et, de temps à autre, cette petite toux qui lui aurait fait deviner sa présence, sans se retourner, dans une cathédrale. « Peut-être va-t-il téléphoner à maman, se disait-il, ou à grand-père... » Berger abandonné, il essayait anxieusement de rassembler son troupeau.

Entre deux communications dont chacune engageait des millions, Marc se rappela que son petit garçon était à côté et un élan de tendresse fit battre son cœur. Il étouffait un peu ; il alla jusqu'à la fenêtre qu'il ouvrit toute grande sur cette ville aux cheveux blancs ; il respira l'air glacé, et soudain tout lui parut pur et simple. « Mon fils... »

— Mon fils, répéta-t-il à voix haute, et il se mit à rire de bonheur en silence. « Il sera le plus fort, le plus puissant, le plus heureux. J'aplanirai tout devant lui... Et si je téléphonais à Agnès ? »

Cette étrange pensée le dégrisa ; il ferma la fenêtre; sa joie était tombée d'un coup, ainsi que la vigueur qui, l'instant d'avant, le portait. Il poussa la porte de la salle de conférences et vit Martin qui achevait une maison flanquée de tourelles : Sérignay.

— Tu es très doué, mon bonhomme, dit-il amèrement.

— Maintenant, je vais faire le palais d'Hiver.

— Qu'est-ce que c'est ?

— La maison où habite maman. Pourquoi vous n'y couchez pas, vous aussi ?

« Nous y voilà, pensa Marc. Je vais le prendre sur mes genoux et lui parler. » Mais il s'avisa qu'aucun être au monde ne l'intimidait autant que son enfant.

— Pourquoi vous n'y habitez pas ? répéta Martin en le regardant très droit.

C'était sa dernière question, sa dernière tentative ; ensuite il ne leur demanderait plus rien puisqu'ils ne répondaient jamais. Ensuite, il attendrait seulement que tout change de nouveau. Il mit la main dans sa poche, serra le marron-talisman à le faire éclater : « Qu'il réponde ! qu'il réponde ! qu'il rép... »

— Parce que c'est trop loin de Paris, tu comprends ? fit Marc en détournant les yeux ; et il se mit à bâtir, mensonge après mensonge, une construction bien plausible, bien rassurante — bien ignoble. Il y ajouta même quelques tourelles inutiles.

— Est-ce qu'on sera ensemble pour les vacances ? demanda Martin qui perdait pied.

— Toi et moi ?

— Moi, vous et maman.

« En juillet, tout devrait être réglé. » C'était la phrase de P. L. T. ; Marc ne put se résoudre à mentir davantage. Il s'assit, prit Martin sur ses genoux, si léger et si lourd. La petite tête se logea d'instinct au confluent de l'épaule et du cou, là où Marion aimait cacher la sienne. (Agnès aussi — l'avait-il oublié ?) Marc soupira.

— Vous avez du chagrin ? demanda Martin. A cause de maman ? Mais elle va bien, vous savez. Je crois qu'elle est un peu guérie.

— Elle t'a parlé de moi ?

— Non.

— Qu'est-ce qu'elle t'a dit ?

— Rien.

C'était la vérité, mais son père ne le crut point ; il supposa on ne sait quelle coalition.

— Rien ? Ce n'est pas possible !

— Pourquoi ? Vous ne m'avez rien dit non plus. Et vous ne m'avez pas parlé d'elle.

— Est-ce qu'elle t'a donné quelque chose ?

— Quelque chose ?

— De l'argent, par exemple.

— Pour quoi faire ?

— Pour... pour t'acheter ce qui t'amuse. Tiens !

Il sortit de son portefeuille un billet de 5 francs tout roide, tout neuf qui n'inspira aucune confiance au garçon.

— Vous n'avez plus de grosses pièces, comme avant ?

Marc éclata de rire :

— Mais le billet vaut cent fois plus !

— Pourquoi tellement ? murmura Martin. Puis il

146

calcula : « Cent fois plus, ça fait cent caramels », ce qui lui parut fabuleux ; il empocha le billet neuf et se leva comme si on n'avait plus droit au « câlin » quand on possédait tant d'argent.

— Vous ne m'avez pas dit, pour les vacances.

— Les vacances ? Mais tu n'arrêtes pas d'en prendre, sacré bonhomme ! Tu reviens de chez grand-père, et tu vas partir chez Nounou Perraut. Tu te rappelles, la nounou de maman qui s'est occupée de toi quand tu étais tout petit...

— Celle qui buvait du vin rouge ?

— Pas du tout.

— Celle qui avait fait entrer un monsieur, la nuit ? (Il n'avait gardé souvenir que des pires.)

— Mais non, celle qui... celle qui...

Marc s'aperçut que lui aussi l'avait entièrement oubliée. « Celle qui était si bête », pensa-t-il, mais il acheva :

— Nounou Perraut qui habite en Vendée.

— En Vendée ? répéta Martin en fronçant les sour-cils. (Il chercha en vain la formule magique de grand-père pour ce prétendu département.) Ça existe, ça, la Vendée ?

— Je te le jure, dit Marc en baisant le petit creux où les sourcils soucieux se rejoignaient.

Ce qui auparavant l'attendrissait le plus dans ce visage rond était ses traits de ressemblance avec celui d'Agnès ; à présent, il n'y recherchait que les siens.

Vers 1 heure survint Alain Devillars, quarante ans, le parrain. « Il va commencer par dire que j'ai grandi », pensa le garçon, résigné.

— Salut, Marc. Bonjour, toi. Comme tu as grandi !

— Tiens, tu as des cheveux blancs maintenant, re-marqua Martin.

— Charmant ! fit l'autre en se tournant vers Marc.

— Ça vaut mieux que de les perdre, dit celui-ci très vite ; et puis, mon vieux, ils te vont si bien.

Un coup d'œil sur la personne ou la maison d'Alain vous tenait au courant de toute la mode, non pas en France (n'importe quel lecteur de magazines en sait autant), mais à Rome ou à Tokyo. Il guettait en vain Moscou et Pékin : le premier *gadget* socialiste serait pour lui. Cette terrible contrainte d'être à jour avec tout ce que son siècle produisait de pratique ou d'amusant faisait son tourment ; car pour cette sorte d'homme, le vain et l'inutile sont aussi exigeants que l'est, pour d'autres, l'essentiel. Sa vie ressemblait à un sapin de Noël : les babioles y tenaient toute la place, l'arbre comptait peu. Alain avait été l'un des plus jeunes héros de la Résistance, puis le lieutenant Devillars s'était couvert de gloire en Indochine ; mais le siècle, depuis, lui paraissait bien fade comme à tous ceux chez qui le courage physique l'emporte de trop loin sur l'intelligence et la compassion. Parties de chasse en Afrique, rallyes automobiles, descentes olympiques sur la neige ne peuvent pas longtemps remplacer la guerre et, vainqueurs ou non, le désenchantement demeure le salaire des anciens combattants. Incapable d'affronter les vrais problèmes de son époque ou de leur apporter autre chose qu'une solution d'humeur, Alain croyait « se mettre à jour » avec elle en se tenant à l'affût de ses records et de ses inventions futiles. Il gagnait trop d'argent, trop facilement surtout, dans des opérations immobilières ; et les femmes le trouvaient beaucoup trop séduisant pour qu'il songeât à se marier. Pourtant, malgré conquêtes, chèques et gadgets, l'ennui régentait son existence et, comme il n'en imaginait pas de plus passionnante, il mettait cette injuste fatalité sur le compte de la condition humaine, la seconde étant de vieillir. Cet homme qui ne craignait rien se colletait presque chaque nuit avec un fantôme : lui-même vieux, ou plutôt vieillissant, et il se réveillait le cœur battant. Marc le savait, et il souffrit pour son ami de l'allusion aux cheveux blancs. Il aimait Alain, quoiqu'ils n'eussent à peu près aucun point commun, excepté l'immobilier, l'argent et Martin. Leur amitié, dans ces conditions. leur paraissait tenir du prodige et ils y étaient d'autant plus attachés. Marc lui avait demandé d'être le parrain de son fils, parce qu'il était riche et brillant et qu'à l'époque il lui devait je ne sais plus quelle politesse. Quinze ans plus tôt, Alain avait fait la cour à Agnès ; à présent il se pavanait devant Marion que Marc commençait à montrer aux amis — mais comment lui en vouloir ?

— Dis-moi, bonhomme, à quel restaurant veux-tu que nous allions ?

« Voilà bien une question d'homme », aurait dit Agnès : Martin n'était de sa vie entré dans un restaurant. Cependant il fit semblant de chercher, pour l'honneur.

— Il y a une nouvelle *pizzeria* qui vient de s'ouvrir à deux rues d'ici, dit Alain.

— Parrain sait tout ! Alors, ça te plairait, une *pizzeria* ?

— Beaucoup, dit Martin. Qu'est-ce que c'est ?

On partit à pied. Les parents font marcher leurs enfants devant eux : les mères par prudence, les pères par fierté.

— Regarde-le, disait Marc à Alain qui, comme tous les don Juan, détestait les enfants ou plutôt les craignait vaguement.

Martin fut assez déçu : un restaurant, bah ! ça ressemblait, en plus petit, à la salle à manger d'un hôtel.

149

Il déchiffra la carte avec application et choisit plusieurs plats ; lorsqu'il eut appris que tous étaient des nouilles, il confia le soin de son menu à parrain qui savait tout.

Parrain lui demanda laborieusement s'il allait bien, s'il travaillait bien et s'il était bien sage ; après quoi, ils n'eurent plus grand-chose à se dire. Les deux hommes commencèrent alors à parler métier, femmes et voitures, et Martin à étudier, table après table, ce que mangeaient les gens. Jusqu'à ce qu'on l'eût servi, il avait envie de tout ; ensuite tout le dégoûta. Il se mit alors à observer la salle avec une anxiété grandissante : il s'aperçut qu'il y cherchait un autre enfant, mais en vain. Depuis des mois (depuis le marron), il n'en avait plus rencontré un seul et cela l'angoissait. Le monde, auparavant, se divisait en deux : papa, maman et Martin d'un côté, tous les « gens », de l'autre. Mais à présent, comment compter sur ces deux-là ? Le vrai partage n'était-il pas les grandes personnes dans un camp et tous les enfants d'autre part ? Martin, Martin le délaissé, que devenait-il dans un monde pareil ?

— Papa, est-ce qu'elle a des enfants, nounou machin ?

— Nounou quoi ? (Il était à cent lieues de la Vendée et de son fils.) Ah ! nounou Perraut ? Mais oui, probablement, de grands enfants qui sont mariés.

— Mais dans son village, il y a des enfants, des vrais ?

— Comme partout.

« Pas à Sérignay », pensa Martin, mais il préféra se taire : cette affaire d'école et de coqueluche n'était pas bonne à dire.

Son père et son parrain reprirent leurs discussions et le petit garçon ses histoires pathétiques. Il se représentait abandonné de tous comme dans *Pauvre*

Blaise ou *Sans famille*. Le soir, entre crucrune et sommeil, il adorait se raconter impunément des aventures terrifiantes. Depuis que son père et sa mère ne couchaient plus à portée de voix, il y avait prudemment renoncé ; mais ici, le chianti aidant (car Marc le laissait lamper dans son verre), le démon du mélodrame le possédait de nouveau tout entier.

— Papa...

— Moins fort, mon bonhomme.

— Chez qui est-ce que j'irai, après nounou machin ?

— Je ne sais pas encore, répondit étourdiment Marc. (Il se reprit aussitôt :) Mais avec nous ! Tu viendras avec nous, bien sûr.

— Qui c'est, nous ? demanda Martin.

Marc tourna vers son ami un regard suppliant.

— Eh bien, dit parrain avec cette joviale bonhomie dont usent les puissants pour abuser les simples, nous tous, nous qui t'aimons !

— Et maman ? cria Martin.

Les conversations se turent, des tables voisines on se retournait pour observer ce petit garçon qui paraissait ne voir personne et dont les yeux brillaient.

— Chut, fit Alain. Ta maman...

— Ce n'est pas à toi que je parle, dit brutalement le garçon et il se tourna vers son père.

— Maman sera guérie, tout à fait guérie, je te le promets.

De lui aussi Martin se détourna, au comble du désespoir. « Je ne leur poserai plus jamais de questions, décida-t-il : ils le font exprès de répondre à côté... »

Martin dans l'autocar. Voilà presque deux heures que la gomme à mâcher achetée à Nantes n'a plus aucun goût, mais il conserve ce petit caoutchouc docile parce qu'il est sa seule compagnie. Les autres passagers parlent entre eux avec un drôle d'accent ; ils se connaissent tous, et Martin l'étranger n'a pas d'autre vengeance que de rire d'eux lorsqu'ils tressautent ensemble à chaque cahot. Cela va cesser de l'amuser lorsqu'il s'avisera qu'il en fait autant.

Assis derrière le conducteur, un seul coup d'œil lui livre à la fois sa triple nuque de bovin et, dans le rétroviseur, sa face de bébé moustachu. L'une et l'autre appartiennent pourtant à la même créature ; Martin tâte anxieusement sa propre nuque.

Leurs regards se croisent souvent : en l'installant dans le car, Albert a recommandé le petit à son collègue :

— Tu le fais descendre à Châtillon.

— Et qui en prendra livraison ?

— Mme... attends voir... Mme Eugénie Perraut.

— C'est ma tante, a répondu le chauffeur : tante Nini.

Ravi et rassuré que le monde soit si petit ! Dès cet instant, le garçon lui est devenu précieux.

Martin suit le paysage d'un air sévère, assez choqué qu'il ne ressemble pas du tout à Sérignay : pour lui, « la campagne » est un pays unique. Alors, pourquoi ces maisons basses, ces tuiles roses, ces immenses champs qu'aucune haie ne quadrille ? Le ciel lui-même est coiffé autrement.

Tout à l'heure, le train transportait deux Martin : l'un voyageait « dans le sens de la marche » et imaginait passionnément le visage, la maison, le village de nounou Perraut ; l'autre leur tournait le dos et se remémorait sans cesse le palais d'Hiver, le bureau du président et la maison morte de Neuilly. Impatience et nostalgie, les deux Martin poussaient des soupirs alternés ; Albert levait alors les yeux et en poussait un à son tour : « Les gosses, je vous jure... » Déjà lassé des voyages, il avait fait sur le quai une provision de journaux remplis de dessins humoristiques qu'il avalait comme un chien sa soupe, gloutonnement et gravement.

A Nantes, tandis qu'on le recommandait au chauffeur du car, Martin a vu un garçon et une fille appuyés contre l'une des colonnes de la gare et qui, colonne eux-mêmes, s'embrassaient étroitement. Aimantés, soudés, fascinés, bouche à bouche, ils se volaient leur air : chacun ne respirait que l'autre, ils allaient en mourir ! Leurs mains crispées, leurs joues creuses, leurs paupières closes... Mais non, celles-ci se rouvraient sur des yeux noyés de joie et les bouches se séparaient pour former deux sourires.

Dans le car, sur ce siège trop vaste pour lui, Martin songe amèrement à eux : ils se sent petit et seul ; il devine que les « mariés de Nantes » incarnent un mystère et une liberté qui lui sont interdits. Est-il donc si amusant de... Mais de quoi ? Il applique ses lèvres contre son poignet, si fort qu'il obture ainsi ses narines ; il aspire, aspire, ferme les yeux, entend bientôt son cœur battre la chamade.

— Qu'est-ce que tu fais, mon gars ? demande triple-nuque sans se retourner. (Il a vu dans le petit miroir un visage qui tourne à l'écarlate.)

— ... ien, répond une voix étouffée, rien.

Martin reprend son souffle. Ces amoureux, quels imbéciles !

Des champs, des marais, des tournants. Des villages où le car s'arrête devant un café : quelque vieille en descend, accueillie par des jeunes, ou quelque gars par une vieille. On s'embrasse trois fois ; le chauffeur grimpe sur le toit, vous marche sur la tête, fait glisser une valise le long de l'échelle métallique et entre boire un coup. De halte en halte, sa casquette descend sur ses nuques, et l'on repart, un peu plus léger, un peu plus brimbalant. Martin dort à moitié.

— Châtillon, mon gars !

Un doigt boudiné, un doigt triple, lui désigne un clocher qui, Dieu merci, ressemble à celui de Sérignay. Pourvu que le café s'appelle aussi « Café du Commerce » ! Non, c'est une région dévote : « Café de l'Eglise ». On s'y arrête ; mais déjà le conducteur a baissé sa vitre et crié :

— Tante Nini, le gosse est là, tout va bien !

Martin cherche Eugénie Perraut dans le groupe immobile qui, devant ce café, forme un monument noir : « l'Attente » — ou plutôt « la Patience », car, de petit coup en petit coup, l'horaire s'est distendu. Il la devine aussitôt : ce visage rond et lisse avec deux flaques de ciel à la place des yeux et un coup de sabre à celle de la bouche ; les cheveux blond-blanc sagement partagés par le milieu et qui se rejoignent sous la résille et le ruban de velours ; de noir entièrement vêtue et corsetée comme une mouche, ses mains croisées sur le ventre, toute rigueur et placidité. « C'est elle ! » Un petit bébé en Martin la reconnaît, l'aime et la craint de nouveau.

— Nounou Perraut !

Il dégringole le marchepied, se jette vers elle, petit enfant sevré de grandes personnes bien à lui, reconnaît vaguement l'odeur acide et le toucher rugueux de la robe noire. « Nounou Perraut ! » Il lui vient une envie de pleurer. Les bonnes mains, dures et tendres, usées, striées de noir comme le manche du battoir à linge, relèvent son visage vers le regard bleu ciel.

— Tu me reconnais donc ? (Trois baisers sonores comme des gifles. Oh ! du fond des temps, l'odeur de nounou Perraut...) Eh bien, moi aussi, je t'aurais reconnu : tu es toujours le portrait de ta mère.

154

— Non, dit Martin vexé comme si on le traitait de fille, c'est à mon père que je ressemble.

— Tss, tss, tss...

Jamais aimé ces Lapresle ! Il est vrai que d'avance elle détestait le rustaud qui lui volerait son Agnès.

— Tss, tss, tss, imite le neveu-chauffeur : tante Nini fait la pie !

C'est devenu un dicton par ici ; mais Eugénie Perraut s'en offense : *pas devant le petit !*

— Toi, mon garçon, tu as encore fait un arrêt de trop. (C'est aussi un dicton.) Descends-nous ces valises, allons !

D'en bas, elle les reconnaît : toutes marquées A.F. Agnès Fontaine ; mais la troisième lui paraît étrangère.

— Tu te trompes : M.L., ce n'est pas à nous.

— Si, dit Martin : ça veut dire Marc Lapresle.

— Qui va nous les porter, tante Nini ?

— Templéreau avec son âne. (Puis, se tournant vers le petit garçon :) Le mien est mort l'an passé.

— Vous avez d'autres bêtes ? demande-t-il avec plus de crainte que d'intérêt.

— Qui ça, « vous » ?

— Tu as d'autres bêtes ?

— Des poules, des lapins ; et une vache : sans ça, comment boirais-tu du lait, gros malin ?

— En l'achetant.

Voilà bien une idée de gens de la ville ; nounou Perraut en demeure sans réponse. Chaque fois qu'elle est perplexe, elle tortille rêveusement une mèche de poils follets qui jaillit au bas de sa joue. Ce geste aussi, du fond de son enfance, Martin le reconnaît.

— Au revoir, tante Nini, crie triple-nuque en remontant sur son siège. Non, non, vous autres, je n'ai pas le temps !

C'est à cause d'elle qu'il refuse avec véhémence

le verre de vin quotidien. L'autocar s'éloigne, presque veuf de passagers et de valises ; la place de l'Eglise s'est vidée, elle aussi ; seul, un vieux paysan, corbeau solitaire, salue nounou Perraut :

— Alors, Eugénie, comment ça va ?

— Ça va à pied. Avance, mon garçon !

L'église, le cimetière, le monument aux morts — Martin n'aurait rien disposé autrement. Ce village lui plaît : il ressemble à celui des albums d'images d'Epinal de Sérignay. « De Sérignay, de Sérignay... » Oh ! grand-père, la chambre verte, le grenier... Il croit sentir de nouveau l'odeur de la salle à manger, celle des communs, celle du carrosse. Chien perdu, le voici qui allonge le pas, la tête basse, les yeux mi-clos, quêtant en vain les odeurs familières.

— Lève donc le nez !

Il lève le nez : voici la mairie, et justement le garde champêtre en sort, son tambour sur le ventre. *Ecole des filles, Ecole des garçons*, chacune suspendue à l'un des bras de la mairie : la République est fière de promener sa famille.

— M. l'instituteur est prévenu, annonce nounou Perraut ; demain, je dois te mener à lui.

Martin le voit d'avance, M. l'instituteur d'Epinal ! Redingote, favoris (non, moustaches : les favoris sont réservés au notaire), et lorgnon retenu à l'oreille par une chaînette. Il est content de retourner à l'école, de revoir des enfants ; il se met à sauter d'un pied sur l'autre.

— Tu as besoin de faire pipi, décrète la voix égale. Viens que je t'aide.

— D'abord, je n'ai pas besoin, répond l'offensé, et puis il y a longtemps que je sais tout seul.

— Quel âge ça te fait donc ?

— Huit ans presque.

Nounou Perraut froncerait les sourcils si elle en

156

possédait : « Tss, tss... Huit ans... » Elle cherche dans son catalogue d'enfants les caractéristiques de cet âge.

— J'y pense, as-tu pris régulièrement ton caté- chisme ?

« Catéchisme ? » Martin répond oui à l'aveuglette.

— Je te conduirai jeudi à M. le Curé.

Quel rapport entre le curé (rabat, chapeau rond, tous ceux d'Epinal) et ce médicament inconnu ?

A gauche la boulangerie, le maréchal-ferrant, le boucher ; à droite, la charcuterie, le cordonnier... Le jeu de construction continue ; ou plutôt celui des Sept-Familles lui succède. Martin bat des mains.

— Le charcutier, il s'appelle Lahure, hein, nounou Perrault ?

— Où vas-tu chercher ça ? C'est le fils Camuset.

« Elle se trompe, pense-t-il, moi, je sais. » A quoi bon demander le nom du cordonnier, celui du bou- langer ? Talonnette et Vol-au-Vent, bien sûr. Et si le maire allait ressembler au général Dourakine ? »

— Qu'est-ce que vous faites sur le chemin ? Vou- lez-vous rentrer !

Non, les poules ne veulent pas rentrer : elles ont aperçu de loin leur déesse noire et accourent vers le bon grain.

— Tu as peur des poules, à ton âge ?

— Pas du tout, dit Martin en se serrant contre sa jupe.

— Tss, tss, tss ! rentrez !

Tante Nini fait la pie, et sa volaille, mi-courant mi- voletant, se bouscule vers une maison basse aux murs blanchis, au toit de chaume. « La ferme, se dit Martin, mais où est la maison ? »

— Où est la maison ?

— Devant toi, grosse bête.

— Embrasse-moi, nounou Perraut !

— Qu'est-ce qui te prend ?

Il se suspend à elle ; il est trop heureux : c'est la chaumière de Blanche-Neige, la hutte de Robinson ! Des croisées moins larges que ses deux bras ouverts, une porte si basse que nounou doit incliner la tête pour entrer — mais pas lui ! C'est *sa* maison... On y pénètre ; elle sent la fumée, la paille, le jambon et l'armoire à linge. La longue table flanquée de ses bancs maigres, la cheminée où agonise un feu fiévreux, les lits durs et leur bedaine rouge, à Martin tout paraît ravissant : tout ressemble aux images. Comment peut-on vivre dans une chambre verte avec des tapis ? Il découvre, une à une, toutes les choses qui n'existent pas ici : une salle à manger, une salle de bains, un fourneau, des radiateurs, l'électricité.

— Pas d'électricité, nounou Perraut ?

— Je n'aurais pu l'avoir qu'en payant — et pour ce que c'est utile ! L'an prochain elle viendra gratuitement, ajoute-t-elle en soupirant, il faudra bien la prendre. Viens m'aider à nourrir les lapins.

Nourrir les lapins, donner du grain aux poules ; trouver leurs œufs, les prendre dans sa main, chauds, pleins, mystérieux ; traire la vache dont les yeux luisent dans l'antre ténébreux ; ramasser du bois mort, ranimer le feu ; arracher des poireaux, sortir les pommes de terre de leur réserve terreuse, décrocher le jambon, en couper des tranches épaisses et brunes avec le couteau de l'ogre — c'est lorsque tout fut fait, que la marmite suspendue commença à frémir, que Nounou Perraut eût avancé deux chaises basses près de la cheminée et qu'ils s'y furent assis, accroupis plutôt, c'est alors seulement qu'une masse obscure posée sur l'un des lits s'étira, bâilla férocement, se lécha les pattes et vint, à pas frileux et le dos rond, se nicher dans le giron noir.

— Qu'est-ce que c'est ? cria Martin qui rêvait à demi, et il se dressa précipitamment.

— C'est Miarrou, répondit la vieille paysanne comme s'il se fût agi d'une évidence. Eh bien, mon Miarrou, qui c'est-y donc là, hein ?... Mais rassieds-toi, que vous fassiez connaissance !

Le garçon reprit sa place, tous muscles bandés, et le chat vint à lui avec l'horrible lenteur des policiers ; ils ne se quittaient pas des yeux. Il fallut supporter l'escalade et le nez à nez : à petits coups, gravement, Miarrou reniflait l'étranger ; Martin, qui en louchait, voyait se plisser le satin des narines et se hérisser les moustaches terribles, et il retenait son souffle. (Une fois, on l'avait conduit chez le dentiste : la même contraction du corps entier, ce même cri tout prêt...) Nounou Perraut s'était arrêtée de tricoter et son regard bleu surplombait les lunettes de fer : un ciel d'hiver sur deux mares gelées. Interminable... Enfin, dans le silence, on entendit un ronronnement qui n'était pas celui de la marmite, et le chat se lova confortablement au creux de Martin.

— Bien, fit nounou Perraut en rajustant ses lunettes et en reprenant son ouvrage. Demain tu trairas la vache et tout sera dit.

Martin restait sur le qui-vive.

— Caresse-le, à présent.

— Pour qui tu tricotes ? demanda-t-il après un instant.

— Pour le dernier de mon enfant d'Annecy. Ensuite, je ferai des bavoirs : on attend un petit chez mon enfant de Toulouse. Et puis après...

— Tu as des enfants partout, mais pas des vrais ?

— Pas des vrais ? répéta la vieille Eugénie pour elle-même, pas des vrais ? — Et elle soupira.

Martin attendit qu'elle eût cessé de hocher la tête, qu'elle eût achevé sa pensée.

— Mais c'est tout de même maman que tu aimes le mieux, n'est-ce pas ? demanda-t-il d'une voix altérée.

Sérignay, Annecy, Toulouse... Il en avait assez d'être partagé.

Aucun sourire n'apparut sur le vieux visage, mais un soleil timide éclaira ce rocher.

— Agnès, ma petite Agnès, murmura-t-elle en posant son tricot.

— Non, moi, nounou Perraut, s'écria Martin. C'est moi que tu préfères... Oh ! s'il te plaît...

Il se leva, oubliant Miarrou qui coula à terre parfaitement vexé, et il vint, à son exemple, se nicher au chaud de la jupe noire, s'y faisant le plus petit possible — un tout-petit qu'on attend, qu'on aime, pour qui on tricote.

— Mais, mais, protestait nounou Perraut ; pourtant, le « tss, tss » s'arrêta sur ses lèvres car une larme vivante venait de tomber sur sa main blanche.

« Huit ans, pourquoi pleure-t-on à huit ans ? » se demanda-t-elle ; puis elle envoya au diable catalogue et mémoire. Elle n'avait aucune intelligence mais elle possédait le génie du cœur. Dix fois mère (souvent bien davantage que celle qui lui confiait son enfant), tombant toujours dans le grand piège de Dieu, et le cœur dix fois déchiré... Seule à présent au fond d'une campagne oubliée par le siècle, seule avec cette carte de France : Neuilly, Toulouse, Annecy... et de la laine à tricoter. Il fallait donc falloir aimer une fois de plus, nounou Perraut ? s'attacher, et puis s'arracher, une fois de plus ? Cette larme sur sa vieille main venait d'en décider à sa place. Elle croyait deviner pourquoi cet enfant-ci pleurait, mais comment le consoler ?

160

Elle qui, depuis l'enfance, vouait une vénération stupide aux riches, aux puissants, heureuse et fière de n'être que leur chien fidèle, une grande révolte la saisit, la première depuis un demi-siècle : « Ne peuvent-ils pas comprendre qu'un enfant a plus d'importance que toutes leurs histoires ? » Elle plongea ses doigts si durs dans la tignasse blonde. « Les mêmes cheveux qu'Agnès », pensa-t-elle, et Martin : « Le même geste que grand-père » — ce qui redoubla ses larmes, car il se sentait infidèle au vieux monsieur de Sérignay.

— Allons, allons...

Elle le berçait : elle berçait Agnès, et celui de Toulouse, et celui d'Annecy, et tous les autres — et, comme eux, il s'endormit en suffoquant encore de chagrin. Huit ans ou pas, elle le déshabilla, le glissa sous l'édredon rouge, ne comprenant pas pourquoi les petites mains attiraient d'instinct le drap rêche vers ces joues salées de larmes, vers ces lèvres gonflées qui murmurèrent quelque chose comme *crucrune*. « Crucrune ?... »

Rajeunie de vingt-cinq années, elle regarda longtemps l'image de la petite Agnès blottie dans ce lit trop grand, puis retourna s'asseoir au ras du feu, au ras de son enfance à elle. Ses doigts tricotaient distraitement ; elle préféra les joindre et se mit à prier Dieu et les Siens, puisque c'était la seule société qui lui restât.

— Miarrou, appela-t-elle cependant à voix basse, eh bien, Miarrou...

Mais il demeura couché en rond au centre de l'édredon rouge, prunelle du diable ; son ronronnement se mêlait au petit ronflement qui montait de l'alcôve, au chuintement du feu, au chuchotement des *Ave Maria*.

Comme on soulève à peine un store lorsqu'on craint le grand jour, Martin ouvrit à demi ses paupières. L'odeur de cette pénombre l'assurait déjà qu'il n'était pas chez lui ; bah ! il en avait l'habitude... Mais avant que la mémoire docile eût mis en marche ses rouages, la folle du logis prit trois foulées d'avance et Martin se dressa, terrifié : au ras de terre, là, un théâtre livide dont le décor représentait des ruines sous un éclairage lunaire ; une fumée s'en élevait. Un monstre noir apparut parmi les décombres, une bête gigantesque qui traversa la scène avec la redoutable nonchalance des fauves et...

— Miarrou, appela doucement Martin qui frissonnait encore.

L'autre feignit ne rien entendre — affaire de dignité — mais ne put se retenir de ronronner en s'éloignant de cette cheminée par où l'aube transie envahissait la pièce. Il allait au plus secret, au plus enfoui, au plus chaud, et le garçon, dans l'obscurité, l'entendit approcher plutôt qu'il ne le vit. Un instant il tint lieu à Martin de maison, de parents, d'avenir... Puis il rompit sans raison leur bonheur, s'étira jusqu'aux griffes, montra une gorge aux dents pointues, antichambre de l'enfer, et se dirigea vers l'autre lit. Martin, qui l'avait suivi, y distingua sous l'édredon, gisant comme un roi mort, une créature inconnue. Dans un verre, à son chevet, il vit des dents, oui ! deux rangées de dents qui trempaient dans l'eau. C'était trop de mystère pour un seul matin... Heureusement, sur la joue gauche de cette momie, il observa la petite touffe de poils blancs qu'il avait remarquée dès sa descente du car et qui le chatouillait chaque fois que nounou Perraut l'embrassait. C'était donc elle ; il se mit à rire en silence pour dissiper tout reste de frayeur.

Il se sentait aussi fier qu'étonné d'être debout avant

une grande personne ; il s'habilla avec des précautions de voleur, sortit et respira cette odeur de terre ouverte, de pluie et d'abandon qui est l'haleine de la nuit. Il était ivre de liberté. Les poules et les lapins le reconnurent : ils avaient déjà faim ; cela lui rappela qu'il n'avait pas soupé. La vache elle-même, sortant de son long ennui, tourna la tête vers lui mais, vexée d'avoir commis une telle erreur sur la personne, elle dédaigna ce nain. Bien à l'abri derrière un bat-flanc, Martin osa la caresser. Autant flatter une malle... Mais les malles ne se retournent pas en pointant deux cornes sur vous ! Sur l'instant, le garçon devint un monceau d'entrailles anxieuses. Les cabinets, vite ! Une cahute parmi les poireaux. Il y courut, se déculottant d'une main tremblante, de l'autre soulevant en hâte l'innocent couvercle de bois. Soupière infernale, un vol de mouches aveugles s'en échappa en bourdonnant. Martin se sauva, le pantalon en accordéon, et, lorsqu'il s'estima hors d'atteinte, se libéra en plein champ. « Si maman me voyait ! » pensait-il fièrement. Depuis hier, il n'accomplissait que des gestes insolites et dont chacun l'émancipait : l'autocar, les amoureux, les poules, le feu, Miarrou, le premier réveillé, les cabinets — il ne cessait pas de prendre la Bastille.

Nounou Perraut apparut sur le seuil en caraco blanc et jupon mauve.

— Hé ! Ce n'est pas l'endroit, mon garçon, cria-t-elle.

— Je sais, mentit Martin, mais il faisait si beau.

C'était jeudi, jour de récréation des instituteurs, celui où, par toute la France, on met le linge à sécher dans les cours d'école. Nounou Perraut, qui révérait le Savoir, revêtit sa jupe neuve (laquelle était seulement un peu plus noire que l'autre) pour aller présenter Martin à M. Thirolaix.

C'était un homme tout gris qui semblait avoir as-
sorti son austère blouse de travail à la teinte de
ses cheveux et à celle de son regard. Jusque dans le
plus turbulent des cancres, il respectait l'Homme, sa
Liberté, sa Dignité, car il vivait dans un monde de
majuscules héritées des hommes de 1848 et de ceux
de la grande révolution. On l'eût tué net en suggé-
rant que ces derniers n'étaient, pour la plupart, que
de sanglants cabotins servis par quelques écrivains
géniaux et de fougueux militaires. Dans l'église de
M. Thirolaix, Marat, Danton et Robespierre figuraient
la Sainte-Trinité, Saint-Just l'archange Gabriel et Lu-
cile Desmoulins la Vierge Marie. Lorsqu'il passait devant la mairie, les trois mots inscrits à son fronton
lui faisaient encore battre le cœur, à cinquante ans
passés. Il était le seul « homme de gauche » du pays
(la malheureuse Mme Thirolaix continuait d'aller à
la messe), et cette solitude sacrée contribuait à le
rapprocher du curé. Il se voyait contraint de l'estimer
plus que tout autre habitant du village, et c'était
l'un de ses tourments. Tel Nicodème à Jésus, il lui
rendait des visites nocturnes, courroucé et ravi de
trouver en lui une culture et une bienveillance égales
aux siennes ainsi qu'une dévotion à quelques majuscules : Charité, Espérance, Pauvreté qui ressemblaient furieusement à ses propres déesses. Il se
consolait en songeant que l'autre était une exception ;
le curé aussi.

Nounou Perraut lui parla surtout des parents de
Martin, de ces gens si riches, si importants, si... bref
de tout ce que l'instituteur détestait et rangeait d'instinct dans la catégorie O.A.F. (« Oppresseurs, Affa-
meurs et Fauteurs de guerre »). Heureusement, son
regard gris ne tombait cependant que sur un champ
de seigle, une oreille écartée, des taches de rousseur :
sur un petit garçon tout pareil aux autres et par-

164

faitement intimidé. Elle le prit à part afin d'évoquer l'instance en divorce — ce qui confirma M. Thirolaix dans sa méfiance envers Paris, les millionnaires, le grand monde, et lui inspira cette mission exaltante : empêcher, par un enseignement laïc et républicain, ce petit héritier de devenir à son tour un O.A.F. Cependant, l'héritier respirait ici avec ravissement l'odeur un peu sure des écoliers, riches ou pauvres, confinés entre quatre murs tapissés de merveilles : la France des eaux et celle des forêts, le système solaire, la vie de Pasteur. Ces bancs et ces pupitres tachés, tailladés, l'attiraient beaucoup plus que le mobilier fonctionnel et métallique de son école de Neuilly. Il les imaginait déjà peuplés d'amis avec qui échanger des billets et des journaux illustrés, et dont l'un deviendrait le compagnon de son cœur ; il se trompait.

— Eh bien, dit M. Thirolaix, nous allons passer un petit examen probatoire.

Celui-ci prouva seulement l'ignorance de Martin, sauf en matière de départements où sa méthode surprit l'instituteur.

— A demain, fit-il en soupirant. Ne... ne parle pas trop de Paris ni de tes parents à tes camarades.

De là, nounou Perraut se rendit à l'église, mais par un chemin détourné, afin de ne pas froisser M. Thirolaix que chacun, dans le village, croyait l'ennemi du curé. Le catéchisme s'achevait ; une meute de garnements s'enfuyaient sans même achever leur signe de croix. Ils dévisagèrent assez méchamment ce petit inconnu qui leur souriait de toutes ses fossettes ; l'un d'eux dit tout haut : « Regardez voir : il a des trous dans la joue, ce con-là ! » Mais Martin, malgré cette oreille en auvent dont un autre se moquait aussi, n'entendit rien.

Ce dont on ne pouvait détacher son regard, dans

le visage large et raviné de M. le curé, était cet extra-ordinaire désordre de dents sur lesquelles il oubliait le plus souvent de ramener ses lèvres : « C'est pour mieux sourire, mon enfant... »

— Il a pris son catéchisme bien régulièrement, assura nounou Perraut.

Martin opinait gravement.

— Bien, bien. Allons, récite-moi ton Notre Père.

— Notre quoi ?

L'épreuve continua sur ce ton. « Je crois en qui ?... Saluer quelle Marie ?... » ; le mot *confesse* le fit pouffer de rire. Nounou Perraut, déshonorée, arquait des sourcils invisibles ; l'abbé fronçait les siens qui étaient broussailleux.

— Je crois que nous aurons du travail, madame Perraut, dit-il enfin. Je le prendrai à part, pour commencer. Viens chaque jour, après l'école. Heu... n'en parle pas à M. l'Instituteur.

« Que de secrets ! » pensa Martin qui se demandait pourquoi ce monsieur si gentil s'habillait en femme.

On retourna en silence vers la maison. « Mon pauvre petit », murmurait la vieille paysanne, de temps à autre, puis elle secouait la tête et faisait la pie.

— Mais enfin, qui est-ce qui t'a fait de la peine ? demanda son compagnon qui sautait d'un pied sur l'autre et prévoyait les merveilleuses corvées qui l'attendaient à la maison : tirer de l'eau, ramasser des pommes de pin, chercher de la paille chez Templéreau.

Et sans attendre la réponse, il ajouta :

— Oh ! nounou Perraut, je suis content, content !

— Eh bien, tu n'es pas difficile, répondit-elle d'un ton désolé.

Comme ils atteignaient le petit pont bossu qui enjambait une rivière paresseuse, ils croisèrent la carriole du voisin dont l'âne s'arrêta au sommet du pont, à son habitude. Ce n'était pas Templéreau qui tenait les rênes, mais une petite fille blonde, assise tout droit, les jambes pendantes.

— Alors, Zézé, c'est toi qui mènes ton grand-père, à cette heure ?

— Non, répondit-elle avec sérieux, je mène Jacquot (c'était le nom de l'âne).

Les deux vieux partirent d'un éclat de rire ; mais les deux enfants immobiles se regardaient gravement en silence. Cette petite sœur dont il rêvait jusqu'aux larmes, Martin la considérait, droite comme une reine, entre ciel et terre.

— Eh bien, vous ne vous dites pas bonjour ? C'est Zélie Templéreau.

Il s'agissait bien de bonjour ! Martin, toutefois, osa lui toucher la main, en murmurant : « Je t'aime. » Le visage de la petite fille marqua une telle surprise que Martin s'étonna à son tour ; il n'avait pas entendu ses propres paroles ; les deux anciens non plus.

— Allons, fit nounou Perraut, en le poussant par l'épaule, c'est l'heure de la soupe.

A Sérignay aussi, c'est l'heure. Joseph traverse la salle où quelques vieux et une vieille attendent leur tour.

— Revenez cet après-midi. Eh ! que voulez-vous ? il se met sur le dos plus de besogne qu'il n'en peut...

Il va le lui redire, dans la salle à manger, après avoir avalé plusieurs fois sa salive.

— Vous travaillez trop. (Depuis la mort de leurs épouses, il ne lui parle plus à la troisième personne.) Vous savez bien pourtant que votre cœur... un de ces jours...

— Je sais ce que je fais, Joseph.

« Non, songe-t-il, je n'en sais rien du tout. Je ne

suis qu'un imbécile. Un imbécile qui s'ennuie à mourir. » Il retrousse ses moustaches, il fourrage dans sa chevelure, et Joseph se met à rire : une dent noire, une dent blanche.

— Qu'est-ce qui te prend ?

— Quand vous tripotez vos cheveux, ça me rappelle le petit : il vous copiait... Ah ! j'oubliais : j'ai dû renvoyer à cet après-midi quatre malades.

— Des vieux ?

— Bien sûr.

— J'en ai assez, fait le docteur d'une voix sourde. Toujours des vieux ! Ce sont des enfants que je voudrais soigner, Joseph, des enfants !... Non, je n'ai plus faim. (Et il se lève de table.)

— Des enfants, répète Joseph en hochant la tête, bien sûr, bien sûr.

VII

LA PREMIÈRE BÉATITUDE

Dès que le soir tombait, lorsque les arbres et les bâtisses livides prenaient leur visage de nuit et que le ciel semblait porter ailleurs ses regards, nounou Perraut allumait une lampe. D'aussi loin qu'il se trouvât, Martin apercevait cette lueur vivante qui l'attirait plus sûrement qu'un papillon : c'était le signal silencieux que l'espace allait se trouver livré au froid, à la peur, aux bêtes sauvages. Le petit garçon accourait à toutes jambes, rameutant à voix haute tous ses chevaux fantômes qu'il menait à bride abattue : « Flambard ! Muscadin !... » Il refermait vivement la porte derrière lui : elle était devenue le vantail d'une écluse contre laquelle monterait en vain le fleuve de la nuit, ses noyés, ses épaves. La lampe rassurante projetait sur la table une nappe circulaire ; Martin y disposait ses cahiers, ses livres et les instruments de sa trousse comme on dresse un couvert de cérémonie, puis il « s'appliquait » à sa page d'écriture. Car M. Thirolaix appartenait à la vieille école des *pleins* et des *déliés* ; il interdisait l'usage des crayons à bille « que l'on vend dans les cafés, c'est tout dire ! » et préconisait les plumes Sergent-Major.

Nounou Perraut tricotait dans le rond de la lampe ;

sans que la mécanique précise de ses doigts ralentît un instant, elle observa l'écolier par-dessus ses lunettes.

— On ne tire pas sa langue !

« Et grand-père alors ? » pensa Martin ; et le voici rêvant de là-bas en mordillant son porte-plume.

— Est-ce que tu connais Joseph ?

— Quel donc Joseph ?

— Joseph de Sérignay.

Ce titre nobiliaire n'en imposait guère à la vieille femme : « Sérignay d'où vient M. Marc, M. Marc d'où vient le malheur »...

— Non, répondit-elle sèchement, je ne connais même pas ton grand-père. (Trois mailles, puis d'un ton indifférent :) Il paraît qu'il vieillit ratatin.

— Quoi ? Quoi ?

— « Quoi, quoi, quoi, les corbeaux sont au bois, s'il en manque un, c'est toi ! »

— Qu'est-ce que ça veut dire « vieillir ratatin » ? reprit Martin, furieux.

— Tout ridé, comme les pommes.

— C'est pas vrai. Mon grand-père à moi...

— Lequel ? demanda nounou Perraut avec majesté. Tu en as deux.

Elle posa son tricot sur la table et les maigres lunettes par-dessus.

— Le père de ta maman, « le grand Fontaine » comme on l'appelait, tu pourrais être fier de lui.

— Est-ce qu'il était médecin ?

— Dame non, il construisait des maisons.

— Tiens, comme papa, fit Martin sans chaleur. Moi, je serai médecin ; je prendrai la place de mon grand-père.

— Mais...

— Du vrai, poursuivit-il avec un éclair dans les yeux : de celui qui vieillit ratatin.

170

Il feignit de retourner aux pleins et aux déliés, en tirant la langue pour mieux donner le change; et aussi, afin de venger grand-père Lapresle, en emmêlant ses cheveux à sa manière. (Tss, tss...) « Ainsi, songeait-il, les grandes personnes ne s'aiment pas entre elles. » Il s'en était déjà douté à la façon dont le vieux monsieur lui parlait de ses parents; et voici qu'à son tour nounou Perraut... Il en fut d'abord consterné : le rempart s'effritait. Puis, comme les enfants ne vivent que de sécurité, il se demanda s'il n'y avait pas là un moyen d'accroître la sienne. L'ignoble griserie que l'on éprouve à jouer sur plusieurs tableaux, il la découvrait; en attendant de s'en vanter, comme le font les adultes, il n'y voyait encore qu'une sécurité de plus et un jeu passionnant.

— Nounou Perraut, demanda-t-il avec une expression si fausse qu'il craignait que le regard bleu ne la décelât et qu'il recula hors du cercle de lumière, parle-moi du grand Fontaine.

— Ah ! mon petit...

Les doigts diligents s'arrêtèrent, et la vieille femme entama la geste légendaire du Fondateur. De domestique en domestique, c'était devenu l'un de ces récits mythiques que les puissants n'ont même pas besoin de susciter eux-mêmes (car les simples ont la tête épique et l'esprit crédule) et qui perpétuent de génération en génération le prestige des violents et des riches.

Par fidélité à la médecine, Martin se refusait à écouter; il se répétait à voix basse : « Ratatin... Ratatin... ratatin... »

Nounou Perraut s'interrompit brusquement :

— Mais où ai-je la tête ? Et tes devoirs, mon garçon ?

— Oh ! nounou...

— On continuera à la veillée.

Ils s'asseyaient à table lorsque l'horloge au large balancier se grattait la gorge à 7 heures : car, faute de poids, elle ne sonnait plus, mais se gargarisait longuement. De la pointe de son couteau court, Martin faisait très gravement une croix au dos du pain. Cette faveur rituelle, il ne l'avait obtenue que le jour où il avait pu réciter correctement « Notre Père ». Après quoi, il entonnait trois assiettées de soupe.

— Mais tu en manges autant chez toi ?

— Il n'y a jamais de soupe, chez moi.

— Allons donc, de mon temps...

— C'est du potage, et j'ai horreur de ça.

Ici, il aimait tout, tout lui semblait nouveau ; rien ne provenait d'une devanture ou d'un réfrigérateur, mais du jardin, du poulailler ou de chez la voisine. Ou de ce marché du samedi sur lequel, la classe achevée, il flânait d'étal en étal jusqu'à l'heure où les paysans placides plient bagage. Ou encore des réserves obscures de Nounou la Fourmi : sacs, jarres, ou pots, exactement calculées pour franchir l'hiver — mais l'appétit dévorant de Martin déjouait ses prévisions.

Après le *souper* — car c'est à Paris que l'on « dîne » ! — commence la veillée : un feu, deux chaises basses et, face à la cheminée (que surmontent le fusil de chasse, le bouquet de mariée et un souvenir de Lourdes), le banc qui attend les voisins. S'ils viennent, ce n'est jamais les mains vides : l'un apporte des châtaignes à cuire sous la cendre et que vient de lui envoyer son beau-frère du Limousin ; cet autre, il lui restait un petit fond de cerises à l'eau-de-vie ; cet autre... Ou bien il n'apportera que ses bonnes lunettes, et l'*Almanach du colporteur vendéen* dont il lira quelques passages. Quand l'entretien s'anime, on se met, malgré soi, à discuter en patois

172

maraîchin, et Martin considère avec une crainte mêlée de respect cette autre nounou qui parle soudain une langue étrangère.

Mais, le plus souvent, l'enfant, la vieille et le feu demeurent seuls. La lampe soufflée, leurs silhouettes acagnardées projettent sur le mur l'ombre de deux géants qui dansent. Nounou parle ; la voix est aussi lente à dire que les doigts prompts à tricoter.

— Mais ton mari à toi, nounou Perraut ?

— Il était jardinier quatre mains...

A quoi bon écouter la suite ? Martin rêve à ce jardinier magique dont une main tient la bêche, l'autre serre le sécateur, la troisième tire le râteau et la dernière manie le plantoir ou que sais-je !

Nounou aime surtout se remémorer les faits et gestes de la petite Agnès ; mais cela met le garçon aussi mal à son aise que les photos du petit Marc sur les murs de la chambre verte.

— Raconte-moi plutôt le Sorcier du Marais.

— Tu la connais déjà, proteste-t-elle sans conviction.

— Ou le Château perdu, tu sais, la famille assassinée...

Car le triomphe d'Eugénie Perraut, ce sont les histoires terrifiantes. Elle les narre d'une voix égale et si paisible que cela ajoute à l'effroi, car l'horreur devient alors un climat normal. La vieille femme n'imagine guère les cauchemars qu'elle prépare innocemment et quels nuages noirs s'accumuleront tout à l'heure dans le ciel de lit de Martin. Elle n'en saura rien : elle dort comme un puits. Pour l'instant, Martin l'écoute impassible, frissonnant, ravi. De temps à autre, elle s'interrompt : « Fais-moi voir ton ouvrage ! » Elle lui a appris le point de chaînette et il brode un alphabet qu'il n'aime guère montrer, car il a placé le D avant le C et doté le F de trois barres.

Nounou Perraut étire la toile entre ses doigts impitoyables et son visage se fait aussi tendu, aussi plat qu'elle ; Martin a presque envie de lui souffler : « Et le D, mon garçon ! » Mais elle opine gravement, ou profère une remarque sans conséquence sur quelque maille incertaine.

— Et qu'est-ce qu'ils ont découvert dans la tombe, à minuit, sous la lune ?

Elle retrouve sans peine le fil rouge de son terrible récit et Martin son frisson bien-aimé. Parfois elle embrouille l'écheveau sanglant et Martin la reprend :

— Mais non, c'étaient les quatre enfants qu'il avait égorgés, nounou, pas deux.

Il tient son compte serré, le bougre, et ne se laissera pas frustrer d'un seul cadavre ! N'empêche que, tôt ou tard, il court vérifier — « Ne raconte rien ! » — si la porte est bien barricadée. La nuit se peuple pour lui de châteaux hantés et de fantômes sans tête. Demain, il retrouvera avec méfiance le paysage familier, les chevaux nus en liberté, leur crinière orageuse, leurs yeux fous ; même ces vaches débonnaires lui paraîtront suspectes.

« Et M. le Curé ne ressemble-t-il pas à un vampire avec sa bouche trop pleine de dents ? » se demande irrévérencieusement Martin en se hâtant vers l'église pour la séance de catéchisme. Comme tous les autres habitants, Dieu se contente ici d'une maison basse. Filtrée par les vitraux, une lumière avare l'éclaire des couleurs du Ciel ou de l'Enfer. Les statues disparates laisseraient croire que certains saints sont des géants et d'autres des enfants, ce qui est vrai. Martin arrive le premier ; il s'agenouille, l'esprit vide, et cache son visage dans ses mains, le temps convenable. En s'asseyant enfin il aperçoit l'harmonium ouvert et ne peut résister : trois coups de pédales puis « do la-si-do, do mi-ré-do... » M. le Curé sort de la sacristie.

— Bien, c'est bien. Je parie que tu essayais de jouer « Il est né le divin enfant ». Viens, je vais te montrer les personnages de la crèche.

Derrière les fonts baptismaux, au creux d'un vaste placard qui fleure la cire et l'encens, les voici rangés dans de longues boîtes sur lesquelles se lit JEUNE BERGER, ROI NOIR OU JOSEPH. La plus petite s'appelle L'ENFANT ; on l'ouvre.

— Il me ressemble, dit Martin.

— Essaie plutôt de lui ressembler, murmure M. le Curé. Tiens, en attendant les autres, récite-moi donc ton Credo.

Il va fermer les yeux, écouter en hochant la tête et rectifier patiemment :

— Non, mon petit, pas *sous Pierre ponce* : sous Ponce Pilate... La résurrection de la chair, voyons, pas : *de la chèvre*. Ça ne voudrait rien dire !

« Oh, si ! » pense Martin navré qui vient de perdre un de ses miracles favoris : car enfin, pourquoi ressusciter Lazare et pas la chèvre ? C'est *la chair* qui ne veut rien dire !

Une galochade et des rires étouffés dénoncent l'arrivée des catéchumènes.

— Les voilà, dit M. le Curé. Je t'en prie, Martin, tâche de bien comprendre la leçon d'aujourd'hui : c'est la plus difficile — et peut-être la plus importante, ajoute-t-il pour soi seul.

Il considère en silence ces vingt petites têtes ; sur chaque visage il reconnaît le père ou la mère qu'il a enseignés quand ils avaient leur âge. « Qu'en reste-t-il ? se demande avec anxiété le vieux prêtre. Oh ! que ne pouvons-nous demeurer des enfants ? » Car, sur ces visages-ci, il discerne déjà l'égoïsme, l'âpreté, la violence, et tremble que ces graines ne germent plus vite que celles d'éternité qu'il jette obstinément sur cette terre ingrate.

Debout, les vingt enfants trouvent le temps bien long : pourquoi M. le Curé les regarde-t-il ainsi et pourquoi ses yeux brillent-ils ?

— Asseyez-vous. Maurice, retire les mains de tes poches. Mes enfants, lesquels d'entre vous se souviennent de ce que j'ai raconté jeudi dernier ?

En réponse, un feu d'artifice, mais dont les fusées tournent court :

— C'est Jésus qui se promenait en guérissant... Et tous les gens le suivaient... Des milliers de gens... Ils ne mangeaient pas... Ils avaient oublié d'emporter à manger... Ils préféraient l'écouter que de manger. (C'est évidemment l'essentiel à leurs yeux.) Et puis aussi c'était sur la montagne... Il les a fait asseoir sur l'herbe... — Mais pas pour manger, reprend un obstiné.

— Bien. Et je vous avais demandé de réfléchir, cette semaine, à la première des paroles qu'il a prononcées sur cette montagne.

— Il a dit... il a dit : « Bienheureux les pauvres en esprit. »

— Ce qui signifie ?

De nouveau, le clapotis des bonnes volontés :

— Ça veut dire que ceux qui sont un peu bêtes ont de la chance, au fond... Mais non ! c'est ceux qui n'ont pas d'argent : comme ça, ils se font moins de soucis... Dis, hé ! ça veut seulement dire qu'il faut être gentil avec les pauvres...

M. le Curé lève ses deux mains comme pour *Dominus vobiscum*.

— Non, non, mes enfants, pas du tout. Ça veut dire...

Il s'arrête. Voici quarante ans qu'il essaie de pénétrer le sens de cette mystérieuse parole, quarante ans qu'il ne peut que le pressentir et tenter de le vivre.

— Ça veut dire, reprend-il après un soupir, qu'il faut trouver sa joie dans tout ce qui vous est donné, si simple ou si pauvre que cela vous paraisse. Et que plus ce sera simple, pauvre, plus votre joie en sera durable et profonde. (« Des mots, des mots, pense M. le Curé ; comment pourraient-ils comprendre ? ») Ecoutez, mes enfants, cela vous amuserait de posséder un appareil de radio ? (Les yeux s'allument.) Mais alors — tais-toi, Robert ! — vous risqueriez de ne plus écouter chanter les oiseaux, et de ne plus jamais chanter vous-mêmes — et ce serait triste, n'est-ce pas ? Ou encore, une automobile... (Ils s'entre-regardent en faisant claquer leurs doigts.) Mais alors vous deviendrez des gens pressés, impatients, imprudents ; vous chercherez à dépasser les autres sur la route ; vous ne saurez plus regarder le paysage, vous voudrez toujours aller plus loin, et rien ne vous satisfera... Je ne dis pas que l'auto ou la radio, le progrès, l'argent n'apportent pas de grands plaisirs ; mais ils risquent de vous faire oublier les vraies joies, celles qui sont données à tous, riches ou pauvres, vous comprenez ?

Non, ils ne comprennent pas ; ils ne peuvent pas comprendre que les oiseaux puissent être plus précieux que la radio et les récits de leur grand-père que les films de cow-boys. M. le Curé le lit sur ces visages d'hommes qu'un regard envieux suffit à leur donner déjà.

— Et puis, reprend-il, cette parole signifie aussi, mes petits, que le temps qui passe : oui, chaque jour, chaque heure, chaque minute, est notre seule vraie richesse. Alors, il ne s'agit pas de le gaspiller. Vous comprendrez mieux cela plus tard, poursuit-il d'une voix altérée, car il sait déjà que, plus tard, au contraire, ils ne comprendront plus rien. Mais je voudrais que, dès maintenant, chaque journée vous paraisse toute neuve. N'importe quel matin, voyez-vous, n'importe quel matin, peut tout changer. Il suffit de ne pas réveiller avec soi ses colères, ses rancunes et ses jalousies de la veille. Il suffit de ne pas se mettre aussitôt à calculer, à combiner, à jouer au plus malin, comprenez-vous ? Mais chaque matin, au contraire, regardez donc les gens et les choses comme si vous ne les connaissiez pas, soyez tout prêts à les aimer, à les admirer ! Chaque instant, mes enfants, chaque instant qui passe...

Il poursuit ; sans grand espoir, car c'est la tentation des hommes vieillissants que de perdre l'Espérance. Le petit Marcel, le seul des vingt qui possède une montre, y lit l'heure à la dérobée ; un autre bâille et provoque une réaction en chaîne. M. le Curé redescend sur terre, fait réciter quelques broutilles, distribue des notes, ouvre enfin la cage.

Le voici de nouveau tout seul devant ces bancs patients où le reflux vient d'oublier un béret, un cache-nez rouge et même un exemplaire de *Tintin* ; le sol est, comme d'habitude, jonché d'enveloppes de bonbons encore poisseuses. Un papier blanc aimante le regard, telle une étoile solitaire ; M. le Curé le déplie et lit ce message : « Mon oncle a une nouvelle auto. Il vient dimanche. C'est chouette ! » A pas lents, le vieil homme s'en va le brûler au cierge qui agonise devant la statue de Bernadette, l'enfant pauvre. « Bah ! se dit-il, quand on ne peut pas planter, il faut se contenter de semer... »

Il ne se doute guère qu'en ce moment même, M. Thirolaix arpente son désert du jeudi d'un cœur aussi désabusé. Il vient de corriger vingt rédactions sur « Un beau dimanche » où il n'était question que de moto, de saucissonnades et de cinéma. M. Thirolaix s'arrête devant le portrait de J.-J. Rousseau qui domine sa chaire et il lui demande pardon.

Arrivé le premier en courant, Martin s'en retourne le dernier, les mains dans les poches, à pas lents. Il n'ose pas expirer à fond : il a l'impression que toutes les paroles qu'il vient d'entendre sont encore là, dans sa poitrine, avec l'air qu'il a respiré à l'église. Il ne veut pas les perdre avant de les avoir comprises ; il sait qu'elles lui sont nécessaires — mais pourquoi ? Ses doigts, dans la poche, rencontrent le marron de septembre et l'empoignent comme un naufragé saisit une épave, la seule à sa portée.

Et brusquement il se met à courir vers la chaumière, nounou Perraut, Miarrou : il a hâte de les regarder comme s'il ne les connaissait pas, de les aimer. Oh ! le lit dur, les draps rêches, la chaise branlante, l'assiette fêlée, la soupe du soir, le juste nécessaire et rien de plus ! L'exacte balance entre ce qui vous est donné et ce dont on a besoin — et la seule richesse est ailleurs : dans un regard, un geste vivant, la chaleur des créatures ! Dans ses armoires, des provisions pour un hiver, du linge pour une vie, et n'y plus penser : accueillir chaque jour sans souci de la veille, hormis la fidélité, ni du lendemain, hormis l'espoir. Oh, bienheureux, bienheureux ceux qui préfèrent la source à la citerne !

Ce n'est pas Martin qui parle, bien sûr — mais il doit pressentir cette vérité puisqu'il en est tout oppressé et qu'il lui faut faire halte au vieux pont pour reprendre son souffle. Son regard tombe sur l'eau de la rivière ; il lui semble la voir pour la première fois. Elle coule, Martin, elle coule *sans cesse !* Depuis mille ans peut-être ; avant que tu ne sois venu dans ce pays, et la nuit, tandis que tu dors, elle coule.

« Et toujours dans le même sens, remarque-t-il naïvement. Les jours et les heures en font autant... »
Cette pensée si banale le foudroie. La première rencontre d'un enfant avec un lieu commun est une
blessure que les grandes personnes, si seulement elles
s'en avisent, traitent à la légère. Martin, dont les
siens se moquaient lorsqu'il leur demandait s'il allait
grandir le jour de son anniversaire, vient de grandir
d'un coup : il a découvert le Temps, il a atteint l'âge
de raison. Les paroles de M. le Curé et le silence de
cette rivière l'ont introduit dans le monde où chaque
instant compte ; il n'en sortira plus : il tentera seulement de le fuir, comme chacun.

De tout cela, il ne ressent, pour l'instant, qu'une
immense crainte, trop lourde pour lui, et son premier mouvement est de courir chercher refuge auprès de Nounou Perraut. Mais non, elle-même n'est
pas de taille, il le pressent aussi ; et, pour la première fois, Martin éprouve le besoin de prier. Il
s'agenouille au milieu du chemin et, les yeux fermés,
dit tout haut les paroles qu'il sait. Parvenu à l'*Ave
Maria :* « Je vous salue, *Mammy*, dit-il, pleine de
grâce... » Il n'a jamais prononcé autre chose ; nounou
et M. le Curé ne s'en sont jamais aperçus. « Mammy,
Mammy pleine de grâce », répète-t-il ; et sa gorge
se serre et ses yeux le piquent. Le petit enfant de
la crèche, ce fils unique, c'est lui ; et maman, blanche et bleue, est vaste, présente et sûre comme le
ciel. Elle a sa statue dans toutes les églises et c'est
justice, Mammy pleine de grâce ! Et pourtant elle
est loin de lui ; ce petit fleuve coule ici, mais son
temps à elle coule ailleurs. Toutes ces journées, toutes ces heures sans elle, jamais Martin ne les retrouvera, il le sait à présent et c'est une pensée insupportable, insupportable.

Nounou, qui s'inquiète de ce retard, apparaît sur

le seuil moins haut qu'elle, met sa blanche main en visière au-dessus de ses yeux et voit, au milieu du pont, un petit tas sombre, un enfant dont les épaules paraissent agitées de convulsions. « Tss, tss, tss... »

Elle marchait à grands pas dans le jardin de la clinique. C'était l'un de ces jours où le printemps répète son rôle sur la scène de l'hiver. C'était David contre Goliath : on ne savait quoi dans l'air — parfum, tiédeur, ou le chant d'un merle désorienté — l'emportait ironiquement sur les arbres nus et sur le ciel mort ; et cette promesse du retour suffisait à faire battre le cœur et à rendre toute solitude inhumaine. Du pas dont on va quelque part, Agnès tournait en rond dans ce jardin cruellement aménagé pour donner à certains malades l'illusion de la liberté et rappeler aux autres leurs limites. Elle n'y reconnaissait plus rien de cette planète blanche que Martin et elle avaient foulée côte à côte avec un tel bonheur. Dès le lendemain, son médecin l'avait envoyée explorer d'autres mondes : prescrit une nouvelle cure de sommeil afin de réparer l'émotion néfaste que Martin...

— Jamais on n'aurait dû autoriser cette visite, madame. Tout cela compromet gravement le traitement dont j'ai pris la responsabilité. Qu'il ne soit plus question, à l'avenir...

Personnages en blanc ou en noir, tous parlaient le même langage et faisaient passer leur clientèle avant cet embarrassant petit bonhomme qui n'était le client de personne. Agnès aurait voulu répondre au médecin : « Vous vous trompez : ce qui me tue est l'absence de visites. Renversez le sablier ! » Mais elle avait pleuré la nuit précédente et n'était pas en état de tenir tête à trois blouses blanches. Et puis elle avait gardé un tel souvenir de ce sommeil où, huit jours durant, Marc, cette fille et les hommes de loi avaient enfin sombré, qu'elle accueillit la seconde évasion qu'on lui offrait avec un soulagement dont la lâcheté ne lui échappait pourtant pas.

Lorsqu'elle sortit de l'étrange coma et pour se réconcilier avec elle-même, Agnès décida qu'elle était guérie. Mais après avoir longuement parlé avec elle, le médecin l'assura doucement qu'il n'en était rien. Pourtant, le dégoût tout neuf que venait de lui causer cet entretien prouvait déjà qu'elle n'était plus la même.

Elle décida d'écrire chaque jour à Martin. « Mon petit poulet chéri... » Mais, songeant au trouble qu'elle risquait de lui apporter ainsi, elle décida, de son propre chef, d'espacer les courriers. Non vraiment, elle n'était plus la même.

Le séjour de Martin à Sérignay avait fait son tourment quotidien : quelles racines ne plantait-il pas loin d'elle sur cette rive étrangère ! A présent elle songeait à lui paisiblement : il lui semblait que c'était elle-même qui, comme autrefois, se trouvait confiée à la garde si sûre de nounou Perraut, et qu'un passé de tout repos venait relayer ce présent trop pénible. Elle se retint cependant d'en parler au psychiatre, tant elle pressentait la fragilité de cet échafaudage. Et puis elle était bien déterminée à ne plus laisser avocats ni médecins s'occuper de Martin ; il constituait son domaine réservé, le seul finalement. Lorsqu'elle touchait le fond, lorsqu'elle en arrivait à se juger incapable de retenir son mari, de vivre sans argent, de travailler — bref, incapable — il lui restait Martin, l'amour, la confiance absolue de Martin. Elle retrouvait alors une paisible majesté de femme enceinte. Personne, non personne ne pourrait jamais la remplacer auprès de lui — sauf, pour un temps, nounou Perraut.

En se réveillant après une semaine, elle avait retrouvé tous les personnages sur l'échiquier : Marc, cette fille (de dix-sept ans plus jeune que lui, de douze plus jeune qu'elle — et ceci comptait plus que cela), les avocats, le juge. Rien de changé, sinon qu'il restait une semaine de moins à courir d'ici un jugement qui, chaque fois qu'elle y pensait, et c'était à toute heure, lui paraissait plus insupportable ; plus fatal aussi. Et voici que, ce matin, parce que d'imprudentes primevères rendaient la vie à ces pelouses ou qu'un merle faisait le printemps, Agnès, comme l'oiseau, comme les fleurs aveugles, reprenait espoir. Le médecin n'aurait pas manqué d'attribuer ce bienfait à l'une de ses drogues, ou d'y voir une « dangereuse rémission » et de redoubler de vigilance — mais justement elle se moquait du médecin.

En passant devant un pavillon, elle mira son visage dans une vitre et se sourit : Marc l'aurait trouvée belle. Marc... Elle eut la tentation de l'appeler au téléphone, pour rien, pour entendre sa voix, la voix de son mari.

— De mon mari, dit-elle très haut et le merle lui répondit. « En ce moment même, il travaille à son bureau, songea-t-elle, sous le portrait de mon père. Sur sa table, la photo de Martin... » Elle s'efforçait de croire que rien n'était changé, qu'il eût suffi d'un coup de fil à Marc et d'un télégramme à Martin pour que demain soir, à Neuilly, tous les trois...

Elle pressa le pas comme pour fuir une présence gênante, mais celle-ci s'imposa enfin. Cette fille — comment s'appelait-elle, déjà ? Marion — qui sait si Marc ne s'en lassait pas déjà ? Qui sait si, certains soirs, il ne ressentait pas, lui aussi, cette solitude dont Agnès dépérissait ici ? Qui sait... Oh ! savoir, savoir...

Le soleil timide projetait sur l'allée l'ombre d'une jeune femme aux cheveux un peu fous qui ressemblait à la fiancée de Marc Lapresle. Les yeux d'Agnès se remplirent de larmes. « Je ne lui reparlerai jamais de cette aventure, décida-t-elle. N'importe qui peut prendre du plaisir avec n'importe qui — mais le bonheur, le bonheur... Nous étions heureux, ils ne peuvent pas l'être. »

Un vent tiède l'enveloppa ; elle se rappela le soleil de la Saint-Martin qui l'attendait au sortir du bureau du pauvre Maucouvert et comment, cet autre matin, elle avait pareillement repris espoir, sans plus de raison.

— Non, non murmura-t-elle, tout est changé depuis.

Et il est vrai qu'elle venait enfin de reléguer son amour-propre et de prêter à Marc des sentiments qui ressemblaient aux siens.

Cependant, au détour d'une allée et plus tôt qu'elle ne l'attendait, elle trouva la grille, ouverte : ouverte sur l'inconnu, sur les responsabilités à prendre et toutes ces discussions à soutenir. Un inconnu passa sur le chemin, une voiture au loin fit gémir ses freins. Paris... Tous ces inconnus et toutes ces voitures, le tourbillon des visages, le bruit, la sonnerie du téléphone, les papiers, les papiers... « Je ne suis pas encore assez forte, s'accorda-t-elle. Guérie, mais convalescente. Il faut un peu de temps, encore un petit peu de temps... » Elle mendiait à elle-même.

C'était l'heure de ses trois pilules, la verte, la jaune, l'orange ; elle remonta, d'un tout autre pas, vers la clinique. « Un jour... bientôt... demain, oui demain... » Cette fois, son ombre, vieillie de dix ans, la précédait.

La première escarmouche eut lieu un mercredi. Martin s'en revenait de la boulangerie, un gros pain sous le bras. Il avait laissé passer devant lui les autres clients afin de respirer plus longtemps la chaude odeur qui donne faim et rassure. A présent il courait-marchait à son habitude en dévorant la « pesée », qui était la prime du commissionnaire, et en abattant, avec ce pain pour mitraillette, tous les animaux qu'il rencontrait en chemin.

Il se souvint alors qu'il n'avait pas dit sa prière du matin. Comme tous les néophytes, il se montrait à l'égard du Ciel aussi scrupuleux qu'un sacristain. Il se mit donc à réciter Notre Père en s'arrêtant longuement sur sa demande préférée : « Que votre *rêve* arrive... » Il lui semblait que si le rêve de Dieu s'accomplissait enfin, il n'y aurait plus rien à désirer. Parvenu à « Donnez-nous aujourd'hui notre pain quotidien », il s'avisa que cette requête devenait inutile puisque le pain d'aujourd'hui venait d'être acheté.

Ce fut alors qu'il reçut un coup violent dans le dos, et il pensa sur l'instant que le Ciel lui signifiait personnellement son désaccord. Homme de peu de foi, il se retourna cependant : c'était Marcellin Milcent, de retour de la boulangerie, et qui venait de l'assommer d'un coup de pain. Martin allait entamer la discussion, mais il vit la miche de quatre livres le menacer de nouveau ; il saisit donc la sienne à deux mains, para le coup et en porta un sur l'avant-bras de Marcellin. Celui-ci dut lâcher sa massue qui roula sur le sol. Il s'attendait que son adversaire posât son pied dessus pour marquer sa victoire ; mais « Les Belles Images » de Sérignay exigeaient qu'en pareil cas le chevalier ramasse l'arme lui-même et la rende à l'ennemi — ce que fit Martin. « Couillon ! » cria Marcellin, et le duel reprit avec un tel acharnement que le pain du félon se cassa en deux. Cette fois, il en ramassa lui-même les morceaux sous les coups redoublés du couillon qui renonçait tout à fait à appliquer les préceptes de M. le Curé et qui, remettant à plus tard d'en éprouver du remords, exultait de satisfaction. L'autre s'enfuit en lui jetant cette injure qui était devenue le refrain hargneux des écoliers de Châtillon : « Retourne à Paris, Parisien ! »

La seconde escarmouche — mais non, ce fut une bataille — prit place le surlendemain. Ils étaient quatre, les mousquetaires de la Lâcheté, qui assaillirent Martin dès qu'on se trouva hors de vue de l'école, avec à leur tête le grand Ferdinand, celui de tous ses camarades dont le Parisien aurait passionnément voulu être l'ami. Cela empêcha Martin de se défendre sur-le-champ : il lui paraissait impossible que Ferdinand... Tandis qu'il réservait ses coups aux trois autres, le grand lui en porta un sur la tête. Ses livres et ses cahiers s'en trouvèrent dispersés sur la route.

— Tiens, cria l'autre en l'assommant, attrape, « mon petit poulet chéri » !

Martin se jeta sur le manuel de lecture entre les pages duquel il conservait, afin de les relire en classe, les lettres reçues de sa mère ; elles avaient disparu. Il vit Ferdinand brandir le petit paquet bleu ciel ; ce sacrilège l'enragea, l'amitié frustrée se changea d'un seul coup en haine véritable et la bagarre devint un duel.

Ferdinand était deux fois plus vigoureux que Martin ; il possédait déjà les mains de charron qui lui serviraient toute sa vie, mais l'Honneur ne combattait pas à son côté : Martin l'emporta donc. Il découvrait dangereusement la puissance de la haine ; c'était la première fois qu'il se battait pour de vrai parce que c'était aussi la première fois qu'on ne l'aimait pas. La pensée qui, d'instinct, lui était venue en apercevant la meute, avait été d'appeler son père au secours, ou plutôt d'attendre que la mystérieuse puissance sur laquelle il comptait encore prévienne son protecteur. Mais les injures mêmes de ses ennemis lui rappelèrent qu'il était seul ; car, tandis que le petit poulet chéri réglait ses comptes avec Ferdinand, les autres, lâches comme tous les témoins, lui criaient : « Parisien !... Ta mère est une dingue !... Avec qui c'est qu'il couche, ton père ?... » et d'autres insultes tout aussi incompréhensibles à Martin mais qui, chaque fois, lui rendaient des forces.

A la fin, la victoire changeant de camp, les trois coururent à son secours — race de Caïn, plus ignoble que lui qui, du moins, se battait seul à seul ! Après la violence, Martin découvrit la ruse ; il feignit de tomber : c'était pour ramasser son sac de billes qu'il fit tourbillonner à bout de bras afin de desserrer l'étreinte ennemie. Ce n'était qu'une menace : jamais il n'aurait osé s'en servir comme d'une fronde ou d'une masse d'armes. Avant que lui-même s'en fût assuré, les autres devinèrent qu'il était de la race d'Abel, celle qui préfère recevoir des coups plutôt qu'en donner, et ce fut la ruée. Ç'allait être la curée lorsqu'une voix aiguë cria :

— Attention, les garçons ! M. Thirolaix !

Cette chétive bombe suffit à disperser la troupe : les quatre s'enfuirent dans la direction opposée à l'école et se coulèrent dans le premier bois taillis à leur portée. Martin leva les yeux et vit Zézé.

— Vite !

Il ramassa cahiers et livres écartelés ainsi que le paquet de lettres que Ferdinand avait abandonné sur le terrain, puis il entraîna la petite fille. Jusqu'alors il n'avait jamais empoigné qu'une main plus grande que la sienne et ses doigts se trouvèrent tout étonnés de sentir celle-ci.

— Sous le pont, souffla-t-il.

Ils dévalèrent un raidillon dont le gravier roulait sous leurs pas et s'accroupetonnèrent à bout de souffle, deux oiseaux d'hiver au bord d'un toit, sous cette voûte ombreuse qui parvenait à tirer un petit tumulte du passage tranquille des eaux.

Alors Martin, cachant son visage dans ses mains, éclata en sanglots ; non de mal, quoiqu'il saignât, mais de honte ; quatre contre un, ses parents insultés, et lui-même vaincu et pleurant devant la seule personne au monde qu'il aurait aimé consoler. Et comme il pleurait de pleurer, c'était sans fin.

Zélie Templéreau en fut bouleversée. Dès le premier instant elle avait aimé ce garçon qui ressemblait si peu à ses frères. Mais, à présent, elle se sentait envahie par un sentiment tout neuf qui la comblait et l'effrayait : la certitude qu'elle seule pouvait consoler entièrement ce petit inconnu, et que ce serait désormais son rôle que de protéger et de consoler en silence quelqu'un de plus fort que soi. Elle aussi venait sans doute d'atteindre l'âge de raison.

Elle tenta de distraire le vaincu :

— Tu sais faire des ricochets ? Mon grand-père m'a appris : tu prends une petite pierre plate...

Entre ses doigts où il tenait sa honte prisonnière, Martin suivit des yeux le petit caillou qui dansait puis sombrait soudain. Mais cette eau nonchalante lui rappela le cours irréversible du Temps et que, tandis qu'il pleurait ici, sa mère vivait au loin, l'ignorant. Il fit le vide en lui pour retrouver l'intonation de sa voix lorsqu'elle disait « mon poulet chéri », et il espéra (en même temps qu'il le craignait un peu) que la petite fille dont, tout contre lui, il sentait la chaleur et le parfum singulier, allait prononcer ces mêmes paroles. Mais, plus surprenant encore, il sentit des petits doigts tenaces écarter les siens : d'instinct, avec une pureté absolue, Zélie posa un instant ses lèvres sur les siennes. Consolé, exalté, vainqueur, Martin saisit à son tour le visage étroit entre ses deux mains, plaqua sa bouche sur la sienne à l'exemple des amoureux de Nantes, et aspira de toutes ses forces. Zélie se débattit, s'arracha brutalement :

— Mais qu'est-ce que tu fais ?

— C'est toujours comme ça quand on s'aime, affirma-t-il, assez penaud.

— Eh bien... (Elle était encore tout éssoufflée.) Eh bien, moi, je n'aime pas ça.

VIII

« TU PRENDS
UNE PETITE PIERRE PLATE... »

L'amour de Zélie Templéreau vint à temps relayer
la passion que Martin avait imprudemment vouée à
l'école. Son dieu tout neuf était en deux personnes :
l'une de noir vêtue, M. le Curé, l'autre de gris, M. Thirolaix. L'école était devenue sa patrie, le seul endroit
où, loin de ces grandes personnes si changeantes, un
enfant seul pouvait, en exil, trouver des compagnons
et peut-être un ami. Certes, en classe, on apprenait
les départements selon une méthode bien décevante,
jamais il n'y était question de médecine, et les autres
garçons vous traitaient de « Parisien » ; mais, jusqu'au jour où Ferdinand et les trois lâches l'attaquè-
rent, Martin partit chaque matin pour l'école avec
un cœur de fiancé. Les croûtes, bosses et bleus que
lui laissa la bagarre ne furent rien auprès de l'autre
blessure. Il n'en souffla mot à nounou Perraut : il ne
voulait plus d'autre consolatrice que Zézé. Et puis il
craignait vaguement que la vieille femme ne lui ex-
pliquât les insultes mystérieuses proférées contre
ses parents. Elle y aurait seulement reconnu, embel-
lies de veillée en veillée, les confidences qu'elle avait
eu le tort de faire aux autres lavandières. Au bord
de la rivière, on lavait en famille le linge sale des
autres — autant en emporte le flot ! Et les malheurs

d'Agnès étaient connus de tous à Châtillon, excepté de Martin.

Il avait bien fallu retourner à l'école. Par bravade, il y travaillait mieux qu'avant ; mais il n'y adressait la parole à personne de crainte que, s'attachant à un nouveau camarade, il ne le retrouvât quelque jour en ennemi. S'il fallait encore tomber, que ce ne soit plus de si haut !

Zélie Templéreau et lui se retrouvaient chaque soir sous le pont. A nounou Perraut qui s'étonnait de ses retours tardifs, il avait inventé de répondre : « M. Thirolaix nous garde plus longtemps *à cause du second trimestre.* » Mais à la voir hocher la tête comme à l'énoncé d'une évidence, Martin avait ressenti plus d'embarras que de soulagement. Il n'aimait plus se jouer des grandes personnes, surtout depuis que les enfants l'avaient trahi.

Il arrivait toujours le premier au bord de la rivière, heureux d'attendre, heureux d'avoir un peu peur de l'écho, de la mousse qui pourrissait au disjoint des pierres et de ces gouttes froides que pleurait la voûte. L'œil et l'oreille au guet, il se faisait un jeu de deviner l'approche de Zélie, si légère qu'elle déjouait parfois cette vigilance. Elle apparaissait, toujours plus blanche, plus fine, plus blonde que le souvenir qu'il gardait d'elle. Un tel trouble envahissait alors Martin qu'il sentait son cœur battre au fond de son ventre ; il lui semblait que son corps devînt distinct de lui, et cela tantôt l'enivrait, tantôt l'effrayait. De la voûte moite tombait une fraîcheur morte ; de la rivière en montait une vivante — mais les deux enfants aimaient frissonner, ne sachant trop si c'était de crainte, de froid, ou du trouble inconnu qui les habitait. Lorsqu'ils entendaient une voiture rouler sur leurs têtes, ou grandir puis décroître des voix, ils se taisaient et bossaient du dos à l'image du pont. Une fois, les sabots sonores s'arrêtèrent juste au-dessus d'eux.

— On nous a vus, fit sottement Martin (car c'était bien le lieu d'où ils étaient le plus invisibles).

— Mais non, c'est Jacquot. Grand-père est là, ajouta-t-elle d'un ton bizarre.

Le garçon qui n'avait pas remarqué son sourire, admira ce courage. Elle parlait d'une voix menue, haut perchée ; souvent, à cause d'elle, Martin tressaillait en entendant pérorer des oiseaux en avance sur le printemps. Au fond, c'était la première fois qu'il écoutait chanter les oiseaux : nous ne découvrons jamais de merveilles que par amour. En classe, il s'attirait de plus en plus souvent du berger gris un « Martin, tu rêves ! » qui faisait ricaner les autres. « Oui, monsieur », répondait-il sincèrement ; il ne se sentait pas du tout coupable de ne rien écouter d'autre que ce petit chant aigu au fond de sa mémoire. Ou encore, il était pris de panique à la pensée que, tout à l'heure, il allait retrouver Zézé — et que lui dirait-il ? Il cherchait, il cherchait... « Martin, tu rêves ! — Oui, monsieur. »

Parisien, écolier de passage et l'intrus du second trimestre, il avait prétendu gagner d'un coup l'estime de ses camarades en leur racontant bonnement la Porsche, la « Déesse », les vacances de neige, la Costa Brava, sans se douter quelle hargne envers lui accumulaient ses récits. A Zélie, il faisait les mêmes, bien sûr : il n'en possédait aucun autre. A son tour, elle racontait la ferme, les bêtes, la moisson, les dimanches. Il l'écoutait avec anxiété : il aurait tant aimé que leurs deux royaumes communiquent ! Quand l'un avait achevé de parler, l'autre repartait : « Eh bien, moi... » — et l'on changeait de planète.

Ils s'aimaient, ils n'avaient pas de montre, le temps passait à leur insu. Lorsque le ruisseau, à leurs pieds, retrouvait sa limpidité, cela signifiait qu'en amont les lavandières s'en retournaient chez elles, ayant fini de battre, de rincer, de tordre et de caqueter. Alors, les deux enfants sautaient sur leurs pieds puis, après un dernier, un dernier puis encore un autre baiser sur la joue, ils s'enfuyaient dans le soir tombant. Dès son retour, Martin jouait à lui seul les sept nains : le bois, le grain, le lait, les œufs... Blanche-Neige Perraut le regardait faire en silence : pose-t-on des questions à quelqu'un qui s'agite autant ? Il y comptait bien. Et puis toutes ces besognes le ramenaient au royaume de Zélie ; la mystérieuse Pauvreté dont M. le Curé leur avait parlé, le premier jeudi, avait pris visage à ses yeux : celui d'une petite fille avec une queue de cheval blonde. Celle-ci, au contraire, à peine rentrée à la ferme Templéreau, tombait en rêverie. Elle, qui n'avait jamais connu que des maisons basses et des charrettes à âne, songeait à un grenier, à une « Déesse », à Caravelle.

— Pourquoi tu me regardes comme ça ? demandait son frère Jojo (Georges ou Joseph, on ne savait plus), dix ans.

— Comme quoi ?

— Comme si tu m'avais jamais vu.

C'est une bonne définition de l'amour. Martin, hélas ! allait en apprendre une autre : Zélie dut aller passer quelques jours chez une tante Templéreau à Challans et il acheva de découvrir le temps, notre ennemi mortel. Parce que la petite fille ne venait plus aux rendez-vous de la rivière, sa propre mère lui manqua soudain d'une façon intolérable. Aussitôt, il fut tenté de détester nounou Perraut l'impavide, qui poursuivait son train-train journalier comme si rien n'était changé. Mais il s'avisa à temps que, dans ce désert, elle demeurait son rocher, et il multiplia, tout aussi brusquement, ces démonstrations de tendresse que la vieille femme détestait : « On s'embrasse, bonjour bonsoir, et chacun chez soi ! » Rebuté par tant de froideur, incompris, définitivement seul, Martin retrouva l'hiver dans son cœur au moment même où la nature entière en sortait en s'étirant.

La classe du soir achevée, il courait se cacher sous le pont avec une délectation maladive qu'il prenait pour de la fidélité. « Un seul être vous manque... » Il inventait le Romantisme. En tout domaine, le génie de l'enfance est de découvrir l'essentiel sans connaître le nom qu'il porte.

Sous la voûte soucieuse et sourde, Martin monologuait à deux voix. Ou encore il crachait dans l'eau et regardait dériver, tournoyer et se perdre ce petit îlot d'une écume moins pure que l'autre. Lorsqu'il n'avait plus de salive, il s'essayait aux ricochets. « Tu prends une petite pierre plate... » Oh ! la voix d'oiseau... Elle parlait, en ce moment même, à sa tante, laquelle était sourde ! Martin découvrait aussi l'absurdité têtue du monde et, comme les enfants ne possèdent aucun humour, il en étouffait de chagrin. Il prenait une petite pierre plate et ratait ; il était sûr, sûr, sûr que, s'il réussissait un seul ricochet, Zézé apparaîtrait sur-le-champ.

Bientôt toutes les petites pierres plates furent dans le lit du ruisseau et il retourna à la « Perrautière » (car il ne faut pas grand-chose pour faire un château : il suffit d'un nom).

— Tu rentres bien tard de l'école, remarqua nounou Perraut. T'y appliques-tu, au moins ? Il faudra que j'aille parler à M. Thirolaix.

— Jamais au second trimestre, dit Martin précipitamment, tout honteux de voir que la vieille femme tombait encore dans son piège. Mais je travaille bien, tu sais. Regarde mes cahiers.

— Je n'ai pas mes lunettes sous la main, répondit-elle en détournant la tête car elle se sentait rougir.

Les pauvres n'ont honte que de ce qui n'est en rien leur faute : elle ne savait pas lire. Ainsi, Martin et la vieille femme se mentaient-ils l'un à l'autre afin de préserver leurs secrets.

Cette nuit-là, il ne parvint pas à s'endormir. Il jouait à faire battre son cœur au fond de son ventre à force d'évoquer Zélie. Il touchait ses cuisses ; leur peau lui paraissait très douce, et il se demandait si celle de la petite fille ne l'était pas davantage encore. La conscience toute neuve dont l'avait armé M. le Curé ne décelait en cela aucun mal ; pourtant il pressentait avec délice que c'était un jeu dangereux. Satan compte surtout sur les préliminaires.

Dans l'autre lit, les ronflements de nounou Perraut prirent leur rythme de croisière : la paisible traversée de la nuit s'amorçait. « Je suis seul », pensa Martin, et il se sentit investi d'une puissance singulière. Il sauta à bas de sa couche aussi doucement que l'eût fait Miarrou, puis s'approcha du second lit. C'était une nuit de haute lune ; l'antre bas de la cheminée irradiait une lueur d'aube. La vieille femme faisait la planche sur l'océan du sommeil et sa tête émergeait seule de l'écume sage des draps. Martin, son maître, l'observa ; et il lui vint l'idée impertinente de couper cette petite mèche de poils qui jaillissait de sa joue et que, machinalement, elle flattait du doigt toutes les fois qu'elle l'interrogeait. Cette touffe qui, à chaque baiser, lui chatouillait la peau, était son ennemie. Qui sait si, privée d'elle, nounou Perraut ne perdrait pas le sixième sens que possèdent les grandes personnes et qui détecte si sûrement les mensonges et les comédies des enfants ? Depuis le baiser de Zélie, Martin, à la veillée, réclamait des contes de fées plutôt que les complaintes sanglantes ; il était hanté de sortilèges et de talismans. Désarmer un enchanteur durant son sommeil, quelle aubaine pour un petit Poucet ! Dans le panier où reposaient côte à côte le tricot et l'alphabet au point de chaînette, il prit les ciseaux et, sans trembler mais d'un cœur inégal, trancha sur la joue si pâle le don de voyance de la fée Eugénie. Ambassadeur des puissances infernales, Miarrou le considérait, impassible. Ce geste absurde acheva de lui conférer à ses propres yeux une puissance dont il ne se sentait pas entièrement le maître, comme il ne l'était pas tout à fait de son corps lorsqu'il songeait à Zélie Templéreau.

Il osa sortir, presque sans vêtements, dans la nuit aussi spacieuse et livide qu'un hall de gare désert. On y respirait un air très froid mais pur qu'aucun humain ne polluait et dont les poumons nus des arbres se repaissaient en silence. Ce silence même conférait à l'espace une troisième dimension où Martin se sentit grandir. Il savait qu'un seul mot proféré eût suffi à rompre le charme, et il tenait sa bouche si froncée qu'elle ressemblait à celle de la vieille dormeuse dont les dents reposaient au fond d'un verre d'eau, pareilles au cri d'un noyé. Comme il avait surpris celui de nounou Perraut, Martin découvrait le visage nocturne de la maison et du petit jardin. Petit ? Immense, au contraire, sans limites : tout grandissait, la nuit, rien ne dormait et la Création tout entière sombrait dans une profonde songerie. Il longea les planches du potager ; chaque poireau faisait une ombre bien distincte. Que d'existences ! que de secrets ! « C'est cela, prier », se dit-il brusquement. Ce mystère, une rangée de poireaux venait de le lui révéler : sous une lumière lointaine mais sûre, se sentir à la fois tout petit mais unique, attaché mais libre, seul et pourtant assuré. Dans la haute nuit de la prière, l'Espérance atteint son comble, juste au même instant que l'Angoisse.

Martin, dans le désert lunaire, éprouva soudain la certitude que plus rien ne le séparait de sa mère, de Zélie, de ses amours; que l'une et l'autre veillaient endormies et correspondaient mystérieusement avec lui ; que la nuit abattait tout obstacle entre ceux qui s'aiment. De tout cela, comment aurait-il pu exprimer une seule parole ? Mais il en ressentait l'essentiel avec une force d'autant plus douloureuse qu'il n'y comprenait rien, et il demeurait là, ravi, grelottant, incapable de s'arracher à l'invisible compagnie.

Il sentit, le long de sa jambe à demi nue, une chaude caresse qui ne le fit pas sursauter tant il se sentait environné de présences. C'était Miarrou qui venait le chercher au nom du tiède, du moelleux, du confiné et refusait de laisser son ami en otage à cette Nuit si dangereuse et qu'il connaissait mieux que lui.

« Viens, murmura Martin. (Il ne lui parlait pas trop tendrement de crainte que l'autre, d'un simple ronronnement, ne brisât l'enchantement.) Viens... » Il l'entraîna jusqu'au pont bossu et se pencha sur la rivière soudain profonde. S'attendait-il à la trouver endormie ? Il tressaillit à la voir si vive, au contraire, et comme impatiente de mettre à profit le sommeil des hommes pour précipiter sa fuite. Ce temps inexorable entre sa mère et lui, entre Zélie et lui... Martin prit peur tout à coup et, sans quitter des yeux le serpent fascinant des eaux, chercha de sa main la toison noire. Il fut heureux de sentir sous ses doigts quelque chose de vivant et de chaud, heureux d'entendre ce miaulement qui fêlait la nuit et chassait les sortilèges. Il s'aperçut qu'il tremblait de tous ses membres ; il se sentait tout ensemble brûlant et glacé. Ils retournèrent vers la maison basse ; ses jambes lui manquèrent plusieurs fois ; Miarrou le suivait — mission accomplie — sa queue dressée tout droit comme une antenne.

Le lendemain matin, nounou Perraut fronça le sourcil : « Tu es rouge comme un samedi soir ! » Elle appliqua sa joue contre le front de Martin, ce qui la renseignait plus précisément qu'aucun thermomètre. Le buisson ras des poils coupés le piqua comme un cent d'aiguilles, et son sursaut dut alerter la vieille car elle porta l'index à sa joue du geste familier ; ses yeux s'agrandirent de surprise.

— Tu as une *mauvaise* fièvre, dit-elle, et Martin pensa en secret que, cette nuit, elle était bonne.

Pour ses bêtes, elle faisait venir « l'empirique », et pour elle-même le guérisseur ; mais, pour le fils d'Agnès, nounou Perraut alla chercher le médecin qui était un tout jeune homme. Martin lui demanda d'une voix languissante si on lui mettrait des turbigos dans le pataf. « Allons bon, pensa l'autre, il délire ! » Et il prescrivit des suppositoires.

Le jour où revint Zélie, elle fut la première au rendez-vous du ruisseau. Heureux et confus d'être devancé, Martin la regardait d'assez loin en silence.

— Pourquoi tu viens pas ? Pourquoi tu me parles pas ? demanda la voix ailée.

Mais il « mettait au point », comme disent les photographes : ajustait avec la véritable Zélie l'image qu'il s'était formée d'elle en son absence. Tout redevenait simple et sûr, définitif.

— Si tu serais ma fiancée ? demanda-t-il enfin d'une voix un peu rauque.

Elle demeura silencieuse à son tour ; Martin vit, sur son visage, se coucher le soleil puis se lever le jour : la joie y succédait à la gravité.

A la fin, elle abaissa deux fois la tête en fermant

ses paupières, mais toujours sans un mot. Alors, ils sourirent timidement, comme s'ils venaient de faire connaissance.

— Comment on fait pour être des fiancés ?

— Je crois qu'il faut du sang. (Elle cessa de sourire et son visage se crispa.) Pas toi ! reprit Martin, chevaleresque, moi seul.

Il chercha une petite pierre, bien pointue cette fois ; elle était sombre et triangulaire, vipérine. Il traça une croix près de son poignet gauche, mais elle se dessinait en blanc, nullement en rouge. Il insista presque rageusement et le sang apparut enfin, en même temps que la douleur. Cette main dolente, Martin la tendit à sa fiancée ; le petit vampire appliqua ses lèvres contre la croix écarlate, puis lui-même aspira très fort, heureux de récupérer ce sang précieux. « Pourvu qu'il s'arrête de couler », songeait-il. Il se voyait exsangue au bord d'un fleuve qui peu à peu se colorait de rouge, et Zélie pleurant en vain son chevalier sous la voûte tombale.

En rentrant plus tôt que d'habitude rue des Granges, Marc se heurte, dans l'antichambre minuscule, à la statue du Commandeur. Veste, gants et cheveux blancs, c'est le serveur qu'il a commandé pour le dîner de ce soir. Marion connaissait pourtant le mari d'une concierge du quartier qui... — mais Marc ne lui fait guère confiance dans ce domaine. « Il faudra que je lui apprenne... » A dresser l'inventaire de tout ce que Marion doit apprendre, il s'effraie quelquefois, ou se rassure à trop bon compte : « A Paris, quand on a *le sens des choses*, il suffit de connaître une douzaine de numéros de téléphone... »

A-t-il perdu le souvenir des premiers mois de son mariage et de son admiration irritée pour Agnès ? pour l'aisance et le « sens des choses » d'Agnès, et surtout son abominable talent de se faire servir ? Aujourd'hui, Marion se sait pauvre, comme lui-même se sentait provincial. « Je lui apprendrai... » Pour Marc, cet apprentissage prend figure de revanche.

Le maître d'hôtel le débarrasse de son manteau, mais d'une telle manière, rogue et servile tout ensemble, que le maître de la maison s'y sent un invité. Maître de maison ? Il ne le sera vraiment que dans l'appartement qui se construit quelque part au long du parc Monceau ; mais il n'est pas très impatient de le voir achevé ni de clore cette seconde vie de garçon qui le rajeunit impunément.

Ce soir, c'est à un « dîner de garçons » qu'il a convié, pour les présenter à Marion — non, pour la leur présenter — quelques amis célibataires ainsi que P. L. T. et Alain Devillars, le parrain de son fils. Et il vient de se rappeler, non sans gêne, que, l'année de ses fiançailles, il avait rassemblé autour d'Agnès exactement les mêmes convives (plus quelques autres, morts depuis). Comment ne pas comparer celle qui présida la table et celle qui va la présider ? Agnès était aussi belle que Marion, mais de l'une il faut parler à l'imparfait, quelle injustice! De quel droit Marc arrête-t-il le temps à son seul bénéfice ?

— Merci. Est-ce que je puis vous demander votre prénom ?

— Adrien, monsieur.

— Eh bien, Adrien, lorsque ces messieurs arriveront...

— Madame m'a déjà donné ses instructions, monsieur.

— Madame?... Ah oui !

Marion, qui a achevé de se coiffer, vient d'entendre ce dialogue et observe au miroir son visage devenir d'un coup celui d'une petite fille malheureuse. Des larmes avivent ses yeux et ses lèvres prennent la moue que Marc aime tant, ce qui la console un peu. « Jamais il ne me fera confiance, se dit-elle (mais il faudrait qu'elle-même se fît confiance). Je pars battue, je suis née battue... »

Voici Marc, elle sourit.

— Mon petit chéri, commence-t-il... (A Agnès il disait « *ma chérie* » ; il a décalé son vocabulaire et, lorsqu'il use envers Marion d'un terme qui fut à l'autre, elle le devine aussitôt.) Mon petit chéri, tu as bien pensé à tout ? (Il vouvoyait Agnès.)

— Je crois. Je ne sais pas.

— Mais si, tu le sais très bien !

Il déteste la voir manquer d'assurance, car la sienne alors vacille. « Du moment que j'ai misé sur elle... » Il prend sa vanité pour une preuve d'amour.

— Mon chéri...

A peine murmurés, ces deux mots suffisent à attendrir Marc ; Marion éprouve ainsi, de temps à autre, que son pouvoir demeure intact. Oui, puisque la grosse tête ronde s'abandonne sur ces tendres récifs : l'épaule si jeune, le cou fragile, le secret derrière l'oreille et cette nuque, chaleur, toison, parfum. Marc saisit Marion dans ses bras et retrouve toute sa certitude. Il l'embrasse, il dit en riant :

— Tu es la seule femme qui ne m'ait jamais dit : « Attention, tu vas me décoiffer ! »

Elle a un geste charmant : elle-même se décoiffe, détruisant de ses propres mains leur tâche patiente, et se suspend au cou de Marc.

— Tu es le seul homme.

— Le seul qui quoi ?

— Le seul, tout court.

« Que je l'aime ! » songe-t-il (mais jamais : « Que je suis heureux ! ») Puis les sourcils se froncent ; il fait l'appel de ses soucis : les fleurs, le whisky, les cigares — Agnès n'en supportait pas l'odeur — les jus de fruits, le...

— Bon sang, ma chemise bleue !

— Je l'ai repassée moi-même.

— Mon petit chéri, je ne veux plus que tu fasses ces besognes.

La maîtresse servante, Marion flaire bien cet autre piège ; mais comment avouer à Marc que, depuis qu'elle a cessé de travailler, elle s'ennuie à pleurer ? Et que délaisser son marché, la cuisine, le repassage l'effraie autant que l'apprenti nageur de perdre pied ?

— Je sais, ment-elle, mais pour ta chemise bleue c'est différent : nous l'avons choisie ensemble.

Cette tournée des magasins, elle ne l'oubliera jamais. Marc la pressait de décider seule, d'acheter, feignant la confiance et presque l'indifférence, alors qu'elle passait, à ses yeux, un examen décisif : ni prodigalité, ni mesquinerie, ni hauteur, ni familiarité avec ces vendeuses dont elle quittait à peine la condition, et le goût ni voyant ni triste... Mais Marc, en ce domaine, avait tout appris d'Agnès : c'était elle qui jugeait Marion par personne interposée et, ce soir encore, le dîner n'est qu'une épreuve probatoire que préside le fantôme d'Agnès. D'abord, les amis d'enfance célibataires ; puis, si Marion s'en montre digne, Marc la présentera aux femmes de ses amis. Cette perspective la paralyse ; derrière le fragile barrage de leur tête-à-tête, elle sent monter le flot de la malveillance, de la jalousie, de la curiosité surtout. Il faudra bien, un jour, ouvrir les vannes ; d'avance elle en souffre, et davantage pour Marc que pour elle-même. Ou plutôt la pensée qu'il puisse avoir honte d'elle...

Ainsi vit-elle au jour le jour, à l'instant l'instant, ignorant que ses craintes et son humilité sont ses plus sûrs alliés, et que rien n'éloignerait Marc plus sûrement que cette aisance excessive qu'elle envie aux autres femmes.

— Mon amour, change de cravate... Pour me faire plaisir !

C'est celle qu'il portait devant le juge des conciliations ; Marion se le rappelle ; Marc l'a oublié et se méprend.

— Que je la change pour une autre choisie par toi, n'est-ce pas ?

Elle acquiesce d'un mouvement de tête, s'épargnant de s'entendre mentir. Il est heureux de lui voir une faiblesse et de pouvoir y satisfaire à si peu de frais.

Elle garda un moment la porte entrouverte : ils entendirent le petit tumulte des quatre hommes qui descendaient l'escalier avec des plaisanteries garçonnières, puis le claquement de la porte cochère, puis plus rien. Marion se retourna vers Marc ; non seulement ses yeux (que la gaieté puis soudain l'inquiétude rendaient immenses) mais son visage entier l'interrogeaient.

— Tu as été merveilleuse, mon petit chéri, merveil-leuse.

Elle baissa les paupières. Faudrait-il donc toujours, pour être mer-veil-leuse, peser et filtrer chacun de ses mots, de ses gestes ? Pouvait-on être heureuse sur le qui-vive ? — Marc semblait ne s'être aperçu de rien. Pourtant :

— J'ai l'impression que P. L. T. te faisait une cour éhontée !

— Sûrement pas : il est bien trop occupé de lui-même. Par contre, ton ami Alain Devillars...

Marc eut un geste d'insouciance. Elle murmura :

— Déjà ?

— Non, non, fit-il vivement, mais tu comprends, Alain est un séducteur.

— De profession ?

— De naissance : c'est plus fort que lui.

— Je n'aime pas cela.

C'était cela, tout au contraire, qui, ce soir, lui avait rendu confiance et l'avait empêchée de souffrir à voir Marc, repris par le *garçonnisme* des hommes, la négliger.

L'air sentait le cigare, les fleurs, la bonne chère — une odeur qui s'aigrirait cette nuit mais demeurait encore vivante. Marc, dont le vin avait aiguisé l'instinct de vivre, jouissait de cette minute.

— Fais-moi couler un bain, mon petit chéri !

Il ouvrit les fenêtres et respira profondément la triste vérité de Paris. C'était justement la nuit où son petit garçon se promenait sous la lune en grelottant. Marc, brusquement, se mit à penser à lui, ce qui ravivait une sorte de remords contre lequel il mobilisait en vain sa bonne conscience. Il prononça le prénom de Martin dans ce désert de la nuit, assez bas puis de plus en plus fort, comme pour apprivoiser ce petit étranger, ce petit juge. « Quoi ! pas le droit d'être heureux un seul moment ? » Il oubliait que lui seul avait tout ménagé pour son plaisir : s'il n'en était pas heureux (« C'est un mot de femme », disait-il méchamment à Agnès) à qui la faute ?

— Tu m'appelles ? demanda de loin Marion.

— Non, non.

Il n'ajouta pas « mon petit chéri » : la confrontation Marion-Martin le mettrait mal à l'aise. Il retourna vers la nuit, bouche immense, immense oreille. « *Mon* papa... » La réponse habituelle de Martin lorsqu'il l'appelait, ce possessif qui les rassurait l'un et l'autre, il l'entendit résonner en lui : on n'entend jamais que ce qu'on attend. Pour la première fois depuis le Noël manqué de Sérignay, debout devant cette fenêtre offerte aux ténèbres, il entendait distinctement la voix, l'intonation de Martin : « Mon papa... »

Sa décision fut prise sur l'instant : il partirait demain pour la Vendée le voir. Non, après-demain, car demain il présidait un comité de direction. Déjà son agenda parlait plus haut que son cœur — ce qui est le mal des Importants. Après-demain... Mais quelle nuit merveilleuse ils allaient passer, le vin aidant ! D'avoir été désirée par ses amis, jamais Marion ne lui avait paru plus désirable.

— Ton bain va être prêt, mon amour.

Avant de quitter le salon, il repoussa machinalement un tiroir de commode resté entrouvert et, comme il arrive souvent, un autre, de ce fait, s'entrebâilla. Marc crut y apercevoir des objets insolites ; il ouvrit tout à fait ce tiroir et découvrit les vestiges de la jeunesse de Marion que celle-ci dissimulait là bien imprudemment : la photo d'une femme vulgaire qu'il devina être sa mère, quelques bibelots de foire, et de ces bijoux de pacotille qui ne vivent que d'être portés un samedi soir par une jeunesse qui rit. Marc resta interdit ; tout cela lui fit horreur : ces épaves du passé remettaient en jeu l'avenir. « On ne peut donc jamais être heureux ?... »

Martin chez Alcide Cornuault, ébéniste et coiffeur — car ici chacun doit exercer deux métiers afin que le village vive dignement : sans recours à la ville. Le bourrelier vend du tabac, la mercière est aussi sage-femme, et le peintre sacristain : on triche avec le jeu des Sept-Familles, à Châtillon. Alcide Cornuault répare les meubles et coupe les cheveux ; mais chacune des deux tâches est son second métier : « C'est bien pour vous rendre service » qu'il l'accomplit, et cela lui permet de bougonner dans tous les cas. Lorsqu'il travaille sur un lit d'enfant, Alcide en fait le tour en lui parlant comme s'il s'agissait d'un client ; et tandis qu'il tond Martin, voyez-le garder sa cigarette éteinte au milieu de ses lèvres, « à l'ébéniste ».

Cette tignasse qui tournait à la toison sauvage, il vient d'en retrancher tout ce qui dépassait du bol dont il a casqué le garçon. Martin peut rejoindre Dunois, La Hire et Gilles de Rais ; mais nounou Perraut qui veille, assise bien droite et ses mains croisées sur le ventre, n'a pas la tête épique.

— Non, non, Alcide : il a l'air d'une fille. Taille-le donc comme mon défunt mari.

Alcide rallume son mégot et s'en va choisir quelque tondeuse parmi ses outils d'ébéniste ; on l'entend grommeler : « Jamais contents... rendez donc service au monde... »

Près du *fauteuil* dont les pieds sont aussi longs et raides que les jambes d'un poulain, un objet fascine Martin : une sorte de bavoir de toile cirée, noire d'un côté, blanche de l'autre, où se trouvent tracées (ici en noir, là en blanc) les différentes formes de barbes à tailler. C'est le guide-main d'Alcide, sans utilité depuis que l'ancien notaire est mort et que le franciscain est parti en mission.

La tondeuse fauche allègrement le champ de seigle ; Martin regarde ses cheveux encore vivants parsemer d'archipels la serviette blanche. Il se demande si Zélie le préférera ou non ainsi. « Et si elle-même coupait ses cheveux, l'aimerais-tu encore ? »

— Oh oui ! oh oui ! oh oui !

Il a parlé tout haut ; il vient, dans l'enthousiasme, de découvrir la primauté de l'âme sur le corps : il aime vraiment.

— « Oh oui » quoi ? bougonne Alcide. Je fais ce que je peux. Sans blagues !

Il n'y avait pas de miroir chez Alcide ; la coupe se trouvait achevée lorsqu'il vous disait « Voilà ! », arrachait de votre cou la serviette et la faisait claquer comme une voile désemparée. Ce fut donc seulement dans la vitre de devanture de l'épicier-apiculteur que Martin put apercevoir un petit paysan qui lui ressemblait. Si étonné qu'il se retourna pour voir si derrière lui, quelque autre garçon...

— A la bonne heure, dit nounou Perraut, tu as l'air d'un homme.

Elle souriait ; Martin l'agneau se demanda si cette tonte n'était pas quelque représaille pour la mèche coupée l'autre nuit : œil pour œil, poil pour poil.

Ce fut aussi la première réflexion de M. Thirolaix : « Tu as l'air d'un homme ! » Martin, qui redoutait la moquerie des autres écoliers, s'aperçut qu'à l'inverse son nouvel aspect lui valait de leur part une sorte de considération. Pardi ! il leur ressemblait enfin. Il le regretta un peu : il aurait assez aimé se battre aujourd'hui, il se sentait très fort, très dur. M. le Curé ne leur avait-il pas raconté l'histoire d'un type qui devenait invincible lorsqu'on lui coupait les cheveux et qui démolissait les colonnes du temple avec une mâchoire d'âne ?

En sortant de l'école, il allongea le pas en roulant les épaules à la faraud et enfonça les mains dans ses poches. « Tiens ! le marron, je l'avais oublié... Je te parie que j'arrive à le lancer au moins jusqu'à l'arbre tordu, là-bas... » Un homme n'a plus besoin de talisman : de toutes ses forces, Martin jeta le marron sacré, lequel atteignit l'arbre de plein fouet. Un homme, vous dis-je !

En dégringolant le raidillon de la rivière, il ne ressentait plus l'exquise anxiété de chaque jour à propos de Zélie ; il lui semblait que leurs rapports se fussent inversés et que cette fille allait désormais l'admirer, reconnaître sa force, accepter sa supériorité. Aussi fut-il surpris de ne pas la trouver première au rendez-vous. Au lieu de passer ces minutes tremblantes à se remémorer le visage, les gestes, la voix de ses amours, il se complut à imaginer son extase devant Martin l'homme.

Légère et chantonnant, Zélie arriva, considéra son fiancé, éclata de rire.

— Pourquoi tu ris ?

Il était devenu tout rouge, ce qui accentuait encore sa ressemblance avec les autres garçons.

— Tu as une drôle de figure.

— Alors, tu m'aimes plus ?

— Si, mais tu as une drôle de figure.

Comment ne s'avisait-elle pas qu'il avait enfin l'air d'un homme ?

Ils s'assirent ; de temps à autre, elle se tournait vers lui et se reprenait à rire, car la colère contenue faisait à Martin un profil encore plus abrupt. Il sentait son cœur résonner dans son ventre de plus en plus sourdement, violemment ; et soudain, sans trop savoir ce qu'il faisait, il saisit dans ses bras cette petite créature chaude, libre, qu'il chérissait et détestait tout ensemble. Le chasseur venait de naître. Il n'appliqua pas sa bouche contre celle de Zélie, parce que lui non plus n'aimait pas cela et que, pensait-il, ses gestes n'avaient aucun rapport avec ceux des amoureux. C'était plutôt sa revanche contre Ferdinand et tous les moqueurs, une espèce de bagarre qui devait remplacer celle dont il avait été frustré le matin même. C'était aussi la réponse au tumulte de son cœur et à ces heures de nuit passées à trop imaginer Zélie, son odeur, la douceur de sa peau. Cette violence lui remontait de caves où il n'avait point d'accès, et Martin n'était pas plus le maître de ses gestes que le volcan, placide jusqu'à hier, ne l'est du feu soudain qui jaillit de ses entrailles. Il couvrait de baisers qui n'en étaient pas le visage, les yeux et le cou de la petite fille. Il y sentit battre une artère affolée, mais cela ne fit qu'accroître sa frénésie et, tandis qu'une main enserrait les poignets si fragiles, l'autre remontait le long de la jambe, ne se lassant pas de découvrir une peau toujours plus douce — bien plus que la sienne, en effet — et fraîche, puis tiède, puis brûlante.

Un coup sur la tête, à l'endroit même où Ferdinand l'avait frappé, le réveilla de sa fureur. Zélie debout, essoufflée, méconnaissable elle aussi, avait mis entre eux une distance qui la garantissait. Inutile ! son regard furieux la protégeait assez.

— Je ne t'aime plus, cria-t-elle d'une voix entrecoupée, je ne t'aimerai plus jamais ! plus jamais !

Il fit l'homme, c'est-à-dire l'imbécile. Car il aurait suffi qu'il murmurât « Pardon », ou seulement « Zélie » sur un certain ton, mais la honte est mauvaise conseillère : il ricana. Zélie Templéreau partit en courant.

Martin se mit à lancer rageusement des pierres au fond de la rivière, de moins en moins fort cependant. Avec la dernière il tenta un ricochet timide, qu'il manqua ; et soudain, il s'entendit pousser une sorte de cri dont la voûte fit un hurlement. Il porta les deux mains à son visage : il était persuadé qu'il était devenu hideux parce qu'il venait de commettre le mal. (Parmi ses chroniques sanglantes, nounou Perraut, à la veillée, racontait une histoire semblable.) Il tomba à genoux au bord du ruisseau et y chercha son image ; un remous lui renvoya, en effet, celle d'un visage tout déformé. Alors il se mit à pleurer en appelant sa mère ; il se sentait si misérable qu'il lui paraissait impossible que Dieu ne fît pas un miracle en sa faveur. En effet, se mirant de nouveau, mais cette fois au-dessus d'une surface lisse, il reconnut le vrai Martin Lapresle. Il en remercia Dieu avec de nouvelles larmes d'une tout autre eau, puis se moucha, ce qui mit un terme à son chagrin comme à sa gratitude.

Pourtant, avant de retrouver Zélie (car elle reviendrait demain, bien sûr), il lui fallait se laver de ce cauchemar. Il prit donc le chemin de l'église, bien décidé à faire usage de la confession, opération désagréable quoique très commode, dont il sortait en nage mais doué d'ailes. En route, il s'avisa que jamais il n'oserait avouer son acte à M. le Curé, de qui l'haleine froide révélait la présence attentive derrière le croisillon de bois. Il chercha des façons habiles de formuler son péché ; certaines même tournaient à son avantage, mais il eut la loyauté de les bannir. De loin, il aperçut, de dos, le vieux prêtre qui cultivait son petit jardin et remarqua, sous la barrette, ses cheveux blancs ébouriffés. Maudit Alcide, et maudite tondeuse dont venait tout le mal ! Ce n'était pas seulement M. le Curé qui lui tournait le dos, mais Dieu lui-même avec ses anges aux longues chevelures, et Martin s'en retourna très triste.

Pour se faire pardonner du Ciel sans passer par le confessionnal, il se montra, ce soir-là, d'une obligeance excessive, assumant toutes les corvées de la maison, se privant de tarte aux pommes et, la veillée venue, mettant nounou Perraut sur les sujets qu'elle préférait.

— Voyons, je te l'ai déjà raconté, mon petit.

— Mais non, mais non.

Hélas, il se réveilla aussi triste et honteux qu'il s'était, bien tard, endormi. Il changea de tactique et résolut de provoquer ce Ciel si sourd. « Si Zézé ne vient pas sous le pont cet après-midi, je deviendrai insupportable » — et, à titre d'avertissement, il partit pour l'école en retard et en oubliant quelques-uns de ses cahiers.

A la même heure, Marc sortait de la gare, parcourait du regard la petite foule et y distinguait aussitôt le chauffeur du bureau de Nantes à ce qu'il jetait son mégot avec une mine d'écolier et, de loin, soulevait sa casquette.

— Monsieur le Président n'a pas de valise ?

— Pas même un porte-documents, euh...

— Raymond, monsieur le Président. Il y aura dix-sept ans en juin que je suis au service de la société. J'ai bien connu le grand M. Fontaine.

Raymond ne comprit pas pourquoi cet état de services semblait plutôt indisposer le patron ; il ne se doutait guère que de le conduire jusqu'à ce bled — comment déjà ? Châtillon — allait le rendre plus mémorable que dix-sept ans au service du fondateur. Depuis ce matin, Marc exultait d'une joie qu'il n'avait dissimulée à Marion qu'à grand-peine et qu'il maîtrisait comme un cheval, ne lui rendant les rênes qu'à mesure qu'on approchait du but. Voyager sans bagages est un double symbole de liberté ; et chaque village, chaque borne le rapprochait de Martin. Il n'avait prévenu personne, ni son avocat ni nounou Perraut, et sa survenue ressemblait davantage à la surprise de l'oncle d'Amérique qu'à la revue de l'inspecteur. Il regardait à peine ce paysage admirable ; son impatiente enfance campagnarde l'avait tout à fait blasé. Il ne remarqua ni les jonquilles qui donnaient des yeux aux talus, ni les feuilles nées ce matin, ni la puissante frénésie des chevaux en liberté.

Inlassablement, comme un enfant feuillette les mêmes images, il se représentait son arrivée, la stupeur de Martin, son changement de visage : « Mon papa... » Raymond, dans le rétroviseur, observait à la dérobée cet homme qui aurait pu être son fils et dont dépendait son gagne-pain. « Qu'est-ce qu'il a donc à se marrer tout seul ? »

Au village, il fallut demander le chemin.

— Mme Perraut, s'il vous plaît ?

— Eugénie Perraut ?

— Eugénie, monsieur le Président ?

— Je ne sais pas. Dites : « Nounou Perraut. »

— Alors, c'est bien ça. Ecoutez voir : vous allez passer devant l'église et, brusquement, à main droite...

La grosse voiture noire inquiétait encore plus qu'elle n'imposait ; les gens importants ont toujours l'air de se déplacer en corbillard.

Raymond freina en approchant du pont, afin que le dos d'âne ne fît pas tressauter M. le Président. Martin se trouvait alors en dessous, *seul*, débordant de honte, de rancœur, d'esprit de représailles.

Comme son fils deux mois plus tôt, Marc chercha d'abord la vraie maison d'habitation : la Perrautière lui semblait juste bonne à faire une étable. A tout hasard, il frappa contre la porte et, comme personne ne répondait, la poussa, vit une salle nue à l'odeur acide, sans électricité, sans eau, qui ressemblait à ce que les agences immobilières appellent une « fermette » et dont les acquéreurs vous disent : « Je ne l'ai pas payée cher, mais il y a deux millions de travaux à faire, au bas mot... »

Eugénie Perraut entra derrière lui, un seau de lait à bout de bras et, dans l'autre main, trois œufs. (Elle en avait laissé deux au tiède afin que Martin ait la joie de les découvrir.) Marc n'eut aucun mal à la reconnaître : c'était elle qu'il attendait et, de plus, elle n'avait presque pas changé. Mais ce monsieur à lunettes d'or, un peu gras, assez chauve, sembla tout à fait inconnu à nounou Perraut et elle dit noblement :

— Je ne vous remets pas, monsieur, pardonnez-moi.

— M. Lapresle. Voyons, nounou, le papa de Martin !

— Monsieur Marc. Quelle surprise !

— Oui, reprit-il sur un tout autre ton, quelle surprise...

— Le petit va être bien heureux.

— Il n'est pas là ?

— Jamais avant 6 heures, au second trimestre.

— Pourquoi, diable, « au second trimestre » ?

— Mais... je ne sais pas. C'est M. Thirolaix qui...

Marc regarda sa montre : encore une demi-heure. Tant mieux ! on allait pouvoir s'expliquer. Il s'assit sur la chaise dure qu'on venait de lui avancer, refusa un verre de lait, de cidre, d'eau (« Nous ne faisons pas de vin, pardonnez-moi ») et attaqua de front.

— Alors, nounou Perraut, c'est ici même que vous logez ?

— Mais bien sûr.

— Je veux dire dans cette pièce ?

— Il n'y en a point d'autre.

— Mais... les commodités ?

Elle se méprit :

— Vous allez sortir et, dans le fond du jardin...

— Non, non : l'électricité ?

— Il paraît qu'on sera forcé de la prendre l'an prochain.

— Mais je l'ai vue en traversant le village : vous pourriez l'avoir, depuis des années sans doute !

— D'abord, je ne le peux pas, répondit-elle avec

la pudeur des pauvres (car le mot « pouvoir » n'avait pas le même sens pour l'un et pour l'autre). Et puis je ne vois pas bien en quoi elle me serait utile. Commode, je ne dis pas, mais utile...

— Et l'eau non plus ?

— Mais j'ai l'eau, monsieur Marc. L'été dernier, quand tous les puits étaient à sec, le mien...

— Je veux dire l'eau courante !

« L'eau courante »... Elle songea à la rivière et faillit répondre bonnement qu'elle l'avait aussi. Heureusement, il poursuivait :

— Et le gaz butane ? J'ai remarqué un dépositaire juste devant l'église...

— Cela ne sert à rien si on ne possède pas de cuisinière. Et il paraît que ça donne mauvais goût au manger. Tiens, en parlant, j'en oublie mon feu ! Tss, tss, tss...

Elle apporta deux bûches, réédifia le château branlant sous la marmite et y ajouta, pour le plaisir, une pomme de pin qui se mit à pétarader joyeusement.

— Bon, dit Marc en se levant, heureusement que je suis venu, nounou Perraut. Nous allons tout transformer — à mes frais, rassurez-vous ! Vous n'aurez à vous occuper de rien et, bien entendu, tout restera votre propriété après de départ de Martin. Je veux qu'il soit heureux chez vous.

Elle eut un haut-le-corps.

— Mais le petit est très heureux, monsieur Marc.

— Je veux dire : matériellement. Le confort, la...

— Il ne m'en a jamais parlé. Il a pris au moins six livres, il dort comme un puits.

— En rentrant à Nantes, poursuivit-il sans l'écouter, je passe au service des Eaux et à l'E.D.F. Je leur demande de prévoir la force et je vous fais expédier deux radiateurs. Je commanderai aussi une cuisinière. Deux trous, cela suffira ? Avec un four, naturellement. Comment s'appelle le dépositaire, près de l'église ?

— Perraut, dit-elle d'une voix blanche, c'est mon cousin ; mais il ne faut pas vous déranger : je ne veux rien de tout ça.

— Nounou Perraut !

— Mes enfants me l'ont déjà proposé, monsieur Marc ; mais, voyez-vous, chacun son temps. Moi, je suis bien habituée à... (d'un geste circulaire, elle désigna son royaume) à tout ça. Mes enfants ne sont pas très heureux, en fin de compte. Agnès non plus, ajouta-t-elle en baissant la voix.

— Mais cela n'a aucun rapport, nounou Perraut !

— Je me le demande. J'ai vu vivre beaucoup de personnes ; je me suis fait une idée sur les choses et les gens, et... je suis bien vieille pour en changer.

— Mais votre village lui-même...

— N'est plus ce qu'il était, monsieur Marc, de bien des façons. Tout a commencé avec l'électricité, justement. Ils étaient prévoyants, mais ils ne faisaient pas de calculs, vous comprenez ? A présent, ils trouvent le moyen d'être à la fois regardants et dépensiers. Et puis l'envie : autrefois, on s'observait déjà les uns les autres, mais pour le plaisir ; on ne se comparait pas sans cesse.

— Tout cela n'a rien à voir avec le Butagaz !

— Peut-être que si. Ils ont la T.S.F., mais ils ne chantent plus, monsieur Marc : ce sont d'autres qui chantent, qui racontent, qui font rire à leur place. Les jeunes imitent les artistes du cinéma : ils ne ressemblent plus à leurs parents mais à des affiches. Si seulement ils étaient heureux ! Mais si vous voyiez leur face du dimanche... A présent, il leur faut les journaux de Paris et des distractions toutes faites. Il paraît qu'ils ont fait une demande pour qu'on puisse recevoir la télégraphie par ici.

215

— La télévision, rectifia Marc avec impatience, et ils ont bien raison. Si l'on veut que les jeunes demeurent à la terre...

Il lui débita un petit discours mais sans trop de chaleur : il savait que la terre n'avait plus besoin d'eux tous ; d'ailleurs, son entreprise en débauchait sans cesse.

— Vous avez bien quitté votre campagne, monsieur Marc, fit-elle doucement.

— C'était pour épouser votre Agnès.

« Le mariage de l'huile et du vinaigre », pensa nounou Perraut. Elle n'avait jamais aimé ces gens de Sérignay, plus proches d'elle pourtant que les Fontaine. Elle vénérait les riches, d'instinct, tout en se méfiant de l'argent ; pour elle, c'était lui qui avait corrompu Marc — et voici qu'il venait, jusque sur son domaine, étendre la contagion ! Le Butagaz, l'eau courante...

— Non, monsieur Marc, reprit-elle d'une voix ferme (et elle se tenait si droite qu'elle paraissait renversée en arrière), je ne veux rien de tout ça chez moi.

— Même d'une machine à laver ? ajouta-t-il, car le dernier argument des tentateurs qu'on évince est dérisoire.

Elle songea au lavoir sur le ruisseau, aux commères de bonne humeur, aux mains rouges cent fois savonnées, trempées, rincées elles-mêmes.

— J'ai tout ce qu'il me faut.

— Vous n'avez rien du tout, explosa Marc, rien du tout ! Si cela vous convient d'habiter un taudis, moi je n'admets pas que mon fils s'y trouve obligé. Comment ! je vous propose tout le confort, gratuitement, je suis prêt à transformer votre vie et...

— C'est bien ça qui ne me convient pas, monsieur Marc. Ma vie, je l'aime comme elle est — et, ma

216

foi, elle est à moi, acheva-t-elle avec une sorte de dignité, très humble ou très orgueilleuse.

Marc se mit à arpenter la pièce si impétueusement qu'elle en parut soudain minuscule. Il s'arrêta enfin devant la vieille femme et, d'une voix très lasse :

— Nounou Perraut, sérieusement, vous refusez que je modernise votre maison sans qu'il vous en coûte un centime ?

— Oui, monsieur Marc.

— Alors... alors je me vois dans l'obligation de vous retirer Martin. Vous comprenez bien, que dans ces conditions, je ne peux pas, etc.

Mais la vieille femme ne l'entendait plus. Martin ! lui retirer Martin... Elle manquait d'imagination, heureusement. Plus tard, au fil des veillées solitaires, elle se remémorerait, geste après geste, leur petit bonheur ; elle songerait à lui en accomplissant chacune des besognes dont il la soulageait, et Miarrou, le satin de son nez douloureusement plissé, rechercherait obstinément les indices les plus ténus de son passage — plus tard... Pour l'instant, ne comptait que ce maudit Lapresle qui prétendait lui forcer la main avec son sale argent ! cet étranger qui avait fait le malheur d'Agnès et croyait pouvoir faire le sien à coups de billets !

C'était absurde ; sa vieille rancune se trompait de vengeance : car l'argent venait des Fontaine et non de Marc, et ce seraient Martin, Agnès, elle-même qui seuls allaient souffrir de son obstination. Mais les pauvres ont la dignité si pointilleuse qu'ils préfèrent se nuire plutôt que de paraître lui manquer. (Pauvre, pauvre Martin ! ceux-là qui t'aiment le plus jouent aux ricochets avec toi. « Tu prends une petite pierre plate... »)

— Eh bien, tant pire, monsieur Marc, conclut-elle. Vous allez me l'emmener... dès ce soir ?

217

— Je ne sais pas... Je...

Lui-même avait réfléchi cependant : après tout, si Martin prenait du poids, de la mine et de la belle humeur, que lui importait que ce fût avec ou sans eau courante ? La fureur du père Noël dont on refuse les cadeaux, quoi de plus ridicule ? Et puis, à quoi bon disputer contre cette vieille femme qu'il avait toujours jugée stupide ? Certes, les centaines de milliers de francs qu'il s'offrait à dépenser pour le confort de Martin eussent beaucoup plus allégé sa conscience que sa bourse, mais pourquoi s'obstiner à les perdre ? Dans quelques mois, l'enfant retournerait « de son côté »...

Il allait transiger lorsque apparut Martin, honteux, désespéré, conscient d'avoir à jamais perdu Zélie, se détestant, donc prêt à détester. Il n'eut pas un geste envers son père : le monde entier lui était devenu étranger. Sa mère seule, sans doute...

— Bonjour.

— Tu ne m'embrasses pas ?

— Si.

Il le fit, du bout de ses lèvres coupables, avec une répugnance sensible et ne prononça pas ce « mon papa » que Marc attendait depuis l'autre nuit. Son père retrouvait un garçon sauvage, tondu comme un conscrit, rugueux comme un paysan, méconnaissable. « Heureusement que je suis venu », pensa-t-il.

— Je l'emmène dès ce soir, nounou Perraut. Préparez ses affaires et vos comptes, je reviens tout à l'heure.

Et, quand il se fut jeté au fond de la voiture :

— La poste, Raymond. Il doit tout de même y avoir une poste dans ce patelin ! Tâchez de la trouver.

Tandis qu'il patientait dans le bureau crasseux, la Pauvreté lui envoya encore quelques émissaires : un vieux venu toucher sa pension trimestrielle et qui comptait sa maigre pincée de billets ; une veuve qui envoyait à son fils soldat un peu trop de son néces- saire ; un enfant dont le carnet de caisse d'épargne... Peine perdue !

Il appela P. L. T. et, comme il sentait qu'il le dérangeait, se montra impérieux et provocant.

— Mais je ne peux rien faire sans consulter l'avo- cate, gémit l'autre.

— Eh bien fais-le et rappelle-moi aussitôt : la cabine de Châtillon, par Challans, en Vendée... Non, Challans : C.H.A.L... Fais vite ! Dis-lui qu'il est pro- prement scandaleux d'oser mettre en garde un en- fant dans de pareilles conditions. Ton dossier est bon, crois-moi.

Le duel s'engagea vivement ; l'avocate feignit, se déroba : sa cliente se trouvait dans le Midi, en mai- son de repos ; elle allait la joindre ; on ne pouvait, sans son accord... — Sûrement pas ! P. L. T. se mon- tra d'autant plus tranchant que Marc l'avait exas- péré : il lui fallait opprimer quelqu'un à son tour. Il peignit une fresque à la Zola de cette ferme qu'il n'avait jamais vue, parla de constat d'huissier, d'ap- pel au juge. Bref, il put rappeler Marc après un quart d'heure que l'autre avait trouvé interminable.

— Ouf ! C'est d'accord, commença-t-il. Je crois avoir manœuvré d'une manière...

— Parfait. Merci, mon vieux. Bonsoir.

Restait un coup de fil à donner à Sérignay : son père acceptait-il de reprendre Martin ?

— Qu'il revienne, qu'il revienne le plus vite pos- sible, répondit le docteur d'une voix qui parut à Marc étrangement faible — mais il n'avait guère le loisir de prendre de ses nouvelles.

IX

ELLE FRAPPE LES TROIS COUPS

Le voyage fut horrible. Au fond de cette voiture inconnue, père et fils gardaient le silence à cause d'un Raymond qui, justement, ne comprenait rien à ce silence. Le cœur vide, l'esprit amer et rabâcheur, Marc, cette fois, regardait le paysage et le trouvait sinistre. A côté de lui, à cent lieues de lui, Martin, étranger à soi-même, se tenait aussi droit que nounou Perraut : habitué au bois dur et loyal, son corps instinctivement se méfiait de ces coussins. On ne déserte pas aisément la première Béatitude... Il lui semblait qu'un faux Martin roulait ainsi, entre chien et loup, mais que le véritable était resté là-bas: dans un instant il avalerait la bonne soupe qui sent la fumée ; puis il irait s'asseoir au ras du feu, reprendre l'M de son alphabet brodé et ronronner de bonheur avec Miarrou en écoutant l'interminable récit de nounou, tandis que le vieux cœur de l'horloge battrait un peu trop lentement. Oui, Martin se trouvait là-bas, à un coup d'aile de la ferme Templéreau, à un cri de Zélie ; et, s'il ne pleurait pas à la pensée que chaque tour de roue l'éloignait d'elle, c'est qu'il n'y croyait pas vraiment. Comme un homme blessé évite certains mouvements dont il pressent qu'ils risquent de déchirer sa plaie, Martin refusait l'évidence. Mais, au plus profond, il découvrait douloureusement la seconde dimension de l'Absence : la rivière lui avait appris le Temps, cette route obscure lui enseignait l'Espace. Zélie, oh ! Zélie... il faisait de tels efforts pour ne pas pleurer devant son bourreau, ce père assis à son côté, qu'il sentait presque se former en lui une carapace, analogue à la croûte brune qui, six mois sur douze, cuirassait ses genoux. En vérité, dans le silence et le confinement de cette voiture, s'opérait une mutation irréparable : un petit garçon perdait sa transparence, le papillon devenait chrysalide. Ce n'était pas seulement vers Nantes qu'on l'emportait si vite, mais vers l'indifférence, l'égoïsme, la défiance et la rouerie, l'impatience et l'orgueil — vers le monde irrespirable des grandes personnes.

Place de la Gare, Martin résolut de s'échapper. Le car qui conduisait à Châtillon stationnait non loin ; Perraut triple-nuque devait être assis devant son volant ; nounou paierait à l'arrivée. Mais lui-même s'avançait flanqué de son père et du chauffeur, tel un prisonnier entre deux gendarmes : comment fuir ?

Marc prit sa main d'autorité quoique humblement ; ce mystérieux et taciturne petit étranger au lieu de Martin son enfant, son seul enfant, c'était plus qu'il n'en pouvait supporter. Il avait trop longuement et trop tendrement imaginé cette rencontre pour accepter un tel retour. Sa bonne conscience refluait peu à peu comme l'océan, découvrant toutes sortes de récifs auxquels son humeur ou sa complaisance n'avaient guère pris garde : sa manie de tout régenter, d'emporter le dernier mot, de ne jamais entrer dans les vues des autres... Car, enfin, avait-il pris sa décision dans l'intérêt de Martin, ou seulement pour triompher de cette vieille ? « Je n'étais pas ainsi *avant* », se disait-il ; mais avant quoi ? Le pouvoir ? la richesse ? Ou bien avant d'avoir trompé Agnès ?

Cette tempête devait remuer de bien anciennes vases, puisque Marc songea au Dr Lapresle, à son départ de Sérignay, à sa longue indifférence. Il eut soudain l'intuition — parce qu'il en ressentait lui-même l'atteinte pour la première fois — de l'accablante solitude où devait vivre le vieil homme. « Le vieil homme... » Il n'avait jamais songé que le docteur en fût devenu un, ni qu'il pût avoir pénétré dans les eaux profondes. C'était son père, voilà tout : chacun n'en avait-il pas un, comme on possède un lit et une armoire ? Il existe un décor humain auquel on finit par ne prêter guère plus d'attention qu'à l'autre. Et si Martin, en ce moment même, en pensait autant de lui ? De lui qui avait traversé la France pour l'entendre prononcer « mon papa » ? Une voix lui souffla qu'il devrait bien, de nouveau, traverser la France pour entendre son propre père lui dire... Mais quelles étaient donc les expressions familières du vieux monsieur de Sérignay ? Il ne s'en souvenait plus. « C'est sans doute qu'il n'en a pas », osa-t-il conclure. Il essaya de se remémorer sa voix (il en avait une, en tout cas !) et n'y parvint pas davantage. Longtemps après la mort de sa mère, il était demeuré capable de réentendre l'intonation de sa voix ; et puis elle lui avait échappé, sans doute parce qu'il ne la ranimait plus assez souvent. Mais quoi ! il en était donc arrivé à oublier, du vivant de celui-ci, la voix de son propre père... Il en fut atterré. beaucoup plus que de son comportement à l'égard d'Agnès. Un homme qui bafoue sa femme trouve toujours à cela quelque justification qu'il ose nommer fidélité : fidélité à sa jeunesse, à l'aventure, à la liberté ; mais, à l'égard de M. Lapresle, Marc ne s'en découvrait aucune. Ce qui le tourmentait le plus était la pensée que Martin pût un jour en user de même envers lui ; son remords n'était qu'une naïveté d'égoïsme.

On venait de quitter Angers ; pour enfin rompre le silence, il dit avec une feinte jovialité :

— Je connais quelqu'un qui va dîner au wagon-restaurant pour la première fois de sa vie !

— Qui ? demanda héroïquement Martin.

Le restaurant où ils avaient déjeuné « entre hommes » avec son parrain, l'imaginer roulant à ce train d'enfer avec sa caissière, ses lustres, ses plantes vertes, quelle aventure ! Et il la refusait : d'abord, pour contrarier son bourreau ; ensuite, plus dignement, parce qu'il était bien résolu à conserver son désespoir intact.

— Quoi ! tu ne veux pas dîner au...

— Non.

Mais le héros craqua tout d'un coup et s'abattit en pleurant dans les bras de son père : « Mon papa, mon papa... » Marc dut retirer ses lunettes qu'obscurcissait la buée de ses propres larmes. (Depuis combien d'années n'avait-il pas pleuré ?) Comme, sans ses verres, il y voyait tout aussi flou, cela lui épargna malheureusement le spectacle d'un petit visage qui, dans le désespoir, ressemblait de façon poignante à celui d'Agnès. Il pressait de questions Martin qui ne voulait rien avouer, car les enfants prétendent être devinés. Agnès y fût parvenue ; Agnès serait descendue au Mans et aurait repris le train pour Nantes ; Agnès aurait su trouver, dans une ferme inconnue, une petite fille blonde qui, en ce moment, pleurait dans son assiette en refusant, elle aussi, de répondre aux questions de grand-père Templéreau.

La nuit était tout à fait tombée ; Martin, qui suffoquait encore après l'averse, sortit dans le couloir. Il soufflait sur les vitres et, d'un doigt sale, sur la buée, traçait dix fois de suite un signe qui ressemblait à la foudre et n'était qu'un Z déguisé. Zélie ! Zélie ! Il l'appelait sans voix à travers la vitre, la vitesse, la nuit, à travers cette planète morte qui se piquetait de lumières. Zélie !

Il savait déjà que sa mère ne les attendrait pas à la gare : il pressentait, sans le comprendre ni même se l'avouer, qu'il ne lui serait plus donné, de longtemps, de voir ses parents ensemble. Que l'amour de l'un sans celui de l'autre — bien plus ! l'amour de l'un *s'il n'aimait plus l'autre* — perdait sa chaleur et sa toute-puissance, il ne le savait pas encore ; mais il l'avait éprouvé confusément au palais d'Hiver et il en recevait ce soir une preuve nouvelle. Ses parents non plus ne le savaient pas ou feignaient de l'ignorer. C'est, en effet, une évidence fort incommode.

Le Dr Lapresle reposa le téléphone et ferma les yeux en souriant. Depuis quinze ans il était brouillé avec Dieu, non parce que sa femme était morte, mais parce qu'elle avait souffert de son mal plus qu'on ne le doit et que celui-ci, pourtant pris à temps, avait résisté au traitement usuel : c'était le médecin, pas l'époux, qui gardait rancune au Ciel. Mais, en ce moment, les paupières closes, il songeait que le Ciel faisait les premiers pas — et tant mieux : il était grand temps de se réconcilier. Là encore, c'était le médecin qui parlait ; il venait de subir sa seconde « alerte au cœur » et ne se donnait pas longtemps à vivre : « La mort frappe les trois coups, disait-il, comme au théâtre... »

Il sonna Joseph qui accourut ; il avait eu trop peur, l'autre semaine, il ne lambinait plus jamais. Il fit pourtant exprès d'entrer très posément : il affectait une tranquillité si manifeste qu'elle attendrissait M. Lapresle autant qu'elle l'irritait.

— Assieds-toi, Joseph.

— Mais...

— Assieds-toi. Nous devons parler en vieux compagnons. Le fauteuil, pas la chaise ! Non, au fond, pas au bord...

Il attendit encore un long moment puis, sans regarder l'autre (c'était ainsi qu'il en usait lorsqu'il devait annoncer à un malade une mauvaise nouvelle) :

— Le petit nous revient.

Il vit trembler les moustaches trop noires.

— Martin ?

— Tu en connais d'autres ? (C'était, en dépit de sa rudesse, un cri d'amour.) Monsieur Marc m'a demandé si je pouvais le reprendre, et j'ai dit oui.

— Mais vous...

— C'est toi qui vas me l'apprendre, peut-être ?

Ils se turent ; mais, sentant que l'autre allait parler, le docteur préféra le devancer.

— Joseph, je n'en ai plus pour très longtemps. De toute façon... Ah, cesse de renifler ! De toute façon, je peux claquer d'un instant à l'autre. Ce n'est guère la place d'un enfant — c'est ça que tu voulais dire ? Pardi ! Mais écoute-moi bien : tu as fait la guerre, comme moi ; je parle de l'autre, naturellement, de la vraie. Là-bas aussi on pouvait claquer à tout instant ; mais cela n'empêchait pas de vivre entre-temps, au contraire ! Alors est-ce que vraiment je devrais me priver de Martin, des derniers jours avec Martin ?

Sa voix s'était brisée en répétant le prénom ; il se leva un peu trop vivement, s'agenouilla devant la cheminée, fit semblant de tisonner. C'étaient les derniers feux de la saison, déjà la senteur de fumée paraissait insolite. Il reprit après un moment, mais en tournant le dos :

— Naturellement, pas un mot au petit. Et puis il faudra cesser de me couver comme tu le fais : tu l'alerterais.

— Mais, monsieur...

— Si, si, ton regard inquiet, ton oreille contre ma porte — fini, fini ! Toutes choses comme avant, Joseph ! Il s'agit de lui, pas de nous. Bon. Alors, maintenant (il était retourné derrière la table et fixait son homme, au contraire, comme s'il eût voulu le fasciner), s'il m'arrive un ennui, voici comment tu devras procéder.

Il lui donna ses instructions, longuement, lui faisant répéter telle et telle.

— J'ai bien compris, monsieur.

— Répète tout de même, c'est qu'il ne s'agit pas de se tromper !

La piqûre à faire, le confrère à appeler, Marc à prévenir...

— Et le curé, monsieur ? hasarda Joseph.

— Va pour le curé, mais à temps, hein ? Pas de simagrées !

Il parlait de lui moribond comme d'un meuble encombrant ; son seul souci était d'en éloigner Martin : qu'il ne soupçonne rien et, le cas échéant, n'éprouve ni crainte ni horreur.

Au moment où Joseph allait franchir la porte, il entendit parler d'une voix si douce qu'un instant, il ne la reconnut pas.

— J'ai fait une sottise, mon bon, la dernière de mon existence. Jamais je n'aurais dû accepter... Enfin, c'est fait. Mais surtout qu'elle ne retombe pas sur le petit, tu comprends, Joseph ?

Joseph est allé au-devant de Martin à Château-roux, mais le docteur n'ira même pas à la gare de Sérignay : il s'économise. « Tu lui diras que, ce matin, j'avais trop de malades. » En fait, il n'en vient plus aucun : le bourg superstitieux n'attend plus la guérison d'un homme lui-même aux portes de la mort. Pourtant, le docteur continue de s'enfermer dans son cabinet, matin et après-midi — et que ferait-il d'autre ? La marche lui est interdite ; ce temps fantasque de fin mars lui saute à la gorge dès qu'il met le pied dehors. Il lit donc au coin de son feu : dévore, dans des revues médicales, les techniques qu'il n'appliquera plus et, dans des livres, les voyages qu'il ne fera jamais. Ou bien il tombe en songerie, les yeux mi-clos, le souffle court et bruyant ; sa cigarette s'éteint dès la seconde bouffée ; il plonge dans le passé à la recherche de son enfance intacte, ou dans le futur : Martin étudiant, Martin passant sa thèse, Martin médecin à Sérignay, dans ce cabinet même...

Martin descend du train, tournant la tête de tous côtés comme un oiseau ; une chaleur l'envahit tout entier lorsqu'il aperçoit Joseph. Il court à lui mais ne sait quoi, dans le visage blanc et noir, le retient d'être tout à fait joyeux. Ce regard creux, tout étroit d'anxiété dont il ne pouvait, voici trois mois, détacher le sien tandis que le train s'éloignait, pourquoi Joseph l'a-t-il gardé ?

— Ton grand-père...

— Il va bien, grand-père ?

L'autre laborieusement récite :

— Ton grand-père a beaucoup de malades : il ne pourra pas venir à la gare.

Odeur après odeur, le voyageur reconnaît l'un de ses univers et redevient l'un des Martin, celui de Sérignay. Le chef de gare et sa casquette trop étroite, l'affiche des Baléares tout à fait fanée désormais et où le soleil ressemble à une lune, le clocher (le timbre, l'espacement des coups, Martin croit les entendre), le café au néon...

— Finette est toujours là ?

— Où veux-tu qu'elle soit ? dit Joseph en rougissant, car le docteur ne lui a pas encore pardonné l'équipée.

Martin songe à Finette, à « ses poitrines » qui remuent, avec un trouble qui lui plaît. Est-ce que la peau en est aussi douce que...

— Et ta maison, Joseph ?

— J'ai mis des tapis. Je t'emmènerai les voir.

— A quoi ça sert ?

Pas de tapis chez nounou Perraut, et il a déjà oublié celui de Neuilly sur lequel il rampait à l'assaut de Fort Alamo ou du donjon du roi Richard.

Joseph a pris la main du petit dans la sienne, mais elle lui échappe sans cesse.

— Pourquoi tu me regardes ?

— Vingt dieux ! je me demande si tu n'as pas grandi, mon gars.

Debout devant la fenêtre de son cabinet et se croyant caché par le demi-rideau, le docteur, vu du dehors, apparaît voilé comme une femme arabe. Il guette la grille blanche, y voit enfin apparaître les voyageurs, et envie Joseph. Martin se met à sauter d'un pied sur l'autre ; son bras tendu désigne les communs, le jardin, la chambre verte. « Il est heureux, pense le docteur : il se retrouve chez lui. A partir de maintenant, ma vieille, chaque seconde compte ! » C'était la phrase du lieutenant aviateur Lapresle en 1917 ; la mort veillait déjà, mais jeune, fascinante.

Malgré son impatience, le docteur n'ira pas au-devant de son petit-fils : il faut bien justifier la fiction du cabinet assiégé de malades. Et puis, réexpédiée de la Vendée, une lettre d'Agnès à Martin attend depuis hier sur le plateau de l'antichambre ; et M. Lapresle n'entend pas partager.

— Grand-père ! crie Martin dès le seuil, et sa voix réveille le salon assoupi, traverse la salle à manger, franchit la porte capitonnée. Grand-père !

— Il y a une lettre pour toi, fait observer Joseph. (C'est sur ordre.)

— Maman, chic !

Derrière sa porte entrebâillée, le vieux monsieur espère un troisième « grand-père », mais c'est « maman » qu'il entend ; il laisse retomber sa porte. « Mon petit poulet chéri, écrit maman, je suis presque guérie. Je dois encore me reposer dans le Midi, tout en bas de la carte de France, tu sais ? »

Non, il ne sait pas. ALPES-MARITIMES... quel est donc le proverbe de ce département ?

« ... Ici, c'est déjà la belle saison. Je glisse dans la lettre une petite branche de mimosa. »

Martin fait tomber dans le creux de sa main des petites boules jaunes un peu écrasées. « Maman les a touchées », pense-t-il, et il les respire et les touche à son tour : douces comme les joues de maman, parfumées comme elle.

« ... J'espère que tu es sage et que nounou Perraut... »

Quoi ! *elle ne sait donc pas ?*

Martin est foudroyé. La pensée que son père peut agir à l'insu de sa mère, et celle-ci ne pas deviner aussitôt tout ce qui le concerne, le scandalise et pourtant le rassure : il était figé de honte que sa mère eût connaissance de l'épisode Zézé. A présent, il tient la preuve qu'on peut garder des secrets, même dégradants, même au regard de sa mère. Toute une carrière d'habileté, de mensonge et de double jeu s'ouvre soudain devant le petit homme.

« ... Bientôt je reviendrai, mon poulet chéri ; et nous ne nous quitterons plus, etc. »

Le reste n'a pas d'importance : sa mère le croit en Vendée tandis qu'il est à Sérignay — voilà l'essentiel. On peut donc se jouer des grandes personnes ; elles font semblant de tout savoir et d'avoir tout prévu : qui vous empêche d'en faire autant ?

M. Lapresle, n'y tenant plus, est venu à pas de voleur jusqu'à l'antichambre et demeure interdit : il ne reconnaît pas ce visage rusé, au sourire satisfait, au regard évasif. Cet enfant inconnu l'aperçoit et, d'un coup, redevient Martin.

— Grand-père !

Il se jette contre lui... mais quelle odeur nouvelle ?

— Grand-père, comme tes mains sont froides !

— Je viens de les laver, mon grand, ment le docteur.

La main froide retrouve ce petit duvet sur les joues bien fermes, pareil à celui qui habille les châtaignes.

— Alors, tu es content de revoir Sérignay ?

Mais il n'écoute pas la réponse et, d'avance la met en doute : comment oublier le petit renard qu'il vient de surprendre ?

La douce vie parut reprendre. La vieille femme de la cuisine s'efforçait de retrouver les plats que préférait Martin, et la salle à manger, que le régime et le manque d'appétit de M. Lapresle avaient rendue atone, retrouva une bonne odeur qui donnait faim. La cloche reprit joyeusement du service ; lorsqu'il l'entendait, le vieil homme clignait de l'œil aux docteurs Lapresle dans leur cadre doré. Martin accourait du fond d'un de ses royaumes et passait par la cuisine afin de se réjouir d'avance. Oubliés, le brouet de nounou Perraut et les bonnes corvées de Châtillon ! Lorsqu'il avait prétendu donner un coup de main à Joseph pour le bois, le balayage ou les volets, celui-ci en avait pris offense. Il lui arrivait encore de traverser en aveugle certaines pièces, les bras étendus devant lui, ayant oublié l'existence de l'électricité ; et la première nuit, sans édredon rouge, il avait mal dormi. Miarrou lui manquait : il manquait à ses mains quelque chose de chaud, de vivant, de capricieux à caresser — et il trouvait grand-père bien taciturne à la veillée.

— Pourquoi veux-tu qu'on allume du feu, mon grand ? Nous voici presque en avril.

— Je ne sais pas, grand-père, j'aime bien.

Dans les flammes, il recherchait et finissait par voir nounou Perraut, Miarrou, le pont bossu, les commerçants des Sept-Familles, Zélie surtout : les cheveux, les gestes si vifs, la fuite, hélas, la fuite de Zélie. Il baissait les paupières, il entendait sa voix chantante, à bout de souffle : « Je ne t'aime plus ! je ne t'aimerai plus jamais ! » Et ses yeux se remplissaient de larmes.

— C'est la fumée, disait M. Lapresle qui ne cessait de l'observer : il faudra que je fasse ramoner cette diable de cheminée.

Mais tout ce qui s'énonçait au futur, il ne l'exprimait que par habitude ou par politesse. De même, il ne donnait plus guère d'ordres ; et Joseph, pareil au cheval dont le harnais n'est pas assez serré, se sentait moins sûr. Il le provoquait, essayait de lui rendre cette ironie dont il avait, trente ans durant, été la victime :

— Le petit est de plus en plus désordonné ! Ce matin, au garage...

— Laisse donc, le désordre des enfants vient seulement de ce qu'on les dérange sans cesse.

— Tout de même, il sait bien que...

— Qu'est-ce qu'il sait ? Tantôt chez l'un, tantôt chez l'autre, jamais chez lui ; on le déracine tous les deux mois : essaye de traiter tes plantes de cette façon, tu me diras comment ça leur profite !

Martin avait retrouvé tous ses rites ; chaque fois qu'il traversait le salon, il saisissait sur la cheminée le précieux fragment d'hélice et le tordait dans l'autre sens. Un matin, il lui en resta un morceau dans chaque main. Martin en ressentit un malaise qui ressemblait de loin à son tourment après l'épisode Zélie : la honte du sacrilège. Il courut chez M. Lapresle :

— Grand-père, j'ai cassé ton *souvenir*, regarde !

— Mais comment as-tu...

— Je le pliais dans un sens puis dans l'autre, tu comprends ? C'était amusant : ça ne résistait pas. Et puis, ce matin...

Chacune de ces phrases s'appliquait de manière si pathétique à lui-même : à ce petit garçon qu'on envoyait ici et là, qui ne résistait pas, mais qu'on allait briser, que les yeux de M. Lapresle se mirent à briller.

— Oh ! grand-père, je t'ai fait de la peine. Je te demande pardon.

— Mon tout petit, mon tout petit, murmura le docteur, mais il n'osa pas ajouter : « C'est nous qui te demandons pardon... »

Les vacances de Pâques étaient proches : on n'inscrirait Martin à l'école de Sérignay que pour le dernier trimestre. Le futur...

— Grand-père, est-ce que tu ne pourrais pas me faire travailler ici comme avant ?

— J'ai su que tes parents n'aimaient pas cela.

— Ils n'en sauraient rien !

— Qu'est-ce que tu dis là ?

Le petit renard avait, de nouveau, montré son mu-

seau pointu et ses yeux trop vifs ; M. Lapresle en
fut atterré. « Cet enfant s'abîme. Ce n'est pourtant
pas l'âge ingrat ; c'est... c'est l'absence des siens,
l'abandon, la liberté. Mon affection ne suffit donc
pas... » Il employait ce mot par pudeur ; en fait, il
aurait donné sur-le-champ le reste de sa vie pour que
Martin ne changeât point. Il tenta de confesser le
garçon qui releva aussitôt le pont-levis. Il projeta
de téléphoner à Marc — mais, se rappelant quel
père indifférent lui-même avait été, il y renonça ; à
Agnès — mais à quoi bon, convalescente, l'inquiéter ?
Et puis n'allait-on pas lui retirer l'enfant de nouveau ? Cette pensée lui était devenue proprement insoutenable.

Un jour que Joseph lui voyait un teint couleur
ciel de neige et le souffle plus court que de coutume :

— C'est la présence du petit qui vous fatigue, monsieur. Votre cœur...

— Mon cœur ? avait répondu le docteur en lui sai-
sissant le bras, regarde-le, mon cœur !

Il l'avait conduit à la fenêtre : dans la cour, Martin
qui avait retrouvé la bicyclette de Noël, faisait des
huit d'ivrogne.

— J'ai bien compris, Joseph : c'est lui qui me fait
vivre à présent, lui seul. Tant pis pour moi.

La bicyclette dérapait sur le gravier ; M. Lapresle
ouvrit la croisée et cria : *Marchpountz !* Martin, étonné, tourna la tête et tomba. « Allons bon... »

— Mais, grand-père, tu m'as crié quelque chose
que je n'ai pas compris et...

— Je t'ai crié de faire attention : *Marchpountz !*

— Tiens, j'avais oublié.

Une autre fois, ce fut M. Lapresle qui dut lui réap-
prendre, sur le piano, son petit morceau. Ainsi Martin se dégageait-il de ses propres inventions ; et le
vieux monsieur, qui les avait toutes retenues et se

les remémorait gravement depuis trois mois, se sentait rejeté avec elles. Grandir, c'est devenir infidèle. Il fallut aussi rappeler à Martin le nom des chevaux fantômes : Gamin, Fanfaron, allons ! et lui jurer qu'on avait véritablement jeté des Prussiens au fond de ce puits. Les fossettes, à présent, ne servaient qu'à marquer le doute ou la rouerie toute prête, jamais plus cette naïveté de joie qui, l'hiver dernier, submergeait ce visage jusqu'aux yeux. Pourtant, ce fut Martin qui remarqua :

— Tiens, grand-père, tu n'éternues plus trois fois ?

— Non, je... je m'en empêche.

Au vrai, c'était la carcasse qui, d'elle-même, se sentant fragile, évitait un tel remuement ; le docteur en fut très vexé. Pareillement, la promenade du mardi, réclamée par Martin, se borna au tour du jardin en s'appuyant sur une canne, avec des haltes trop fréquentes et, faute de souffle, aucun récit. Mis en alerte, le garçon guetta ces malades qui, paraît-il, remplissaient le cabinet, mais qu'on ne voyait ni entrer ni sortir. Il talonna Joseph, le pressa de questions. « Je les fais passer par l'autre porte... » Martin fit mine de le croire afin de briser ses défenses ; puis il s'attacha à ses pas, flatta ses manies (la façon dont il roulait ses cigarettes, le retroussis de ses moustaches), parla des tapis neufs de sa maison... La souris jouait avec le chat, et Joseph ne se doutait guère que cette admiration pût être si proche du mépris. Quand il eut capté sa confiance, Martin ne cessa plus de l'interroger ; il avait, d'instinct, trouvé le plus sûr moyen d'en apprendre long, lequel est tantôt ne pas s'étonner de ce qu'on vous révèle afin que, piqué au jeu, l'autre vous en dise davantage ; tantôt feindre la plus vive surprise pour flatter l'indiscret. Il apprit ainsi que son grand-père était gravement malade, qu'il n'avait jamais approuvé le ma-

riage de son fils, que son père et sa mère s'entendaient mal — bref, pour faire le malin et presque
à son insu, Joseph démolit un à un les remparts qui
protégeaient encore Martin. Mais au lieu d'en devenir
plus vulnérable, celui-ci paraissait se cuirasser à mesure. C'est qu'au fond, il ne croyait guère plus à ces
confidences qu'aux récits terrifiants de nounou Perraut. Il savait, une fois pour toutes, que grand-père
était vieux, mais *vieillir* n'avait aucun sens pour lui ;
de même l'arrière-arrière était mort, mais que signifiait *mourir* ? Quant à ses parents, les deux tours de
la cathédrale, le pauvre Joseph ne parviendrait pas
à les ébranler ! Cependant, grandissait en lui, avec
son hideux cortège d'orgueil et d'égoïsme, la certitude
qu'il fallait compter sur soi seul, garder ses secrets,
se défier des grandes personnes, lesquelles sont incompréhensibles et versatiles, mais jouer d'elles en
les opposant. Heureusement, il suffisait encore d'un
écureuil, d'une anecdote de M. Lapresle ou d'une merveille dans le grenier pour que ce monstre d'indifférence et d'habileté redevînt un petit garçon naïf
et joyeux, mais jamais tout à fait transparent. Il y
avait deux Martin désormais : des parents, lorsqu'ils
se séparent, dédoublent ainsi leur enfant.

Il y eut cette semaine où, le vent s'en mêlant, il
neigeait des fleurs de marronniers. Il y eut cette
fin d'après-midi, si tiède qu'elle préfigurait l'été et
que Joseph attendit le soir pour arroser. Cette on-
dée forçait tendrement la terre à révéler ses secrets,
et il montait d'elle une senteur tiède qui présageait
les parfums de toutes les fleurs qui, d'ici à septembre, allaient jaillir de son cœur. Trois nuages s'avan-
çaient tout seuls dans le ciel, tels des juges. M. Lapresle, qui se promenait avec Martin, la tête enfon-
cée dans son col comme une pigeon en hiver, s'arrêta et lui dit d'une voix très sourde :

— Respire, mon grand, respire... C'est le bonheur, c'est tout le bonheur de la terre...

Martin crut qu'il parlait du sol et de la saison ; comment se fût-il douté que le vieil homme lui livrait son testament et venait de prononcer ses adieux au monde ? Il ne comprit pas non plus pourquoi son grand-père le saisit si fort par la main, ni surtout pourquoi il lui sembla que c'était lui, Martin l'enfant, qui tenait la sienne et le conduisait.

Le lendemain, au contraire, il faisait « un temps pointu » ; le docteur prit froid et dut s'aliter. Suspendue au portemanteau de cornes, sa veste toutes-saisons commença de s'empoussiérer. Martin montait dix fois le jour voir son grand-père, et jamais les mains vides : fleur, timbre ou trouvaille de grenier, il avait toujours quelque prodige à se faire expliquer.

— Il y a longtemps que tu ne m'as pas parlé de la médecine, grand-père.

— Ce qui me contrarie justement, fit le docteur ravi, ce sont tous ces malades qui doivent m'attendre.

Martin le regarda et pressentit qu'on pouvait mentir autrement que pour se couvrir ou se vanter. « Tous ces malades qui doivent m'attendre... » Il détesta Joseph de lui avoir dit la vérité, oubliant que c'était sur ses instances. Mais il éprouvait une sorte de pitié pour M. Lapresle et rejetait sur son compère ce sentiment insupportable.

Lorsqu'il entendait les petits pas se presser dans l'escalier puis dans le couloir, le vieil homme se redressait sur les oreillers : l'empereur affermissait son trône misérable sous ce baldaquin dont les dimensions l'écrasaient, puis il criait « entrez » avant même que l'on eût gratté à la porte.

— Comment vas-tu ? demandait l'enfant sans le regarder ni attendre la réponse.

Il sortait de sa poche quelque jeu de cartes crasseux, et tous deux reprenaient une partie commencée l'autre semaine. Avant de jouer certains coups, on tirait la langue, de part et d'autre, en hésitant ; on s'accusait, sans conviction, de tricher, de loucher sur les cartes de l'autre. Martin s'était mis en tête que M. Lapresle était le roi de cœur et lui-même le valet de trèfle, fils de cette reine Argine qu'il s'obstinait à nommer Agnès. Son père, Joseph, le curé, M. Thirolaix s'identifiaient à d'autres figures rouges ou noires dont il fabulait, de jour et de nuit, les aventures. Zélie était l'as de carreau, allez savoir pourquoi ! et il tressaillait chaque fois que cette carte sortait du jeu...

— Mais, grand-père, c'est à toi de jouer. Qu'est-ce que tu attends ?

— Je réfléchis, mon grand.

Non, il souffrait ; le navire tirait sur son ancre.

— Attends, je suis un peu fatigué. On va interrompre la partie... Non, reste tout de même un moment.

Il laissait reposer sa main blanche sur la petite patte rouge, la tapotant, par instants, du geste distrait mais non indifférent du cocher qui, de ses rênes effleure le dos du cheval : « Je suis là... » Une fois, cette main se fit lourde ; elle était froide et transparente ; l'autre, d'un geste avare, ramenait le drap vers le visage. Martin prit peur, sans raison, d'instinct. Il dévisagea le dormeur : ses joues paraissaient aspirées du dedans.

— Grand-père ! cria-t-il de toutes ses forces.

Le vieux monsieur se réveilla et, Dieu merci, passa une main dans ses cheveux, de l'autre, rebroussa ses

moustaches : ressuscita le Dr Lapresle en deux gestes.

— Tu m'as fait peur, grand-père.

Le malade montra sa main droite crispée sur le
drap en désordre :

— Pourquoi donc ? Tu vois bien que je m'endor-
mais : je faisais *crucrune*...

« Peur, j'ai fait peur à Martin. » Cette pensée lui
serrait si violemment le cœur qu'à son tour, il prit
peur que la mort ne vienne, là, maintenant, devant le
petit, frapper le troisième coup. Il en appela à Dieu.

Elle lui donna deux semaines encore : deux semaines de lilas, de merles, de Martin. « Chaque seconde
compte, ma vieille... » Tous les soirs, avant de s'aban-
donner à ces ténèbres dont il n'était pas sûr de resurgir, M. Lapresle faisait très lentement le signe de
croix et prononçait tout haut « merci » — ce qui,
comme « pardon », constitue l'un des mots de passe
du Royaume.

Deux semaines, puis tout se déroula comme le docteur l'avait prévu. Les symptômes furent si précis,
si conformes aux manuels de médecine, qu'au cœur
de son angoisse, M. Lapresle retrouva un éclair d'ironie : « Ce n'est donc que cela... » Il lui paraissait
absurde, humiliant de mourir d'un mal dont, durant
quarante ans, il avait si souvent, si aisément fait le
diagnostic chez les autres. « Cette fois, le Ciel joue
franc jeu », songea-t-il encore en se remémorant
l'agonie de sa femme dont le visage vivant n'allait
plus le quitter désormais. Il eut la force de sonner
Joseph qui, depuis des jours, ne vivait que dans
l'attente de ce timbre tremblant. L'autre accourut
et commença d'appliquer le plan avec un tel affole-
ment, un tel larmoiement que Martin s'en trouva
aussitôt alerté. Son cœur se mit à battre comme une

cloche. « Va jouer », lui criait le pauvre Joseph. Mais il profita de ce que celui-ci téléphonait (il dut composer trois fois le numéro sur le cadran, tant ses doigts tremblaient), pour se glisser jusqu'à la porte de la chambre qu'il entrouvrit avec, à sa honte, plus de curiosité que d'angoisse. Entre les quatre colonnes du lit, gisait quelqu'un qu'il ne connaissait pas. Ce visage de cire aux reflets verts ressemblait cependant à...

— Maman !

Le hurlement que poussa Martin avant de s'enfuir fit tressaillir l'étranger immobile, mais celui-ci n'eut pas la force de soulever ses paupières.

Le confrère arriva trop tard ; le curé aussi ; il ne se passa, de part et d'autre, que « des simagrées ». Joseph, cependant, n'eut pas besoin de tenir Martin à distance : l'enfant s'était réfugié au plus profond du jardin, d'où l'on n'apercevait même pas la demeure. Terré comme une bête, le souffle court, il écoutait ce cœur en lui qui battait pour deux.

Joseph téléphona à Neuilly, n'imaginant pas qu'on pût avoir plusieurs maisons. Albert chercha le numéro où l'on pouvait atteindre Monsieur en cas d'urgence et ne retrouva plus le papier : il se morfondait dans la poche d'une culotte de Martin. Il alerta le bureau, d'où un veilleur de nuit appela rue des Granges. De voix en voix, la nouvelle perdait en émotion et se chargeait de componction.

Marion vit le visage de Marc changer : devenir celui d'un petit enfant malheureux et coupable. Ses lunettes dorées, son costume sombre, tout semblait devenu déguisement. « Son père est mort, devina-t-elle. Ou bien il est arrivé quelque chose à Martin. Non, non, pas Martin ! » Elle se sentait bizarrement responsable de cet enfant.

— Mon père est mort, dit Marc.

— Mon pauvre chéri...

Elle lui baisa la main comme elle eût fait de celle du vieil homme. Son père à elle était encore vivant, sans doute ; jamais elle n'apprendrait sa mort : c'est le seul privilège des enfants abandonnés. Sa mère, elle l'avait enterrée deux ans plus tôt et savait quel déchirement mêlé de remords pouvait éprouver Marc qui, lui aussi, s'entendait mal avec le vieux monsieur de Sérignav. Elle répéta tout bas :

— Mon pauvre chéri...

Il paraissait hébété ; elle décida de ne plus prononcer une parole, mais aussi de ne plus le quitter d'un instant.

Avant de gagner Sérignav, Marc installa Marion dans un hôtel convenable de la ville la plus proche. Puis il rejoignit le bourg à petite allure, se laissant penser, souvenir surtout, regardant avec une sorte de soif très pénible et des yeux d'étranger le paysage de son enfance que transfigurait le printemps. Il pensait : « Tout est resté semblable, tout est jeune », et il se sentait soudain figé, pesant. Il s'en voulait de n'être pas seulement triste de la mort de son père mais, comme le font les enfants, de s'apitoyer surtout sur lui-même. « Lorsque je le verrai, cela changera », songeait-il non sans naïveté.

La grille blanche était grand ouverte comme la bouche d'un mort, et les persiennes closes comme ses paupières. Joseph accourut, chien fidèle, et s'attacha aux pas de Marc ; il devenait malade de solitude avec son mort hautain, le souvenir d'Angélina et de Madame, et Martin toujours hutté quelque part et qui venait seulement chaparder sa pitance à la cuisine, comme un animal sauvage.

Toutes les odeurs de la vieille maison assaillirent

le revenant, plus cette autre qu'il retrouva avec horreur : mort, cierges et fleurs mêlés, comme lorsque sa mère reposait, à bout de souffrance, dans l'immense lit. Il monta, il y vit son père et se dit aussitôt : « Je suis arrivé à temps... » Il savait que, durant quelques heures, un mort demeure mystérieusement présent, sujet de souvenir, de prière, de remords, avant de brusquement devenir un objet. M. Lapresle était encore là ; son fils, qui ne savait plus prier, passa, face à face, des minutes horribles et quelques-unes très tendres. L'ironie qui, durant toute son enfance, avait paralysé Marc, demeurait imprimée sur ce visage. Les cheveux, enfin immobiles, paraissaient faits d'une soie très précieuse. A ses mains figées dont chaque détail — la courbe des ongles, le pli des phalanges — évoquait les gestes familiers de M. Lapresle, Marc aperçut la bague chevalière devenue trop large pour l'annulaire, et qui tournait un peu comme pour fuir cette statue de cire. Il la retira très doucement et, sans réfléchir à son acte, la passa à son propre doigt. C'étaient d'étranges fiançailles et, sans doute, quelque secrète réconciliation car le garrot qui, depuis cette nuit, lui tenait la gorge serrée se détendit. « Elle sera pour Martin, à son tour », pensa-t-il, tout surpris d'évoquer si paisiblement sa propre mort. Martin ! il n'avait pas encore songé vraiment à lui, à sa présence terrifiée pendant les instants haletants. Son premier mort... Huit ans : n'était-ce pas l'âge où lui-même avait perdu son grand-père Lapresle ? Mais avec quelles précautions sa mère l'avait apprivoisé à ce hideux mystère ! « Cet animal de Joseph n'aura rien trouvé à lui dire », pensa Marc avec plus d'inconscience encore que d'injustice.

Il entrait dans la chambre, cet animal de Joseph, qui depuis tant de jours portait tout sur son dos ;

il entrait sur la pointe des pieds, les yeux rouges, les moustaches tremblantes.

— Madame vient d'arriver.

— Madame ?

Marc descendit et se trouva devant Agnès. Ils ne s'étaient pas revus depuis le cabinet du juge dont les vitres sales donnaient sur l'automne ; ils y pensèrent ensemble. D'un regard, elle examina tout de cet homme qui lui appartenait, qu'aucun autre n'avait remplacé, tandis que Marc observait d'un œil nouveau ce visage et ce corps que Marion avait oblitérés. Elle remarqua aussitôt la bague et craignit, le temps d'un battement de cœur, que ce ne fût... Mais elle reconnut celle du Dr Lapresle et s'en trouva si heureuse qu'elle sourit. Ce n'était guère de mise, mais rien ne pouvait davantage attendrir Marc.

— Merci d'être venue, murmura-t-il.

Le sourire se figea. « N'est-ce pas la phrase qu'on dit aux étrangers ? » En prenant sa main pour la porter à ses lèvres, Marc la sentit frissonner ; lui-même en fut troublé.

— J'allais chercher Martin, dit-il très vite. Il paraît qu'il se terre au fond du jardin, mais je connais toutes les cachettes.

— Allons-y ensemble, Marc.

La pensée de Martin leur faisait oublier le mort. Ils sortirent dans ce jardin tout adonné aux fiançailles du printemps et dont les oiseaux ne se sentaient pas du tout en deuil. Plusieurs fois, Marc manqua prendre le bras d'Agnès du geste qui, dix ans durant, lui avait été familier. A la fin, pour s'en empêcher, il joignit ses mains dans son dos, mais, cette fois, c'était un geste de son père : impossible, ici, d'être infidèle ! Cette allée d'arbres, ils l'avaient déjà suivie, l'année de leurs fiançailles, en avril même. Marc craignait qu'Agnès n'y pensât, elle-même espéra qu'il s'en souviendrait — mais ils n'échangèrent pas un mot.

On fit en vain le tour des cachettes.

— Je me demande où il a bien pu...

— Il n'est pas loin, dit sourdement Agnès, je le sens.

Elle s'arrêta, appela : « Mar-tin, Mar-tin, mon petit... »

Elle n'eut pas le temps d'achever « poulet chéri » : sur leur droite, des buissons s'écartèrent et, tel un gibier qu'on débusque, Martin se précipita vers sa mère qui mit un genou en terre afin de se trouver à sa hauteur. Il l'embrassait à l'étouffer, murmurant, contre cette peau dont il reconnaissait la chaleur, le parfum, le frémissement, des paroles indistinctes : une sorte de « Je vous salue, Marie » traversé de « Je t'aime. » Son père posa une main sur sa tête en disant : « Mon bonhomme »; alors Martin se mit à pleurer de bonheur : les retrouver ensemble, ensemble... Il avait oublié Zélie et le Dr Lapresle. Sa mère s'y trompa :

— Mon pauvre petit garçon, tu as du chagrin pour ton grand-père.

Les larmes de Martin changèrent aussitôt de source, mais non de chaleur et personne ne s'en aperçut.

— Tu m'étouffes, mon poulet !

A regret, il desserra son étreinte ; depuis des mois il n'avait éprouvé une telle impression de sécurité. Il saisit la main de son père dans l'une des siennes, celle de sa mère dans l'autre et il les entraîna vers la maison. Eux-mêmes se sentaient bizarrement liés et n'osaient s'entre-regarder par-dessus la tête de Martin qui volait plus qu'il ne marchait. « Tout ce qui s'est passé n'est qu'un malentendu ; il est impossible que Marc ne s'en avise pas, songeait Agnès. Il suffit que je retrouve Martin avec Marc pour me sentir guérie. Que de temps perdu ! Ces médecins sont des aveugles ; le vieux Dr Lapresle avait raison... Oh ! pourquoi ne m'aimait-il pas ? A présent, il est trop tard. Le temps perdu, toujours le temps perdu... »

Marc, à la dérobée, regardait ce profil qui lui semblait rajeuni. « Agnès... Agnès chez elle à Sérignay comme partout... Quelle figure y ferait Marion ? Et surtout quelle figure lui feraient les gens du bourg !... Mais non, je ne garderai pas cette maison. Pourvu que Martin ne s'y soit pas trop attaché ! Bah à cet âge-là... » Il avait peur que ces pensées, dont il n'était pas très fier, ne se lussent sur son visage ; peur aussi qu'Agnès ne devinât que, tout à l'heure, il allait rejoindre Marion. Marion, dans cette chambre d'hôtel qui lui ressemblait tant, recroquevillée dans un fauteuil, petit gibier traqué, ses yeux immenses et son « Reviens vite ! », Marion, nulle part chez elle, Marion toujours de passage, Mme Marc Lapresle ?... Ce partage, ces craintes l'occupaient tout entier ; lui aussi avait oublié le pauvre mort.

Ils aperçurent une silhouette qui gesticulait devant la maison et que Marc reconnut le premier :

— P. L. T. est venu, c'est vraiment gentil.

Pratique également : Me Terrasson plaidait la veille à Châteauroux et comptait, le surlendemain, participer à la clôture du congrès radical de Tours. Les funérailles du père de Marc, qui avait été le compagnon du sien, tombaient à merveille : d'une pierre trois coups... Mais ce retour au pays, à l'enfance, à la vérité, l'avait pris au piège et, lorsqu'il serra son ami dans ses bras, il pleurait si fort que Marc eut honte de paraître éprouver si peu de chagrin.

P. L. T. éleva d'un coup le niveau des manifestations extérieures ; on se mit à gémir bien davantage autour du vieux monsieur qui, entre-temps, avait quitté définitivement le mannequin si plat devant lequel défilaient à présent villageois et paysans, ses malades. Beaucoup, avant de s'en retourner, touchaient dévotieusement ces mains qui les avaient guéris.

Embusqué dans l'antichambre, Martin ne se rassasiait pas de ce spectacle rouge et noir. Il contemplait avec stupeur toutes ces grandes personnes qui pleuraient comme des enfants : sur qui pouvait-on compter ?

X

DES BALCONS DE L'ENNUI

Martin n'avait jamais assisté aux offices de Sérignay : aux temps heureux, les dimanches matin se passaient dans le lit à colonnes, à dévaster les steppes de l'Empereur à force de galipettes. Il jugea l'église froide, blanche et laide ; il ne connaissait que celle de Châtillon et douta que Dieu pût concevoir le moindre agrément à résider ici. Pourtant, c'était bien la même messe, et il la retrouva avec plaisir sous le harnais noir. Mais pourquoi l'avait-on séparé de sa mère à peine retrouvée ? Pourquoi avait-on aligné son père, lui-même et Joseph, qui reniflait sans cesse, de l'autre côté de ce monticule couvert de fleurs autour duquel brûlaient huit cierges ? Il était malheureux de se trouver au premier rang : impossible d'observer, sinon à la dérobée, le chef de gare, Adrien le cafetier, le garde champêtre Armand, tout raides dans leur costume funèbre. Et cette grosse dame qui pleurait si fort, n'était-ce pas Finette ? Et ce vieux...

L'orgue submergea tout. Martin, qui ne l'avait jamais entendu, ne pouvait y reconnaître le frère aîné de l'harmonium asthmatique de Châtillon ; pour lui, c'était la voix même de Dieu qui tonnait de colère, puis ruisselait de tendresse. Monté aux cieux comme Jésus, le Dr Lapresle avait ouvert les vannes et libéré les cataractes. Noyé jusqu'aux larmes, Martin se retrouva sous le déluge en compagnie de grand-père : c'était le matin de leur réconciliation — avaient-ils jamais été aussi heureux ? « Jamais plus », pensa Martin. JAMAIS PLUS ! se mit-il à crier dans le tonnerre des orgues. Il venait de découvrir les deux mots les plus tragiques du langage humain. Adrien, Armand, Finette, tout Sérignay le vit se lever, contourner en hâte le catafalque et s'abattre contre sa mère qui l'interrogea du regard.

— J'avais tellement envie de mourir, maman, j'ai eu peur...

Ces paroles la bouleversèrent au point qu'elle répondit dans un souffle :

— Je te demande pardon.

Il ouvrit de grands yeux derrière le rideau de ses larmes ; mais comment lui eût-elle expliqué ce qu'elle-même ne comprenait pas ? « Je me soigne depuis des mois, je me sens seule, mais qui, qui est le plus atteint, le plus seul ? » Elle prit sa main dans la sienne et ne la lâcha plus.

Brisé de chagrin, Martin dut s'endormir car il eut une vision très nette de son grand-père souriant avec ironie, désordonnant ses cheveux, retroussant ses moustaches. Il voulut lui répondre par les mêmes gestes mais, ainsi qu'il arrive dans les cauchemars, sa main était de plomb : sa mère la tenait serrée.

Comme l'office s'achevait, on entendit la pétarade d'un moteur et le parrain de Martin fit son entrée parmi les villageois en deuil. Il était tout heureux d'avoir couvert Paris-Sérignay en trois heures et concilié le sport et l'amitié ; et il cachait si mal cette satisfaction sous une mine d'enterrement que son filleul fit semblant de ne pas le voir.

Puis on partit à pied derrière une drôle de voiture à cheval qui transportait le monticule fleuri. Martin crut vraiment — le cimetière se trouvait dans cette direction — qu'en souvenir du Dr Lapresle, le cortège allait suivre la promenade du mardi. On croisait sans cesse des voitures coiffées de bagages, car c'était le retour des vacances de Pâques. Quelques femmes faisaient le signe de la croix, les hommes montraient une face ébahie et les enfants pointaient leur doigt vers le cortège. Martin, qui marchait à côté de sa mère, éprouvait une certaine fierté à se voir un objet de compassion ; il aurait bien aimé être vêtu de noir. Quelques pas plus avant, son parrain souffrait beaucoup de se montrer en pareil équipage.

En haut de la côte Vidalin, le cheval du corbillard s'arrêta suivant son habitude, afin de souffler un peu et les conversations s'établirent. Marc se pencha vers P. L. T. dont l'attitude fraternelle l'avait touché :

— Paul-Louis, fit-il à mi-voix, cela m'a beaucoup troublé de revoir Agnès. Je me demande...

— Tu te demandes ?

— Si nous ne sommes pas en train de faire une énorme bêtise.

— A tous les points de vue, Marc, je te l'ai toujours dit. Agnès a, comment dirais-je ? une classe — oui, une telle classe...

C'était une perfidie : P. L. T. aimait assez Marion, mais ce divorce le gênait beaucoup ; et puis faire avorter l'instance serait jouer un si vilain tour à cette avocate qu'il détestait...

Marc, les sourcils froncés, ne répondait rien ; P. L. T. l'observa et, lorsqu'il lut sur son visage que la voie était libre pour quelque nouvel argument, il reprit :

— Et puis il n'y a pas qu'Agnès et toi.

— Marion ?

— Non. De ce côté-là on peut toujours arranger les choses. Mais si, mais si !... Tandis que je pense à Martin. Je sais bien qu'à son âge... Pourtant, regarde-les.

Le cortège avait repris sa marche ; Marc se retourna à demi : un soleil timide faisait à Agnès une ombre moins obscure que sa silhouette en deuil et Martin prenait soin de marcher dans cette ombre.

— Si tu désires vraiment renouer, c'est encore lui ton meilleur avocat. Il faut qu'ils repartent ensemble, Marc.

— Impossible : Agnès achève un traitement très rigoureux dans une maison de repos, au-dessus de Cannes. Des piqûres, ou je ne sais quoi.

— C'est d'autant plus méritoire, de sa part, d'être venue jusqu'ici. Je considère cela comme un premier pas ; à toi de faire le second.

— Mais comment ?

— Ecris-lui un petit mot demain, et puis continue à lui écrire ; le temps fera le reste.

— Mais le procès ?

— Je m'occuperai du juge ; toi, occupe-toi de Marion. Je n'ai pas l'impression que ce soit, comment dire ? une question d'argent.

— Certainement pas.

— Alors, c'est affaire de gentillesse, dit l'avocat d'un ton désinvolte : rien ne lui était plus étranger que cette notion.

— Et de chagrin, murmura Marc en baissant la tête, et il songea : « De part et d'autre. »

— Mon pauvre vieux...

P. L. T. se retint d'ajouter « Tout se paie » ou

« Il faut savoir ce que l'on veut » ; la décision de Marc était trop fragile : son pire ennemi demeurait l'amour-propre.

— Et si tu te réinstallais à Neuilly en prenant le petit avec toi ?

— Tu vas trop vite, Paul-Louis.

— Alors, qu'il aille, non loin d'Agnès, dans une maison d'enfants.

— Une maison d'enfants près de Cannes, tu crois que cela se trouve comme ça !

— Avec de l'argent, tout se trouve, dit P. L. T. amèrement.

Cette caisse claire aux formes si bizarres, on la fit jaillir de son écorce noire comme une amande. Les quatre paysans qui la transportaient soufflaient très fort, leur regard était devenu fixe et des veines apparurent à leur tempe. Le cœur de Martin se mit à « descendre l'escalier » : à battre avec violence dans sa gorge, puis sa poitrine, puis son ventre. C'était le signal : il allait se passer quelque chose, il allait... Ce fut Joseph qui le mit sur la voie :

— Ton pauvre grand-père... Il ne pesait pourtant pas bien lourd !

Joseph sentait l'étoffe neuve et les larmes, une odeur de vieille, de mercerie que Martin n'oublierait plus jamais. On venait de lui livrer la clef du monde des adultes, laquelle est la mort ; et avant même que son esprit eût bien saisi les paroles de Joseph, l'animal en lui avait compris l'essentiel. La peur s'installait en Martin pour toujours.

Tandis qu'on se restaure, au retour du cimetière, Martin, qui vomirait plutôt, quitte la maison, franchit la grille que plus personne n'interdit et s'en va, puisque c'est mardi, sur les traces du Dr Lapresle.

250

Cette caisse enfouie en terre avec son chargement, il ne peut l'admettre : cela lui rappelle les cabinets chez nounou Perraut. Est-ce que d'ignobles mouches au corset vert s'élèvent aussi des tombes en bourdonnant ? Est-ce que des animaux... ? Non, non, cette caisse est vide, tout est un simulacre, et grand-père l'attend en clignant d'un œil derrière l'un des arbres qu'il aimait. Qu'il aimait ? — QU'IL AIME ! De toutes ses forces Martin lutte contre « l'imparfait » qui est le temps des grandes personnes.

La gorge serrée, il poursuit la promenade du mardi : voici l'arbre qui a cent cinquante-trois siècles, et la grotte aux sept *maquisards*. Et voici la mare qui... la mare où... — Allons, il faut se le rappeler, mot pour mot ! Martin sent que c'est sa mission, que si lui-même oublie les messages de grand-père Lapresle, personne au monde ne sera plus capable de les transmettre. Alors, la maison qu'il aimait s'écroulera, ces arbres fameux tomberont morts, et la terre boira cette mare sans légende comme elle a englouti la caisse vide. Vide, vide, n'est-ce pas, grand-père ? Il l'appelle au secours contre ce sosie de cire dont l'image grise le hante. Grand-père vivant, faisant un monument de ses cheveux, sortant sa langue quand il s'applique, tirant une petite pièce de son gousset, marchant les mains jointes derrière son dos... Martin recense toutes ses images, ferme les yeux pour le revoir, se bouche les oreilles pour entendre sa voix. Ainsi fermé au monde et à ce printemps désinvolte, il attend pour la dernière fois que *la Puissance* abolisse à son profit le temps et l'espace, et que grand-père Lapresle pose sa main sur son épaule. « Je t'ai encore fait peur, mon grand ?... » Il attend, et chaque seconde qui passe est une année de plus. Battement après battement de son cœur, il attend, et son corps n'est plus qu'une citerne résonnante : il est en train d'apprendre le Désespoir.

Quand il se résignera à ouvrir les yeux, il saura qu'il a définitivement perdu le vieux monsieur, son allié. Tout s'écroule : la Tradition, la Médecine, un pan de mur en entraîne un autre. Et Martin songe brusquement : « Nounou Perraut est vieille, elle aussi : nounou Perraut va mourir. » Et l'effleure la pensée que sa mère, que lui-même... que la terre est un immense cimetière.

Le Ciel l'en distrait juste à temps : au-dessus de sa tête, un oiseau se met à chanter, mi-joyeux, mi-pathétique, une voix qui lui rappelle Zélie, Zélie vivante. Il s'immobilise, ainsi que le lui a enseigné M. Lapresle et, doucement, répond. Il ne s'agit pas de rivaliser de roulades avec l'autre, mais une petite modulation de rien du tout qui signifie « Je comprends », comme la main blanche de grand-père sur la sienne signifiait « Je suis là ». Un sifflet modeste, mais qui donne au chanteur de nouveaux arguments puisqu'il repart avec génie. Martin, le cœur vide, écoute cette petite créature au langage puissant, ce mystérieux ambassadeur, cette âme libre et qui chante. De son observatoire invisible, nul doute qu'il voie Zélie et peut-être M. Lapresle ; il est un trait d'union. En découvrir est le secret de vivre, de survivre... L'oiseau chante ; et Martin répond, sans savoir qu'il sourit de nouveau.

A Sérignay, l'orage vient d'éclater. En revenant du cimetière, Agnès a fait un détour par son hôtel afin d'y prendre un médicament. Pourquoi a-t-elle dévisagé cette jeune femme assise dans le hall et qui feuillette un magazine en mordant le bout de ses cheveux comme le font les petites filles ? Et pourquoi celle-ci se sent-elle rougir ? « C'est elle, se dit Marion. C'est elle, j'en suis certaine. Je n'aurais pas

dû venir ; mais Marc n'y pense jamais. » Cette cons-
tatation lui rend courage : à son tour, elle ose dévisager l'inconnue qui paraît ici chez elle, qui, Marion
le devine, paraît partout chez elle. C'est l'effet de la
richesse et le propre de la bourgeoisie : partout chez
soi, sauf au royaume de Dieu, sans doute. Cette aisance qu'elle admire en Marc, Marion enrage de la
rencontrer chez sa femme, et son regard prend une
telle acuité qu'il trouble l'autre. En un instant, l'heureuse sécurité que lui avaient rendue les retrouvailles d'hier, Agnès la perd visiblement. L'air indifférent
mais la démarche un peu trop vive, comme un enfant
qui passe devant un chien, elle sort de cet endroit
qu'une inconnue suffit à lui rendre odieux.

— Où allons-nous, madame ?
— A Sérignay, bien sûr.
— Madame a remarqué Mademoiselle ? demande
Albert après un instant.
— Mademoiselle ? (Le même haut-le-corps que
Marc lorsque, la veille, Joseph lui a annoncé que
« Madame » l'attendait.) Quelle Mademoiselle ?
— La... enfin, la demoiselle de Monsieur.

C'est un dialogue de vaudeville, mais ce qu'Albert
observe dans son rétroviseur est un masque de tragédie.

— Je n'aurais peut-être pas dû en parler à Madame, ajoute-t-il à mi-voix et plutôt pour lui-même.

Ce n'est pas la méchanceté qui l'anime, mais la
désastreuse « fidélité » des imbéciles : Albert a pris
le parti de Madame. Par intérêt, tradition, dignité,
tous les amis d'Agnès et de Marc ont ainsi choisi
l'un des camps, ou plutôt engendré ces camps — à
moins qu'ils ne jouent habilement sur les deux tableaux, race d'entremetteurs. Désir d'être loyal mais
bien davantage de faire l'important, plaisir des petits
à provoquer des catastrophes chez les grands, et de

ceux qui s'ennuient à mettre du piment dans leur brouet — tout cela vient de pousser Albert à ruiner d'une seule phrase, en toute innocence, la réconciliation qui s'ébauchait.

Agnès tient à peine sur ses jambes lorsqu'elle descend de voiture. « Il l'a amenée ici, à Sérignay, où se trouvait Martin. Il ne se doutait pas que je viendrais ; mais Martin, Martin aurait pu la rencontrer... (C'est surtout cette coalition qui la blesse : les trois d'un côté, elle seule de l'autre.) Qui sait s'il n'a pas aussi emmené cette fille chez nounou Perraut ? Il ne peut donc pas se passer d'elle ! (La seconde flèche.) Et devant son père mort... (Mais cette pensée-ci est toute de convention.) Et moi qui avais cru, hier et ce matin, que nous pourrions, que nous devrions peut-être... Qui sait si, cette nuit, au lieu de veiller son père, il ne l'a pas rejointe dans cet hôtel !... Et si je partais sans le revoir ?... Non, ce serait lâche. Partir avec Martin, maintenant, sans un mot ?... Non, je ne veux pas que le petit me voie malade. Et puis ai-je seulement *le droit* de l'emmener ? »

Le droit ? Il est incarné ici par ce fantoche aux cheveux de tragédien qui s'avance vers elle, exécute son numéro de retour du cimetière et prononce des phrases qu'elle n'entend même pas car elle vient d'apercevoir Marc.

— Ma pauvre Agnès, quelle mauvaise mine vous avez ! Marc, tu ne trouves pas que...

— Agnès, qu'y a-t-il ?

Comme six mois plus tôt, dans le cabinet du juge, elle défaille.

— Agnès !

Ce qu'il y a ? Elle le leur dit d'une traite, comme on vomit. Oui, devant l'avocat, le parrain, devant ces étrangers. « Quel manque de tenue, pense Marc,

Marion ne ferait pas une chose pareille ! » En lui le sablier se retourne.

P. L. T., dont l'échafaudage s'effondre, s'interpose en vain : tout motif qu'il invoque à la présence de l'autre ne peut que blesser davantage Agnès, puisqu'il atteste soit la duplicité de Marc, soit l'attachement que lui porte Marion. Il plaide, l'imbécile ! Il ne sait pas qu'au chevet d'un grand malade, il faut se taire. Alain commence à regretter amèrement sa performance sportive. Pour lui, qui collectionne les femmes comme les gadgets, Agnès et Marion sont, chacune à sa manière, bien attirantes ; et il ne tient pas davantage à devoir choisir entre Marc et son épouse.

— Où donc est Martin ? demande-t-il innocemment pendant un silence.

— Pas dans cette pièce, heureusement ! dit Agnès.

— Vous faites bien de parler de lui, enchaîne l'avocat, on l'oublie un peu trop. Le décès du Dr Lapresle pose un problème dont personne ne paraît se soucier : où Martin va-t-il aller maintenant ?

Plus de Sérignay, plus de nounou Perraut ; le fantôme de Marion réduit Marc au silence ; et le tremblement dont Agnès est saisie depuis un instant, sans parvenir à le réprimer, dit assez qu'elle ne peut prétendre à la garde de son fils.

— Il y a en Suisse d'excellents homes d'enfants, hasarde P. L. T.

— En Suisse ! s'écrie Agnès qui n'attendait qu'un mot pour se redonner bonne conscience. Pourquoi pas aux Etats-Unis ? Martin a d'abord besoin de quelqu'un qui l'aime.

— Je pourrais... je pourrais peut-être le prendre chez moi, propose Alain après un silence.

Sa gentillesse et son horreur de laisser des amis dans l'embarras, sa légèreté, son goût de l'aventure ont parlé à sa place. Tout compte fait, il préfère avoir des ennuis que s'ennuyer, et je ne jurerais pas que Martin ne lui apparaisse d'abord comme un gadget géant.

Pour l'instant, la gratitude des autres l'empêche de s'interroger plus avant. Tout à l'heure, lorsqu'il annoncera lui-même la nouvelle à Martin et verra s'abaisser les coins de sa bouche et son visage se convulser, lorsque, sans un mot, l'enfant qui n'a pas reparu depuis le cimetière s'enfuira de nouveau, il commencera à se poser des questions.

Martin passa la fin de l'après-midi enfermé dans le coupé de l'arrière-arrière. Il savait que personne ne l'en dénicherait et que nulle part ailleurs il ne pourrait mieux songer au Dr Lapresle que dans cet abri hors du temps où il avait, cependant, brûlé tant de cigarettes pour s'évader de Sérignay. Le cuir tout craquelé, la vieille étoffe capitonnée, tout avait retrouvé l'odeur surannée qui, cette fois, correspondait à l'état d'âme de Martin. Il s'y endormit, sans s'en apercevoir ; c'est une grâce pour les enfants que les événements qui les désespèrent leur donnent aussi sommeil.

Lorsqu'il se réveilla dans ces ténèbres confinées, lorsque, de ses mains tendues, il toucha les parois du caisson, il songea au cercueil de grand-père et se crut mort à son tour. Bec et ongles, avec la furie d'une bête captive, il ouvrit la portière du coupé, puis les vantaux de l'écurie. Il entendit les voix d'Albert, de Joseph, de son père, de son parrain qui l'appelaient aux quatre coins du jardin et il joua, quelque temps encore, à leur échapper.

La nuit venue, il mit longtemps à s'endormir pour de vrai dans son lit de la chambre verte. La pensée qu'à deux pièces de là son grand-père était mort, celle que demain... Il se rappela soudain qu'il avait fait ses adieux au jardin, au puits, aux communs, pas au grenier ; et, de crainte qu'on ne l'emmène par surprise, entre songe et veille, il attacha son poignet gauche au bois du lit avec sa ceinture.

Agnès, qui ne repartait qu'au matin, changea d'hôtel. Dans cette nouvelle chambre, impersonnelle, irrespirable (il existe une odeur de médiocrité), elle dormit à peine. Au petit matin, lui vint la pensée bientôt insoutenable que, depuis des mois, elle n'avait pas vu dormir son petit garçon. Réveiller Albert et se faire mener à Sérignay lui semblait tyrannique ; elle décida de conduire elle-même la voiture. La perspective de cette « aventure » la réconciliait un peu avec ce personnage dolent et indolent qu'elle traînait de clinique en clinique et qui parfois lui faisait honte. L'assurance avec laquelle elle descendit, sut mettre en route l'automobile et la sortir du garage, lui prouvait assez qu'elle avait tort de se laisser porter. « Je vais me ressaisir, décida-t-elle, oubliant qu'elle s'était déjà tenu en vain ce langage, achever le traitement, reprendre Martin, ne plus quitter Neuilly. »
Elle franchit silencieusement la grille blanche, rangea la voiture auprès de la guimbarde du vieux médecin dont la vue l'attendrit, et s'en vint à pied vers la maison jamais fermée depuis cent ans d'ordre des docteurs Lapresle. Il était fort tôt et les oiseaux chantaient comme ils ne s'y risquent qu'en l'absence des humains. Agnès fit un tour dans ce printemps, dans ce jardin en deuil de son maître mais, comme Martin, trop jeune pour le porter. Elle le découvrit plein de charmes ; Neuilly aux quatre murs et ce Midi sans automne et sans sources lui parurent étriqués, privés de racines. Elle se figurait avec bonheur

vivant ici, surveillant de sa fenêtre un Martin libre et joyeux : « Il aurait suffi que je laisse Marc achever sa médecine et prendre le relais de son père. Ici, pas de secrets, pas de *Mademoiselle*... » Mais cette imagination n'était qu'une autre manière de fuir la ville, les problèmes, la vie.

Les cloches se mirent à sonner dans un ciel vaste et vacant, et cette sorte de nostalgie tragique et nulle que l'angélus inspire aux citadins envahit Agnès. Elle retourna vers la demeure endormie, monta jusqu'à la chambre verte, et, lorsque ses yeux se furent accoutumés à la pénombre, distingua Martin qui... Mais que signifiait ce bras ligoté ? Elle se sentait si coupable envers lui qu'elle ne douta pas un instant d'être la cause indirecte de ce bizarre supplice. Le plus doucement qu'elle le put, elle défit l'étrange ligature. Le bras, quoique libéré, restait raide ; elle le plia avec précaution afin de rendre au dormeur une attitude familière. Mais, depuis le lit dur et l'édredon rouge, celle-ci n'était plus la sienne et il la refusait inconsciemment.

Agnès considéra son visage avec cette attention aiguë à laquelle nous contraint l'obscurité et fut frappée, une fois de plus, mais sans tendresse, par sa ressemblance avec Marc. Elle y discernait aussi, peu à peu, le mariage indéfinissable de leurs traits, de leurs expressions : il était vraiment leur enfant. L'aveugle procédure faisait de Martin tantôt l'enfant de l'un tantôt celui de l'autre et elle s'apprêtait à l'attribuer à un seul, mais, d'avance, le petit visage endormi récusait cet arbitraire en silence.

— Martin, fit sa mère à mi-voix.

Le dormeur se retourna ; il fallut aiguiser sa vue, s'habituer à cet autre profil enténébré. Agnès se pencha à toucher le visage et retint son souffle. Elle venait de distinguer, au coin de la lèvre, un pli qu'elle ignorait et qui donnait à la physionomie tout entière une expression de peur et de veulerie. « Il change, se dit-elle, il change : il s'éloigne... »

Quand elle songeait à lui, de loin, c'était seulement avec la crainte qu'il ne prît froid, ne s'ennuyât ou ne devînt mal élevé ; et, tandis que l'agitaient et la rassuraient ces inquiétudes de grand-mère, voici que Martin, son enfant, changeait sans recours... Lorsqu'elle serait guérie — guérie de quoi, Agnès ? —, quel petit étranger ne retrouverait-elle pas ? Une telle angoisse monta en elle que, sans plus réfléchir, elle alluma la lampe de chevet avec l'espoir que ce pli, cette ombre s'évanouiraient, et son remords avec eux ; la lumière ne fit que les accuser. Alors, elle saisit les épaules étroites et secoua Martin jusqu'à ce qu'il se réveillât en geignant. Lorsqu'il reconnut sa mère, son visage changea, les fossettes apparurent, un grand rire lui rendit l'enfance. Il lui tendit les bras ; elle le prit dans les siens, si lâchement rassurée qu'elle ne l'entendit pas demander : « Tu m'emmènes ? »

Alain freine brusquement devant l'hôtel :

— Tu m'attends sagement dans la voiture, mon vieux. Ce ne sera pas long.

Pas très long : le temps de raconter à Marion la scène de la veille. Pourquoi ? Alain n'en sait rien ; son inconscient, qui le mène à toute heure, lui a brusquement soufflé de commettre cette indiscrétion, aussi légère, aussi grave que celle d'Albert. Mais il savait que Marion se mettrait à pleurer, qu'il la prendrait contre lui, caressant ces cheveux que, dès leur première rencontre, il a rêvé de toucher et serrant cette chair dont il pressentait la fermeté. Alain se ferait tuer volontiers pour son ami Marc ; mais il trouve naturel d'essuyer les yeux de Marion avec son propre mouchoir, et même de baiser ces joues humides et tièdes. Un homme qui console une fille se sent dangereusement absous. Marion qui pleure redevient une enfant, mais une enfant avec des seins et une odeur troublante : comme si elle sortait à la fois de l'océan et de son lit. Alain s'abandonne au sentiment confus d'être tout ensemble amant et père, l'un excusant l'autre. Il éprouve cette dangereuse impunité que confère une ivresse légère : sans passé, sans avenir, c'est un moment exquis. Marion elle-même, que son chagrin prostitue, reprend confiance contre cette poitrine si forte : que deviendrait-elle sans ces hommes très sûrs dont les cheveux grisonnent ? Elle oublie seulement que tous ses malheurs viennent d'eux. Les jeunes ne savent pas consoler : ils ne sont pas assez roués.

— Si jamais les choses ne vont pas, vous m'appelez, Marion. C'est entendu ?

Elle pleure seulement ; mais elle a parfaitement enregistré ces paroles, saisi cette rallonge offerte à son présent fragile.

— C'est bien promis ?

Cette fois, elle acquiesce. Alain se retient de baiser ces lèvres que le chagrin gonfle comme des fruits mûrs.

— Mon petit, mon pauvre petit...

De quoi la console-t-il ? De sa propre muflerie, de la légèreté des hommes ; pourtant elle éprouve envers celui-ci une gratitude infinie.

Il rejoint sa voiture, si troublé, si ravi de l'être, qu'il est tout étonné d'y trouver un petit garçon. Il avait oublié Martin, qui l'avait aussi oublié : depuis tout à l'heure, celui-ci se raconte des histoires qui commencent toutes ainsi : « Il suffirait d'ouvrir la portière... » Pour aller vivre avec Joseph dans sa maison neuve... Ou s'enfermer dans Sérignay comme en un château fort bourré de provisions... Ou courir à la gare : « Un billet pour Châtillon, c'est combien ?... »

— Ah ! tu es là, mon vieux.

Martin, qui ne supporterait ni « mon grand » ni « bonhomme », aime que son parrain le nomme « mon vieux », et qu'il conduise à cette allure.

— Tu vas toujours aussi vite, parrain ?

— 140, c'est normal, non ?

Alain ne se sent vraiment vivre que dans ce vertige lucide que procure l'insécurité. Homme de commando, de guérilla, il se met parfois à ricaner en discutant du taux de sa commission sur quelque affaire immobilière. Une fois, au contraire, il s'est mis à pleurer ; le type au gros cigare, assis en face de lui, le regardait, consterné. A pleurer, parce que ses copains morts l'eussent méprisé, et parce qu'il eût préféré se trouver avec eux : où que ce fût, ils formaient une compagnie plus honorable... Au volant de sa voiture, à partir de 140, il rejoint ses copains morts.

— Tu as peur ?

— Non, j'aime.

— Alors, on s'entendra, mon vieux.

La voiture dépasse toutes les autres et Martin se moque d'elles ; il apprend le mépris. On s'entendra.

— C'est quoi ta voiture, parrain ?

— Une Triumph.

« Quand je serai grand, j'aurai une Triomphe : elle va plus vite que la Porsche et que la Déesse. » Martin cherche déjà comment plaire à ce parrain : « Est-il du côté de papa ou de maman ? » question ignoble qu'il se pose pour la première fois. Il se demande aussi par quels moyens il parviendra à le manœuvrer, et le petit pli veule et rusé apparaît au coin de sa bouche. Quelle sorte d'enfant lui serait-il avantageux de feindre d'être ? Depuis qu'on le fait vivre avec des inconnus, il juge plus prudent d'interposer entre eux et lui un personnage. « Je ne veux pas qu'on me mette dans une nouvelle école, se dit-il encore. Je ferai semblant d'être malade, *comme maman* ; peut-être parrain me donnera-t-il lui-même des leçons... » Il n'y a pas vingt-quatre heures que M. Lapresle est enterré et Martin le trahit déjà.

La Triumph tremble, fonce, dépasse, vire, crisse. Martin observe les cadrans du tableau de bord et pas le paysage ; il est blasé.

— Qu'est-ce que tu comptes sur tes doigts ? demande parrain.

— Tous mes voyages.

On désertait le troupeau, on remontait l'un des calmes affluents de l'autoroute jusqu'à une avenue encore plus abritée que lui et qui débouchait dans un parc. « Pierres Vives » était le nom de la résidence où demeurait Alain ; pour l'édifier, on avait clairsemé une forêt : les arbres étaient de deux cents ans plus vieux que les immeubles et certains s'élevaient plus haut qu'eux. Il en naissait une paix, une sécurité, un silence qui n'étaient pas de la ville. Ni de la campagne : ces lampadaires, cette piscine étale et ces chemins dallés rendaient les oiseaux insolites ; on avait placé des projecteurs dans les arbres afin de les domestiquer ; feuilles et pétales étaient balayés chaque matin. Ici, les voitures se trouvaient aussi bien logées que leur maître, et les chiens mieux nourris que les jardiniers.

Ornés de meubles, de tableaux, de miroirs, le vestibule et l'escalier de chaque bâtiment constituaient une sorte de demeure inutile : comme si la richesse un peu trop récente des habitants ne leur eût pas été sensible sans ce gâchis, ou comme si chaque appartement avait déversé là son trop-plein d'objets précieux.

Alain avait fait aménager le sien par un décorateur qui ne lui avait même pas demandé quelles couleurs et quel style il préférait ; l'année était au vert amande, au Charles X, aux opalines. Martin retrouvait là des bibelots baroques, des portraits de famille et des collections bizarres qui lui parurent cependant sans rapport avec ceux de grand-père. Il s'en étonna auprès de parrain qui ne comprit même pas le sens de sa question : il n'y avait eu aucun Sérignay dans sa vie. De toutes petites plantes ont parfois des racines plus profondes que les grandes.

L'entrain et la générosité de ce parrain enchantèrent les premiers temps. Tout enfant, pour s'épanouir, a besoin d'un vieil homme sage et silencieux, d'une vieille pleine de récits, mais aussi d'un adulte fantasque, d'une grande personne buissonnière : après le docteur et nounou, Alain jouerait ce rôle. Il était seulement dommage que chacune de ces présences n'intervînt qu'aux dépens d'une autre ! mais les faux orphelins du divorce ne doivent pas se montrer trop difficiles.

Parrain possédait la panoplie de l'Occidental nanti : un appartement où tout obéissait à des boutons qu'il suffisait d'effleurer, une installation stéréophonique qu'il appelait « Hifi » (par son prénom, pensait Martin), une télévision panoramique, plusieurs récepteurs radio, des téléphones gris perle. Mais surtout il transportait sur lui tout ce qui pouvait lui être nécessaire : ce n'était plus un poignard ou des vivres, comme au temps des commandos, mais briquet, canif, portemine de couleurs et un jeu d'outils minuscules, le tout en or gainé de daim. Sa voiture elle-même était farcie d'accessoires et le garage ressemblait à une clinique. Jusqu'à ce jour, cette course à l'équipement l'avait tenu en haleine ; mais déjà les nouveautés qu'il achetait devenaient de plus en plus inutiles. Viendrait le moment où il se trouverait au bout de ce qu'il appelait naïvement le progrès — et que ferait-il alors de son temps et de son argent ? Il était pareil à un homme qui gravit allègrement une montagne, ignorant que le sommet soit si proche et l'autre versant un abîme ; ici l'abîme se nommait Ennui.

Martin, qui ne suivait pas la même route, admirait en tout ce parrain et, sentiment nouveau, l'enviait. La façon dont il tirait de sa poche, en vrac, des billets de banque reléguait le geste économe de M. Lapresle et le porte-monnaie à boules de nounou Perraut. Martin se promettait bien de posséder, lui aussi, une collection de pipes sur son bureau et des gilets de toutes les couleurs. Son refrain intérieur était « quand je serai grand », mais il ne l'appliquait plus qu'à des sottises. Et d'abord, quand il serait grand il serait riche, puisqu'il relevait de ce camp. Pourquoi Joseph, Albert, nounou Perraut étaient-ils pauvres ? Parce qu'ils faisaient partie de l'autre race, voilà tout. Ainsi le monde était-il simple et rassurant : Riches et Pauvres, comme Nègres et Blancs ; ou comme, sur les bandes dessinées dont parrain le gavait, les Méchants et les Gentils se reconnaissaient au premier coup d'œil. M. le Curé de Châtillon qui, en ce moment même, inculquait à ses têtes dures la première Béatitude, eût été bien déçu : les oiseaux du ciel dévoraient, les épines étouffaient la graine précieuse qu'il avait semée dans ce cœur alors si pur.

En achetant *Lui* et *Playboy,* ses magazines favoris, Alain faisait moisson de ces illustrés vulgaires et violents que M. Lapresle avait déchirés le jour où Joseph, pour faire plaisir à Martin...

— Mais on n'en vend pas d'autres, monsieur !

— Et alors ? tu mangerais de... de l'ordure, toi, s'il n'y avait rien d'autre ?

Parrain était moins exigeant : Martin se repaissait joyeusement d'ordure et ces illustrés lui paraissaient beaucoup plus distrayants que ceux de Sérignay. Il sentait vaguement que sa mère les lui aurait confisqués, mais cette impunité ne faisait qu'ajouter à son plaisir.

Il s'avisa aussi que grand-père ou nounou Perraut ne lui faisaient jamais de cadeaux (car il n'appelait plus ainsi que ce qui est neuf lorsqu'on vous le donne). Parrain, le premier mois, lui offrit une carabine à air comprimé et un récepteur de radio qui ne captait qu'une seule station mais tenait dans le creux de la main. Il lui rapportait aussi de nouveaux *gadgets* qu'il choisissait en se disant que, moins l'objet était utile, plus il devait amuser un enfant — ce qui n'est vrai que pour les grandes personnes. Martin possédait ainsi un gros ressort qui, se dépliant lentement, descendait seul, marche à marche, un escalier, un tuyau mystérieux où je ne sais quoi battait comme un cœur, et une tirelire où l'on voyait une main verdâtre s'avancer vers la pièce avec des précautions de voleur, puis la happer avec la hâte d'un avare.

Lorsque Martin inventoriait ce bizarre trésor, il ne pouvait s'empêcher de songer au grenier de Sérignay : à l'arbalète, au violon, au mannequin, au cheval-jupon. Il lui semblait avoir changé de siècle, de pays ; ou plutôt, tout et tous changeaient autour de lui : à qui se fier sinon à soi seul ? Ainsi fondait-il l'empire sur sa petite personne, en même temps qu'il la sentait fragile, instable, impatiente. L'orgueil et la peur l'habitaient tour à tour, chacun l'aidant à surmonter l'autre et tous deux s'alimentant de mensonge et d'indifférence. Parrain parlait peu : homme de son siècle, il n'utilisait guère qu'un langage fonctionnel, laissant aux spécialistes de la radio et de la télévision le soin d'apprendre, de réfléchir et de s'exprimer à sa place. Ils en usaient de moins en moins, d'ailleurs. Quand Martin lui réclamait « une histoire », il lui racontait de ces inventions brèves et cruelles que répandent les amuseurs professionnels et qui scandalisent les enfants. Quant à ses souvenirs, ils étaient militaires, sanglants, irracontables. Martin regrettait ceux de M. Lapresle et surtout les veillées de Châtillon. Parfois, l'odeur du cabinet de travail de Sérignay ou celle de la cheminée vendéenne le suffoquait ; il avait l'impression d'avoir trahi tout son monde, que nounou Perraut était morte elle aussi, que Zélie... Zélie, le vieux pont, la rivière... L'eau coulait-elle vraiment en ce moment ? et personne pour la regarder... Il appelait Zélie avec larmes ; Concepcion, la bonne espagnole, accourait.

— Missié m'a besoin ?

Non, non, Missié voulait pleurer tout seul, pleurer tranquille.

— Est-ce que mon parrain rentre dîner ?

— Non, Missié, pas ci soir encore.

Ce soir encore, Martin coucherait seul et, malgré le gardien de nuit qui patrouillait à travers la résidence, malgré les verrous les plus modernes d'Europe, il aurait peur. Au moindre craquement dans les ténèbres, il dirait d'une voix de cinéma : « Est-ce que ton revolver est bien chargé, mon vieux ? » pour *leur* faire croire qu'ils étaient deux, armés comme des shérifs. Ou encore, il se relèverait, mettrait en marche la télévision afin que tous ces gens noirs, gris et blancs lui tinssent compagnie ; et parrain,

Cendrillon infidèle rentrant après minuit, le trouverait endormi devant l'écran désert. Quelquefois, il éteignait le son pour ne garder que des silhouettes animées, des bonshommes auxquels il parlait tout haut, faute d'autres confidents. Car parrain était toujours dehors ; Concepcion ne comprenait rien et, lorsqu'elle ne pleurait pas de solitude, hurlait des complaintes sauvages ; et ses camarades d'école étaient tous de la race qu'on vient chercher dans de grandes voitures noires dès la fin du cours.

Malgré ses prétendues maladies, on avait, en effet, inscrit Martin dans une école très « moderne », sorte de laboratoire où s'appliquaient des méthodes qui n'avaient guère fait leurs preuves que dans les colloques, séminaires et *symposiums* des spécialistes. Le tableau noir de M. Thirolaix, ses pleins et ses déliés, les dictées, les récitations, tout ce fatras d'ancien régime se trouvait relégué au musée Grévin de l'Obscurantisme. Les résultats étaient étranges mais tout à fait insoupçonnables puisqu'on évitait d'attribuer des notes et des places aux élèves afin de ne susciter en eux aucun complexe. En revanche, les tests foisonnaient ; des psychologues décrétèrent que Martin était « un faux-gaucher contrarié », ce qui ne laissait pas de compromettre son avenir. Parrain en resta atterré ; Martin comprit seulement qu'il était *un cas* et en tira une fierté immodérée. Très attentif à ce jargon, Alain prenait garde de ne pas le « traumatiser », et l'autre en jouait avec une rouerie d'adulte sous une spontanéité d'enfant qu'il mimait avec art.

Dr Lapresle, entends-tu ? que fais-tu ?

C'était dimanche, le cinquième depuis la mort de M. Lapresle. Joseph avait été à la messe et au cimetière ; ayant épuisé ses rendez-vous avec les morts, il se rendait sans joie à celui des vivants :

— Finette, sers-moi donc... bah ! un petit blanc.

Elle s'arc-bouta des deux poings sur le guéridon poisseux ; ses bras formaient les épaisses colonnes d'un portique dont ses *poitrines* figuraient le fronton majestueux.

— Et sa grenadine, dit-elle très lentement, il ne l'aura jamais bue.

— Je pensais à lui, justement.

— Ça se voit.

« Justement... » C'était par pudeur qu'il avait prononcé ce mot, car ne pensait-il pas sans cesse à lui, à eux deux ? En pénétrant dans le cabinet du docteur ou dans la salle à manger pour y faire le triste ménage des gardiens de musée, il les voyait côte à côte ou face à face, leurs visages penchés, leurs nuques pareilles à l'hiver et à l'été, souriant, s'appliquant en sortant la langue. Ou lorsqu'il cultivait, dans ce jardin docile, des légumes que personne ne mangerait (car lui-même avait perdu l'appétit), il regardait soudain sur sa droite, persuadé de les voir s'avancer sous les tilleuls, le petit visage levé vers l'autre, la petite main si preste à s'échapper de la grande. Morts tous les deux, ou tous les deux vivants, ailleurs, inséparables, mais se taisant... Martin ne lui avait jamais écrit une seule de ces missives qu'il eût relue vingt fois : « Je vais bien, j'espère que tu vas bien... » On ne vendait guère de cartes postales sur la planète de parrain ! Joseph n'aurait pas été plus étonné d'en recevoir une de M. Lapresle lui donnant des nouvelles d'Angélina et de Madame. Il était semblable à un enfant qui joue à cache-cache et « s'y colle » ; il se retourne, les autres sont invisibles ; il les cherche et soudain, cœur battant, les appelle, car le jeu dure trop longtemps.

Il sait qu'eux le voient, lui ne les voit point et l'angoisse le saisit. Joseph à mi-chemin entre morts et vivants... Joseph mi-blanc mi-noir, avec ses cheveux et ses moustaches qu'il oublie de teindre — et plus personne pour lui dire : « Tu te laisses aller, mon vieux. Pas de ça ! »...

C'était dimanche, midi sonnait, un à un les hommes quittaient la salle du café vers la morne journée familiale que leur enviait Joseph. Même le bistrot-bouddha, qui était veuf, peuplait sa table et réchauffait son lit avec Finette ; mais Joseph avait eu tant de mal à prendre sa décision trente ans plus tôt, qu'il n'y aurait jamais de seconde Angélina. Les premiers soirs, il était venu dormir dans sa maison neuve, puisque c'était ainsi prévu depuis vingt ans. Il comptait bien que, si le fantôme du docteur lui rendait Sérignay insupportable, celui d'Angélina lui ferait sa maison du bourg plus accueillante. Mais celle-ci demeurait étrangère : il n'osait pas s'asseoir sur ces chaises vernies et craignait, en le pliant, de froisser le couvre-lit ; quand il prétendait les ouvrir, les portes de l'armoire croassaient — tout le chassait d'ici. Le troisième jour, il se réfugia à Sérignay, dans sa chambre du haut, comme un oiseau retrouve son nid à la cime d'un arbre mort.

Cette fois, la salle du café est déserte. Finette au grand cœur prend pitié de ce vieil orphelin.

— Monsieur Adrien, dit-elle à son maître (car elle conserve les usages, sinon les distances), Joseph pourrait bien manger un morceau avec nous ?

Bouddha acquiesce en abaissant les paupières ; que lui demander de plus ? Repas laborieux, sans un mot, excepté « Passe-moi voir la bouteille » ou « Reprenez-en, monsieur Joseph » — mais ce n'est guère de paroles que notre homme a besoin. Après un café brûlant « bien meilleur qu'au comptoir, vieux farceur ! », Joseph s'en retourne vers sa maison sans âme. Mais il se ravise en chemin, remonte vers Sérignay, ouvre toute grande la grille comme si on attendait, invisible ou non, quelque visiteur, et s'installe, dans le garage : « A nous deux, ma vieille ! »

Jusqu'à ce soir, jusqu'à ce que les grandes ombres descendent sur le jardin et que la nuit enveloppe son cœur, il va briquer la vieille voiture qui ne sert, qui ne servira plus jamais à personne.

Parvenue au sommet de l'escarpement, Agnès se retourne : à ses pieds, une plaine déjà torride où le soleil atterre les mas et les platanes. Ce beau temps après lequel elle a langui tout l'hiver, l'exténue. Elle rêve d'un orage rapace, d'une colère du vent qui saisirait les arbres aux cheveux, de longues pluies nocturnes.

Les lieux élevés confèrent une puissance illusoire : Agnès se sent soudain capable de se battre. Ce personnage entrevu dans le hall d'un hôtel et d'où vient tout le mal, elle a eu le temps de l'apprivoiser. Hôtel médiocre, fille aussi médiocre sans doute. Plus jeune qu'elle ? Mais combien d'hommes ne délaissent-ils pas leur épouse pour une femme plus âgée ! Allons, n'importe quelle défaite, n'importe quelle victoire, mais pas celle si stupide du temps ! Agnès vient enfin de conclure avec son âge ce traité d'alliance perpétuelle qui seul permet de vivre et que la plupart des femmes dénoncent dès la première flétrissure. Hier soir, elle a observé dans son miroir un cheveu blanc proche de sa tempe, le premier. Longuement observé cette place si pâle où serpente une veine bleue presque invisible, comme un ruisseau pris sous les glaces : longuement, cette grâce et cette fragilité *inséparables* ; puis, avec un étrange sourire, elle a arraché ce faux témoin qu'elle récuse. Ces huit derniers mois, elle l'eût accepté, mais il survient trop tard : au moment même où l'assiduité du jeune médecin-chef lui prouve qu'elle est toujours (ou de nouveau) capable de plaire ; où cette Marion a cessé de l'effrayer et où elle résiste à peine au violent désir d'appeler Marc à son bureau ; au moment même où sa devise est devenue : « Si je voulais... » Cela doit transparaître dans ses lettres : ce qu'il lui reste de « bonnes amies » s'y trompe et certaines lui parlent de « refaire sa vie » ; dès les premières lignes, à je ne sais quel faux apitoiement, elle reconnaît les *marieuses*.

Mais il est temps que le traitement s'achève : Agnès ne peut plus supporter les tables de la salle à manger surchargées de médicaments, la sieste sacrée, les conversations ou chacune parle de son corps comme d'un enfant qui lui donne bien du mal. La pensée qu'elle est en chemin de ressembler à ces femmes, toutes trop grosses ou trop maigres, lui fait horreur. Sortir, sortir de ce monde clos, de cette anesthésie où les hommes en blanc la tiennent depuis des mois !

Elle lève les yeux : tout au fond d'un désert de soleil, la mer scintille, vivante et libre, la mer...

Sur le bureau de parrain se trouve une pendule électrique ; d'un doigt impatient, Martin fait le tour du cadran : 1, 2, 3... neuf heures qu'il est seul à la maison ! Marc, qui consacre tous les dimanches à son fils, a promis à Marion une fin de semaine dans un manoir-hostellerie en forêt. Gentillesse ou légèreté, Alain n'a pas osé le prévenir que lui-même s'était engagé ce dimanche-là, et Concepcion, toute à sa joie d'avoir trouvé un amoureux, est partie avant le jour.

Hier soir, elle a fait jurer sur la Vierge à Martin qu'il n'en dirait rien à Missié, et elle lui a préparé plusieurs repas de sucreries.

Seul depuis son réveil ! et le premier geste de Martin a été d'allumer la radio puis la télévision afin de donner à son désert deux dimensions de plus. Il a suivi sur le petit écran un film qui s'appelait la Messe et qui, en effet, par instants, lui rappelait celle de Vendée. Au beau milieu de ces images, une tempête d'orgue a éclaté : comment les chutes du Niagara peuvent-elles tenir dans une caisse aussi étroite ? Et, de nouveau, Martin s'est trouvé submergé : comment un aussi petit corps peut-il produire autant de larmes ?

Le samedi de la première semaine, il a déclaré qu'il voulait, le lendemain, aller à la messe ; son parrain l'a dévisagé avec stupeur, puis a appelé S.V.P.

— Pourriez-vous m'indiquer la meilleure messe pour enfants ?

— Qu'est-ce que vous entendez exactement par là ?

— Eh bien... Une messe assez amusante, quoi !

Mais, ce matin, personne pour le conduire à la messe amusante : Concepcion manque la sienne pour la première fois depuis son exil ; le curé de son village l'avait prédit.

Longtemps après que l'orgue s'est tu, Martin pleure encore ; ainsi font les arbres après l'averse. A la radio, un amuseur va le consoler ; comme le disait M. Lapresle, qui détestait toutes ces machines : « Il faut bien qu'il y ait des imbéciles pour faire rire les idiots. »

Le temps semble long quand on n'a rien à faire, pas faim du tout, et qu'aucune grande personne ne vous presse. Martin est descendu se faire tremper par le tourniquet d'arrosage, lequel fait croire au gazon domestique qu'il pleut. Martin aussi, en fermant les yeux, a cru qu'il pleuvait : cela lui a rappelé grand-père et il a interrompu le jeu. Remonté chez lui, il a vidé la tirelire--gadget, uniquement pour contrarier la main verte qui s'affole et bat l'air en vain : 37 francs. Il a fait descendre à son gadget-ressort les trois étages : 18 minutes. Il a joué, dans le plus élevé des immeubles, à rendre fou l'ascenseur *à mémoire* en lui commandant vingt manœuvres contradictoires, mais n'est pas parvenu à le déconcerter. L'autre va longtemps continuer à monter, descendre, remonter aveuglément, tandis que Martin, devant la télévision, conduit un orchestre symphonique avec un macaroni qu'il a couru chercher à la cuisine. Quand le concert prend fin, il allume Hifi afin de pouvoir continuer ; mais elle n'est pas dans ses bons jours : elle ronfle, siffle, tonitrue, murmure, puis se tait définitivement ; Hifi a partie liée avec les grandes personnes. Le maestro lui tourne le dos, essaie de manger sa baguette, court la cracher par la fenêtre. De là, qu'aperçoit-il ? Un merle perché sur l'antenne de la télévision. « Ne bouge pas ! » Il se précipite pour voir si l'oiseau apparaît sur l'écran. Rien... mais on y annonce un film de cow-boys ; Martin court chercher sa carabine ainsi qu'une assiettée de gâteaux et revient s'accroupir à l'indienne sur le tapis, juste avant que la diligence soit attaquée.

Un peu après 10 heures du soir, Martin avait avalé deux grands films et plusieurs feuilletons ; il avait été assassin, victime et policier, héros et traître : il était saoul de violence, de baisers, de dialogue, hors de lui, parfaitement aliéné. Le personnage en forme de Martin (mais auquel ce dernier ne commandait plus guère) se traîna jusqu'à la fenêtre, pour respirer un peu d'air vrai. Il regarda d'un œil désenchanté ce paysage sans histoire qui n'était ni désert, ni palais, ni bas-fond, mais seulement de très vieux arbres et quelques fontaines. L'ombre aiguë d'un oiseau fila sur le sol ; un écureuil sauta d'une branche sur une autre. Martin saisit sa carabine, tira sur lui, le manqua grâce à Dieu et, plus vexé que honteux, envoya des plombs dans les feuilles, histoire d'atteindre quelque chose.

Il se sentait mal à son aise ; il partit s'allonger sur le lit de parrain avec l'espoir de s'y trouver moins seul, découvrit à portée de main la collection de *Lui* et la feuilleta : chaque numéro était rempli de femmes couleur de pain qu'on avait certainement déshabillées de force — mais pourquoi ? Ces images ne l'intéressaient pas du tout, et cependant il y revenait sans cesse et son cœur l'ébranlait à grands coups. Il pensait à tous ces gens qui s'embrassaient dans les films, aux amoureux de Nantes, à Zélie... Pourquoi, pourquoi l'avait-elle chassé ?

Il retourna aux images du magazine, sachant très bien qu'il faisait mal, puisqu'il ne pouvait supporter de songer à sa mère en les regardant. Il finit par prendre peur de ce cœur qui battait en lui, parfaitement étranger, comme la mécanique du gadget absurde que lui avait donné son parrain. Il alla chercher celui-ci et ne le lâcha plus : pam... pam... pam... pam... Cette nuit, c'était la seule chose *vivante* qui lui tînt compagnie.

Aimanté, fasciné, lorsqu'il retourna devant la télévision, l'écran montrait un ruisseau qui coulait : on distinguait chaque tourbillon et, dans le fond, les pierres tranquilles ; pour accompagner ces images, un chant d'oiseau.

— ZÉLIE !

Martin s'entendit hurler ce nom. Jamais il n'avait eu aussi mal, jamais ne s'était senti aussi seul. C'était leur ruisseau, et c'était sa voix : Zélie l'appelait, l'appelait au secours ; elle aussi pleurait, son cœur aussi battait à l'étouffer.

— Zélie !

« INTERLUDE » répondit l'écran, et le ruisseau coula de plus belle, et l'oiseau chanta.

Est-ce le shérif ou le détective, est-ce le Superman des bandes dessinées ? En tout cas, ce n'est pas Martin, huit ans, qui vient d'enfourner l'argent de la tirelire dans l'une des poches de sa grosse veste et la petite radio dans l'autre, qui claque la porte derrière lui et dégringole l'escalier sans savoir où ses pas le mènent.

Dans l'immeuble poreux, personne pour entendre sa voix ni reconnaître qu'elle est celle du désespoir.

— Zélie ! crie Martin l'abandonné. Zélie ! appelle-t-il en vain dans ce grand désert du dimanche, Zélie ! Zélie !

XI

CACHE-CACHE COURIR

C'était le premier soir où le printemps joue à l'été, où les grandes personnes qui, jusqu'alors, n'ont cessé de se plaindre du froid maugréent contre la chaleur. Elles dorment leur vie, et se retournent en dormant.

Martin gagna la route, puis l'abri devant lequel les autocars faisaient halte. Le dernier passa peu après ; il eut du mal à en escalader le marchepied.

— Châtillon, s'il vous plaît.

— 1,75, dit le chauffeur. (Il existe 27 villages portant ce nom, dont 3 dans l'Ile-de-France.) Tu es seul ? ajouta-t-il d'un ton soupçonneux avant d'oblitérer le ticket. Tes parents ?

— Je vais les rejoindre, répondit Martin tranquillement (à présent, il maîtrisait très bien ses mensonges). Et il sortit de sa poche un billet de 10 francs.

— Ah ! bon, fit l'autre, doublement rassuré.

« Leur montrer de l'argent et prétendre qu'on rejoint ses parents, décida Martin. J'aurais pensé que ça coûterait plus cher. Tiens, il doit connaître le neveu de nounou Perraut ; je vais lui... Non, ne rien demander. J'en ai pour une heure au moins : je vais m'installer tout au fond, là où on saute le plus. »

Une heure plus tard, il dormait profondément sur

276

la banquette arrière d'un autocar garé dans une remise obscure.

Vers 3 heures du matin, le chauffeur s'éveilla en sursaut et s'assit dans son lit.

— Nom de Dieu !

— Qu'est-ce qui te prend ? demanda sa femme. (Il faisait encore lourd et elle était aussi luisante que lui.)

— Mon gosse ! mon gosse qui devait descendre à Châtillon, je l'ai oublié.

Déjà il se levait, étendait la main vers son pantalon.

— Ecoute, dit sa femme, de deux choses l'une...

Ces quatre mots rendent tout raisonnement irréfutable, surtout lorsqu'on tombe de sommeil.

— Tu as raison, il a dû descendre sans que je le voie. Les mômes, ça se faufile comme des anguilles. Allez, bonne nuit.

Le lendemain matin, il fit cependant doubles enjambées vers le garage, vers sa voiture et la dernière banquette : « C'est bien ce que je disais... »

Dix minutes plus tôt, il aurait trouvé l'anguille au fond du filet ; à présent, elle déambulait en vêtements fripés dans cette agglomération inconnue, sans aucune angoisse : le matin, tout semble facile...

« C'est Nantes, se disait Martin qui ne connaissait guère d'autre ville, c'est forcément Nantes. Tiens ! (Il venait, sur un panneau, de lire MANTES-LA-JOLIE), ils se sont trompés de lettre. Et pourquoi « la jolie » ? » Cette faute d'orthographe le laissait perplexe : quand les grandes personnes se trompent, qui les corrige ?

Il retrouva, non sans peine, la station des autocars : puisqu'on était à Nantes, il ne doutait pas d'y rencontrer Triple-nuque au volant de sa voiture. Il dévisagea donc les chauffeurs, un par un, mais ne reconnut personne, pas même celui de la veille — ce qui eût épargné bien de la peine à la police.

Car, déjà, parrain affolé avait réveillé Marc, et Marc téléphoné au préfet en personne, qui lui avait promis de prendre lui-même l'affaire en main : on volait pas mal d'enfants riches, à l'époque.

Parrain annula tous ses rendez-vous, et l'esprit de commando l'habitait à ce point qu'il prit une arme sur lui avant de se mettre en route. En route vers où ? Il l'ignorait, mais il se sentait si coupable qu'il eût été bien soulagé que tout s'achevât, comme dans les films, par une belle bagarre dont il eût fait les frais. Cette locution, « comme dans les films », lui dictait sa conduite de même qu'à la plupart de nos contemporains. Malheureux détective qui, pour seuls indices, ne possédait qu'un téléviseur allumé, une tirelire vide, et un gros ressort abandonné sur la dernière marche d'un escalier... Il battit la forêt, fit le tour des cafés, des chapelles, des cinémas, interrogea tous les humains à sa portée. « Un petit garçon, dites-vous, de quel âge ? » De la main il indiquait une taille. « Et vêtu comment ? » Il s'apercevait alors qu'il ne savait à peu près rien de son filleul, n'avait rien observé de lui. « Est-ce que je l'aime seulement ? » Comme tous les cœurs honnêtes mais frustes, il mettait une sorte de point d'honneur à se vouloir coupable en tout. « Sa mère, elle, saurait le décrire. D'ailleurs, elle l'aurait déjà retrouvé. D'ailleurs, il ne l'eût pas quittée... »

Ce matin-là, Agnès l'appela de Cannes : elle rentrait le jeudi et, le soir même, passerait prendre le petit : « Mais quelle gratitude, cher Alain, et quel embarras cela a dû être pour vous ! » En effet... Il ne put supporter l'imposture où le contraignait cet entretien et répondit d'un tel ton qu'Agnès voulut en savoir davantage ; il dut feindre une coupure sur la ligne et raccrocha, transpirant de honte. Transpirant d'anxiété, Agnès abandonna ses pilules et ses fioles et prit l'avion pour Paris sur-le-champ, bien que ce fût l'heure de la sieste.

Martin, cependant, ayant renoncé à trouver le neveu de nounou Perraut, choisit n'importe quel autocar.

— Châtillon, s'il vous plaît.

— Ligne 12, départ dans sept minutes, devant le monument.

Il s'y rendit :

— Châtillon, s'il vous plaît. Je vais rejoindre mes...

— 2,20 francs.

— Vous me direz quand je...

— D'accord. Assieds-toi là.

Du paysage et des étapes le garçon ne reconnut rien ; les voyageurs étaient d'une tout autre race qu'en Vendée, et le chauffeur ne descendait jamais boire le coup.

— Châtillon. A toi, jeune homme !

C'était un faux village sans arbres, ni tuiles, ni clocher, que dominaient des dortoirs en béton hauts de quinze étages. Martin se sentait tellement vulnérable que, d'instinct, il évitait de respirer ; il découvrit enfin un tilleul assez large pour le cacher, se dissimula derrière son tronc et se mit à pleurer comme il pleut dans les films : trop et trop vite. Son visage effleura les feuilles nouveau-nées du tilleul et les trouva du même satin que les joues de sa mère, ce qui renouvela ses larmes.

Il résolut d'appeler Neuilly sur-le-champ ; c'était la première phrase qu'on lui avait fait réciter : « Je m'appelle Martin Lapresle, j'habite 32, boulevard d'Argenson à Neuilly, téléphone... » Mais d'où pouvait-on appeler lorsqu'on ne se trouvait pas chez quelqu'un ?

Sur la devanture d'un bistrot il lut : BAR-CAFE PMU-TELEPHONE. Ce « PMU-TELEPHONE » devait fonctionner à peu près comme l'autre ; il entra, sortit son argent, se laissa enfermer dans une cabine qui sentait l'haleine et la salive, et dont les quatre murs étaient couverts de chiffres et de prénoms. Il reconnut très bien la voix d'Albert, indifférente, puis conciliante, puis furieuse. De toute évidence, l'autre ne l'entendait pas crier : « Albert, mais c'est moi, c'est Martin ! » C'est que, même dressé sur l'extrême pointe de ses pieds, il ne parvenait pas à la hauteur du mode d'emploi : comment aurait-il su qu'il fallait « appuyer sur le bouton A dès que vous entendez votre correspondant ». Il raccrocha, désespéré ; ce mur de silence entre lui et le dernier des siens le laissait plus seul qu'auparavant. Mais n'était-ce pas un faux Albert comme ce village un faux Châtillon ?

Ce jeton qui, honnêtement, ironiquement, lui était retombé dans la main lorsqu'il avait raccroché, il n'osa pas le restituer au cafetier, crainte de rendre publique son infamante solitude.

Accoudé, soudé au comptoir, un gros homme dévorait un sandwich plus large que sa bouche ; cet engrenage de mandibules rappela à Martin qu'il n'avait rien avalé de consistant depuis l'avant-veille — ce qui, pour certains enfants, est le comble de la liberté.

— Est-ce que je pourrais manger la même chose que lui ?

— Un pâté, un, pour le jeune homme ! — Et comme boisson ?

— Une grenadine.

Cela lui avait porté bonheur avec le soldat américain ; il tentait sa chance de nouveau.

— Alors, monsieur Dédé, demanda le garçon avec

une familiarité obséquieuse, le tiercé d'hier a été bon ?

— Zéro, dit le mangeur de sandwich. Tu m'en remettras un : aux rillettes cette fois.

— Malheureux au jeu, heureux en amour, monsieur Dédé, reprit l'autre en clignant de l'œil vers le patron qui ne faisait qu'un avec son tiroir-caisse.

— Au jeu ? Mais ce n'en est pas un, mon garçon ! Je fais les choses scientifiquement, moi.

Martin, bouche bée, écoutait la manière de « se faire 5 à 6 sacs par dimanche — ça ne te dit rien ? » en écoutant la radio et en consultant trois journaux. Il n'y comprenait pas grand-chose mais, de confiance, éprouvait une admiration passionnée pour ce héros de l'époque.

— Vous m'en remettrez un : aux rillettes cette fois.

C'étaient les seules paroles qu'il eût exactement retenues. De nouveau il sortit une poignée d'argent de sa poche : comme le font les étrangers, il la tendait et laissait l'autre se servir.

— Et voilà, jeune homme.

Martin lécha le liséré de rillettes ; cette nourriture d'homme l'enchantait. L'autre mangeur se planta devant un miroir et y passa, d'un regard tout ensemble hostile et satisfait, l'inspection de son propre visage : le coin des yeux, la grotte de chaque oreille, les trous du nez, l'un puis l'autre... Quand il en fut aux dents, du doigt et de la langue il se les cura, scientifiquement.

« C'est un ogre », se dit Martin, terrifié. Il abandonna la moitié de son sandwich et son verre de grenadine et partit en courant. Il entendit vaguement « Et le service, jeune homme ? » mais, comme cela ne voulait rien dire, il ne s'arrêta pas.

Un vol de pigeons qui arrivait en sens inverse le

traversa sans égards. Martin s'immobilisa, ne fermant qu'un seul œil pour plus de sécurité, puis le danger passé, fit volte-face et les suivit. A Sérignay, il y avait deux couples de ramiers qui, chaque soir, traversaient lourdement le jardin pour abriter leurs plaintes dans les plus hauts arbres. Martin prit ceux-ci pour des messagers ; aux enfants perdus tout devient symbole. Leur vol le conduisit au bord d'un fleuve dont la vue acheva de l'apaiser. Il s'accouda au parapet comme au balcon d'un théâtre, indifférent à ce flot de voitures dans son dos, mais attentif à celui si lent des remorqueurs têtus et des péniches fainéantes. Parfois, deux d'entre elles, avant de se croiser, paraissaient se viser, aller à la rencontre l'une de l'autre, s'éviter au dernier moment. Ce tournoi paisible et majestueux fascinait Martin. Il observa que cette flottille se donnait rendez-vous à quelque distance de là (les pigeons l'y avaient précédé) contre une sorte de barrage : « J'irai tout à l'heure », se dit-il : il prenait ses distances avec cette journée ; la lenteur même du fleuve faisait couler son temps sans angoisse et le vent avait séché ses larmes. Dans le fond d'une péniche vide, un garçon de son âge faisait des huit à bicyclette ; un autre se faisait tirer en patins à roulettes par son chien. « Martin, Martin, c'est le bonheur !... » Cela le rendit triste de nouveau ; il songeait à Miarrou, à *Marchpountz*, et aussi à la petite sœur qu'il n'aurait jamais, il en était sûr à présent.

Comme il retournait en ville, il se trouva pris dans un allègre tourbillon de haut-parleurs, de banderoles, de prospectus volant au vent. Des vagues d'enfants refluaient d'un trottoir à l'autre, des grappes de visages s'encadraient aux fenêtres et devenaient regards ; tout le monde paraissait ivre d'événement. Un camion fendit la foule, hérissé de bras qui distribuaient de force des journaux à peine secs. Quatre diables sortirent d'une voiture bariolée, munirent chaque assistant d'un petit drapeau aux couleurs d'un apéritif ; tous les enfants, ravis, se virent affublés d'un bonnet de papier. Martin savait que sa mère lui aurait arraché aussitôt cette coiffure humiliante, mais il se sentait tout heureux d'être enfin pareil aux autres.

Il aperçut une voiture rouge qui tentait en vain d'échapper au carnaval. « On dirait la Triomphe de parrain », se dit-il. C'était elle.

Renonçant aux déductions et aux interrogatoires, Alain patrouillait au hasard dans un rayon de cinquante kilomètres, se fiant à sa *baraka* et à son œil de tireur d'élite. Il se faisait fort de découvrir Martin au milieu de n'importe quelle foule, mais pas d'une chienlit ! Le drapeau et le bonnet de papier sauvèrent Martin ou le perdirent : l'empêchèrent d'être reconnu.

Après une heure de gueulantes publicitaires, d'accordéon, de sifflets d'agents, de gifles de mères, des « officiels » survinrent et s'affairèrent avec une gravité d'anciens combattants ; un tir serré d'ordres et de contrordres s'échangea par-dessus la foule subjuguée ; enfin parut un peloton de coureurs aussi maigres que leur vélo et qui passèrent sans accorder un seul regard à tous ces gens qui criaient leurs noms au hasard. Cela dura le temps de photographier les héros ; l'assistance désenchantée commençait à se disperser ; il arriva encore quelques coureurs, besognant sur leur monture, bossus de désespoir et dont le corps entier semblait crier : « Attendez-moi ! » Puis la foule se démantela, laissant une chaussée souillée de petites bouteilles et de papiers de couleurs, et Martin redevint un enfant unique.

Cela ne lui pesa guère jusqu'à cette heure où la

journée vire de bord et où les solitaires, s'ils ne s'étourdissent pas de distractions, ressentent leur mystérieuse alliance avec l'inconnu et prennent peur.

Martin vit le soir tomber sur l'écluse dont il observait passionnément la manœuvre sans en saisir l'utilité. Il se demandait seulement de quelle manière il pourrait reconstituer ce jeu dans sa baignoire quand il en aurait retrouvé une. MYRIAM, une péniche remplie de sable blond, venait de s'encastrer dans le bassin ; le marinier sortait de sa cabine : c'était le général Dourakine. Enfin !... Chez les commerçants de Châtillon, Martin avait retrouvé chacune des « Sept-Familles », mais nulle part il n'avait rencontré les personnages de la comtesse de Ségur ; et voici que le premier de tous, avec son gros ventre, ses jambes courtes, ses petits yeux plissés et ses moustaches-favoris, s'avançait vers le bureau de l'éclusier. Lui parler à tout prix, entendre son fameux accent, tenter de le mettre en colère...

— C'est quel fleuve, monsieur ?

— La Seine, pardi ! Alors, tu ne connais même pas ta rivière ?

« En tout cas, je connais l'accent russe », se dit Martin sans se douter que l'autre, était de Toulouse. La Seine ? Mais... mais elle coulait vers Paris ! Et le flot qu'il avait suivi du regard au début de l'après-midi, qui sait s'il n'avait pas depuis longtemps atteint Neuilly ?

Tandis que le général Dourakine réglait ses affaires avec l'éclusier, Martin se glissa à bord, se creusa un nid secret dans le sable sec et plaça près de lui ses deux compagnons : le cœur qui battait au fond du gadget et le minuscule récepteur de radio ; ce rythme angoissant, cette musique de jazz lui servirent de berceuse.

La matinée mûrissait déjà quand le marinier, ayant confié la barre à son mécanicien et nettoyant les abords de la soute, découvrit son passager clandestin. La musique fidèle avait suffi à l'attirer, pas à réveiller Martin.

— Qu'est-ce que tu fabriques là, toi ?

Malgré l'accent, ce ne devait pas être le vrai Dourakine puisqu'il ne se mit pas en colère.

— Je dormais.

— Ça, je le vois bien. Mais où prétends-tu aller comme ça ?

— A Paris. Je vais rejoindre mes...

— Tiens donc ! Tu lui tournes le dos, à Paris !

— Mais tous les fleuves partent de Paris, hasarda faiblement Martin.

— Tu dois confondre avec les chemins de fer.

C'était vrai : il prenait la carte bleue pour la rouge, sa voisine sur le mur de l'école à Châtillon ; il confondait les veines et les artères.

— La Seine, on y circule dans les deux sens, figure-toi. Moi, je monte sur Rouen ; mais quand nous nous serons rendus à Vernon, dans deux petites heures, je te remettrai sur le bon chemin. Viens dans la cabine en attendant. Hé ! N'oublie pas tes boîtes à musique... La main, hop-là !

Depuis la Perrautière, Martin n'avait rien vu d'aussi approprié à un enfant que cette cabine ; tout y était à sa mesure, sinon à son goût, car le linoléum luisant et les fleurs en plastique semblaient provenir de la maison de Joseph. Joseph... Une ombre passa sur le visage rond.

— Allons, dit le marinier qui l'observait, ne sois pas triste : tu les retrouveras, tes parents.

Martin s'avisa que, depuis quelque temps, lorsqu'il s'attristait ce n'était justement plus à cause de ses parents.

Il explora la seconde pièce qui ne prenait jour que par des hublots : deux couchettes et une cuisine de poupée où s'affairait le mécanicien, grand homme taciturne qui n'y circulait que la tête basse, comme un bœuf. Martin chercha en vain à quel personnage né Rostopchine il pouvait ressembler.

— Tiens bon le gouvernail, mon garçon, lui proposa le général.

Cette roue plus haute que lui, Martin la saisit respectueusement comme si Dieu lui avait confié le globe terrestre. « Il suffirait que j'éternue... » Il voyait déjà la péniche s'écraser contre la pile d'un pont ou s'échouant dans l'un de ces prés où des vaches, aussi lentes qu'elle, la suivaient d'un regard morne. Peu à peu, le cornac s'enhardit : il tournait la roue par ici ou par là, sans raison, afin de voir si le gros éléphant allait obéir et jusqu'où l'on pouvait, telles les grandes personnes, le manœuvrer impunément. « Au lieu de sable, on emporterait des provisions plein la cave, rêvait-il, et on ferait le tour du monde. Quand je serai grand... » Il se fit expliquer le mécanisme et l'utilité des écluses et ne les comprit pas davantage ; M. Thirolaix aurait fait un dessin.

On se saluait d'une péniche à l'autre ; on mettait un quart d'heure à se dépasser. Certaines, à force de fret, étaient enfoncées dans l'eau jusqu'aux moustaches ; mais celles qu'on venait de délester vous croisaient avec la hauteur et la fébrilité des têtes vides. Le trafic s'accrut ; des maisons, des usines apparurent sur les rives et, tout d'un coup, au détour d'un méandre, plus de fleuve mais un long barrage et des péniches qui, deux à deux, faisaient la queue devant l'écluse.

— Arsène, commanda Dourakine, tu vas veiller au grain. Dis au revoir au garçon, je monte m'occuper de lui. Allons, viens, toi !

— Où ça ?

— A la police, bien sûr. Là, là, là, qu'est-ce que je peux faire d'autre, mon bonhomme ? Viens ici que je te mouche.

Son mouchoir à carreaux, du même dessin que les rideaux de la cabine, sentait le tabac ; sa main était parsemée de roux comme celles de M. Lapresle ; cela rendit courage à Martin.

Au-dessus des mots COMMISSARIAT DE POLICE, le drapeau s'était enroulé trois fois autour de sa hampe : rouge et blanc, il paraissait l'emblème d'un pays étranger. On monta un étage ; on demanda si M. le Com...

— Asseyez-vous là et attendez, commanda le garçon d'étage sans leur accorder un regard.

Il tamponnait de violet une pile de papiers ; quand il eut achevé, il les jeta tous à la corbeille.

— C'est pour quoi ?

— J'aurais voulu parler à M. le Commissaire à propos de ce...

— Restez là, je vais voir.

— Je voudrais faire pipi, dit Martin très haut.

— Ah ! fit le garçon d'étage avec intérêt, car ce problème-ci du moins relevait de sa compétence. Ecoute-moi bien...

Il ôta ses lunettes afin de mieux s'expliquer ; Martin, docile, répétait les derniers mots de chacune de ses phrases : « ... escalier... droite... en fer... »

— Remonte vite, je t'attends, dit le général.

Martin descendit l'escalier, prit le corridor à droite, ouvrit la porte en fer et, délaissant les cabinets qu'un aveugle aurait su trouver à leur odeur, poursuivit jusqu'à une seconde porte qu'il poussa, se trouva dans la rue, détala.

Agnès débarque à Orly et, de la première cabine qu'elle aperçoit, téléphone à Alain Devillars. Conception, qui se sent coupable elle aussi, répond dans son sabir que Missié il est parti et le petit Missié pareil comme lui. « Oh non, pas ensemble ! » Et elle fond en larmes. Dans l'étroite cabine, Agnès croit s'évanouir ; elle appelle Neuilly, personne ; compose le numéro du bureau : M. le Président est en conférence. Elle abandonne ses bagages entre le tapis roulant et la douane, et se fait conduire en taxi au siège de Fontaine & Cie où son irruption provoque des remous.

— C'est de la part de qui ? demande la nouvelle secrétaire.

— Mme Lapresle-Fontaine.

— Oh ! pardon.

— Dites à mon mari que j'ai absolument besoin de lui parler tout de suite.

Marc franchit en tempête la double porte capitonnée qui sépare de la vie tous les dirigeants.

— Agnès !

Il n'a pu s'empêcher de lui tendre les bras ; la secrétaire s'éclipse.

— Martin ?

Marc fait le point très calmement ; quoi qu'il énonce, ses sourcils froncés, ce grand front, et son geste pour dire « trois hypothèses » rassurent Agnès et la soulagent : de nouveau, elle peut s'en remettre à quelqu'un.

— En tout cas, aucun, strictement au-cun accident d'enfant n'est survenu depuis cette nuit. Le préfet est en liaison avec tous les hôpitaux. (Agnès éclate en sanglots ; il se retient de la prendre dans ses bras.) J'ai appelé à tout hasard Sérignay et Châtillon : est-ce qu'on sait ce qui passe par la tête d'un enfant ? Il a de l'argent sur lui, pas mal d'argent que vous lui avez donné, et moi aussi ; le préfet ne m'a pas caché que cela compliquait les choses... Connaît-il votre adresse ? demande Marc subitement.

— Il m'a écrit une fois, une seule.

Marc entrouvre la porte :

— Mademoiselle, appelez-moi Cannes en priorité...

— Le 93.27.63.32, dit Agnès.

— Alain patrouille en voiture la moitié nord de l'Ile-de-France ; je me suis permis d'envoyer Albert explorer l'autre avec la D.S.

— Et s'il était revenu à Neuilly ?

— J'ai prévenu Maria et le commissaire. Ce n'est pas encore dans les journaux, Dieu merci !

— Mais pourquoi les journaux...

— Parce que... parce que nous sommes riches, parce que c'est le fils Fontaine.

— On l'aurait enlevé ? demande Agnès d'une voix blanche.

Marc détourne la tête.

— P. L. T. prétend que le divorce attire ces gens-là : ils peuvent demander une rançon de part et d'autre.

Le pire est parfois de songer à tout, d'avoir tout prévu et tout mis en branle ; c'est le supplice des puissants et des avisés. Le pire est de ne rien pouvoir faire *de plus*, lorsqu'on a perdu l'habitude d'attendre et celle de prier.

Il lui fallut bien s'arrêter lorsqu'il se trouva à bout de souffle. Martin s'assit sur un banc offert par le Touring-Club parce que la vue était belle, mais il ne regarda pas la vue. Il se sentait si désemparé qu'instinctivement, il se dédoublait afin de ne point sombrer : l'un des Martin observait le désarroi de l'autre et le plaignait comme un enfant console sa poupée.

Il respira une petite odeur aigre qui, bizarrement, le réconforta ; depuis quarante-huit heures, il ne s'était ni lavé ni déshabillé et cela se sentait. N'étaient-ils pas ses seuls vrais compagnons, ces habits que deux nuits hasardeuses avaient tout ridés ? Il avait fait alliance avec eux, avec ses chaussettes salpêtrées et même sa petite culotte souillée : ainsi équipé, il se croyait en sûreté ; c'est la naïveté des soldats.

Quand le feu fut éteint dans ses poumons étroits, il retrouva la crainte de n'avoir pas mis une distance suffisante entre le poste de police et lui, et il reprit sa course, le dos tourné au fleuve. Sur une place paisible, un camion à six roues s'était arrêté près d'une fontaine comme une gigantesque bête à l'abreuvoir. Au front, il portait son nom *Ma Titine*, et Martin se jura que, lorsqu'il serait grand, sa Triomphe s'appellerait « Ma Zélie ». Ce qu'entre ciel et terre il apercevait de la cabine du conducteur lui parut un nouveau paradis à sa dimension. Décidément, autant que les enfants, les grandes personnes adoraient les cabanes ; simplement, elles les baptisaient cabines. Le routier trouva Martin en contemplation, debout contre un pneu aussi haut que lui.

— Alors, l'engin te plaît, mon petit gars ?

« Mon petit gars », c'était ainsi que Joseph l'appelait ! Pareil à celui qui traverse un gué de pierre en pierre, Martin ne reprenait pied que lorsqu'il trouvait quelque vestige des temps heureux : une main qui ressemblait à celle de M. Lapresle, le décor de la maison de Joseph... Un marron d'Inde sur ce trottoir eût achevé de le rassurer.

« Mon petit gars... » Il leva la tête et vit un visage au nez tout écrasé qui ressemblait assez à l'avant de *Ma Titine*, mais dont les phares lui souriaient.

— Où allez-vous, monsieur, s'il vous plaît ?

— A Paris.

— Alors emmenez-moi, demanda Martin : je dois rejoindre mes parents.

— Tes parents ! Où habitent-ils ?

— A Neuilly.

— Et qu'est-ce que tu fais ici ?

— Je me suis trompé d'autocar. (A présent, il savait mentir en regardant droit dans les yeux.)

— Mais... d'où venais-tu ?

— De chez mon grand-père Lapresle.

Cette fois, il sentit qu'il outrepassait la frontière du sacrilège et il attendit que le ciel lui tombe sur la tête.

— C'est bien vrai, tout ça ? demanda le routier sans conviction.

Martin osa montrer le visage même de la Franchise indûment suspectée. L'autre secoua pourtant sa tête de boxeur :

— Non, fit-il avec une sorte de regret, c'est une trop grande responsabilité.

Il parlait à mi-voix, à lui-même, et ne quittait pas des yeux les toutes petites chaussures de Martin. Que lui rappelaient-elles ? Il poussa un soupir et passa sa main sur ses yeux, du geste dont on ferme ceux d'un mort.

— Une trop grande responsabilité, répéta-t-il. Excuse-moi, mon petit gars.

Il lui caressa rudement la tête d'une main arrondie comme s'il la façonnait. Personne n'avait refait ce geste depuis M. Lapresle, et Martin en eut les larmes aux yeux.

— Allons bon ! Et naturellement tu n'as pas de mouchoir.

Il sortit de sa poche le sien qui sentait le cambouis, soupira encore, puis s'éloigna rapidement.

« Bon, décida Martin, la police a donné mon signalement aux aéroports, aux gares et aux postes frontières. (C'était l'une des phrases clefs des feuilletons de police dont le petit écran le gavait.) Je vais partir à pied. » PARIS 57 KM, annonçait un panneau ; il enfonça ses mains dans ses poches et se mit en route.

« 57 kilomètres, qu'est-ce que c'est ? La Déesse tape le 140 facile ! » Cette fois, c'était l'une des formules favorites d'Albert. La comparaison aurait dû désoler Martin ; comme il ne savait pas calculer, elle lui rendit courage.

Quand le seul maître à bord de *Ma Titine* aperçut la petite silhouette qui cheminait, les pieds en dedans, il la reconnut aussitôt, ralentit, arrêta son monstre assez loin pour ne pas effrayer Martin et l'appela. L'autre aurait bien voulu accourir, mais ses jambes le lui refusèrent.

— Tu n'en as pas fait la vingtième partie. Allez, monte puisque, de toute façon...

Comme dans ses rêves (ou plutôt ses récits imaginaires), Martin passa d'un seul coup du pire à l'inespéré. Cette banquette aussi large que son lit, les rideaux froncés, les portraits épinglés, la musique à bord : il faillit s'endormir de bonheur. L'invention d'un camion-péniche amphibie où le volant se dressait pour devenir gouvernail le tint éveillé.

— Est-ce que tu sais voyager en métro ?

— Oui, répondit Martin à tout hasard.

Il finissait par croire qu'avec les adultes, il était plus profitable de dire le contraire de la vérité.

— Alors je t'expliquerai comment aller à Neuilly ; parce que moi, je dois rester porte de la Villette pour surveiller le transfert, et forcément...

— Forcément, dit Martin ; et il pensait : « Je n'irai pas à Neuilly : quand j'ai appelé, il n'y avait, là-

292

bas, qu'Albert et il était furieux. J'irai à la gare (il croyait qu'il n'en existait qu'une seule à Paris) et je demanderai un billet pour le vrai Châtillon. J'ai encore de l'argent. » Rien ne lui semblait plus urgent que de revoir Zélie et de faire la paix avec elle.

Il observait les bornes, regrettant qu'elles défilent aussi vite : il aurait bien aimé rouler longtemps en compagnie de ce gentil bouledogue. Pourtant, il se mit à bâiller ; à la septième reprise :

— Je vois que tu as aussi faim que moi, dit l'autre, on va casser une petite croûte à la sortie de Bonnières.

Un rassemblement de camions signalait le relais bien avant son enseigne. Martin descendit de sa forteresse, se planta devant le menu que tenait un cochon de bois découpé et se mit à ânonner tout haut : « Ser-viet-te-pain-à-dis-cré-tion-la-mai-son-n'est-pas-res-pon-sa-ble... »

La salle entière exhalait la même odeur que la marmite de nounou Perraut. Martin espérait assez qu'un cochon dressé, coiffé d'une toque blanche, viendrait prendre leur commande, mais ce fut seulement une autre Finette.

— Tiens, vous avez un fiston, aujourd'hui ?

Le ventre plein, ayant goûté le bon vin rouge des routiers, il regagna le camion d'un pas de somnambule, se fit hisser dans la cabine puis dans la couchette — tire les rideaux — et, cette fois, tomba endormi. Entre le ronflement puissant de son moteur et celui, si bénin, de son passager, le patron de *Ma Titine* se sentait parfaitement heureux. Sa félicité ne fut troublée que par un barrage de gendarmerie : « Qu'est-ce qu'ils cherchent encore ? » Quand, d'un coup d'œil, ils se furent assurés qu'il était seul à bord, les uniformes le laissèrent passer.

Marc est revenu dans la salle de réunions ; les figures se tournent vers lui avec une complaisance un peu servile — vers lui qui, depuis ce matin, n'a en tête qu'un petit visage rond auquel, malgré le préfet et ses rassurements, il ne peut s'empêcher de prêter une expression angoissée.

— De quoi parlait-on ? demande-t-il d'un ton las.

On s'entre-regarde ; comment le président peut-il avoir oublié ce problème des Z.U.M.C.P. qui renouvelant entièrement le régime de la loi de 64, remet en cause les programmes 17 à 26 ?

Le président s'en fout et se retient à grand-peine de le leur dire. Il voudrait changer de visages, y compris le sien ; il voudrait être un médecin de campagne ; ou même le dernier de ses propres employés qui, à midi et le soir, retrouve sa femme et son enfant. Il voudrait être un enfant lui-même afin de pouvoir pleurer tranquillement, et il y aurait encore quelqu'un au monde qui pourrait le consoler. S'il était un enfant, il croirait encore que le travail des grandes personnes est passionnant, qu'on peut faire ce qu'on veut lorsqu'on a beaucoup d'argent, et qu'un président est quelqu'un d'important.

— Reprenons, dit-il à voix basse.

Agnès s'étonna que sa main retrouvât d'instinct tous les gestes qui ouvraient la porte d'entrée à Neuilly : deux verrous et la serrure à double tour. Les domestiques allaient et venaient par l'accès de service ; la porte endormie résista un peu et l'odeur de maison morte suffoqua la revenante. Qu'y avait-il de changé cependant ? Plus de fleurs, mais surtout aucun désordre : Martin ne régnait plus ici.

Elle demeura un long temps sur le seuil, comme si elle attendait d'être introduite dans cette maison qui l'avait vue naître. Ce soir, Albert irait à Orly chercher ses bagages ; voyageuse aux mains vides, le cérémonial familier lui manquait : l'accueil aux bras levés, le « Quoi de neuf ? » et les valises qu'on défait. A quoi bon monter dans *notre* chambre ? Pénétrer dans celle de Martin eût été au-dessus de ses forces : ses larmes n'étaient que suspendues, à la merci d'un objet, d'une image ; depuis ce matin, elle se retenait d'imaginer comme de se souvenir.

Le salon, qui ressemblait à un musée aux heures de fermeture, elle le traversa sur la pointe des pieds, comme si ces meubles eussent été assoupis. Elle poussa la porte du bureau : l'odeur du tabac refroidi, contre laquelle l'air et le soleil luttaient depuis tant d'années, avait enfin remporté la victoire. La maison tout entière semblait attendre, retenant son haleine triste. Ces objets, ces tableaux, choisis ensemble, achetés un à un, étaient devenus un lot anonyme et formaient un logis de hasard. Le charme qui faisait que, certains matins, Agnès découvrait ce décor d'un œil naïf et que, certains soirs, Marc murmurait : « Que c'est joli chez nous ! », ce charme qui ne devait rien à la valeur des meubles ou des tapis (ni à la perfection de l'aménagement puisqu'un cordon rompu ou un accoudoir usé y ajoutait plutôt), avait disparu d'un coup. Agnès ressentait la petite angoisse et l'étrangeté du retour transi des vacances, mais définitives, irrémédiables.

Elle s'assit devant le téléphone : lui seul, ici, demeurait vivant : susceptible à tout instant de se réveiller. Elle eut l'intuition que Martin ne serait retrouvé sain et sauf que si Marc et elle prenaient *d'abord* la décision de lui rendre un foyer. C'était l'une de ces évidences du cœur qui font ricaner les esprits forts. Mais aussitôt : « Cela ne dépend pas de moi, se dit-elle, de lui seulement. Je ne puis faire le premier pas : cela fausserait tout. » Il lui semblait impossible que Marc n'eût pas eu la même révélation ; chaque minute perdue l'était donc de son fait. Quel soulagement... Mais pourquoi ne se sentait-elle pas tout à fait innocente ?

Le timbre du téléphone se mit à sonner avec stridence. Agnès, qui tremblait autant que lui, ferma les yeux, fit le vide en elle et, du fond de son silence, émit un appel désespéré qui était la seule prière dont elle fût capable ; puis elle décrocha.

— Allô, c'est monsieur Dubart ?

— Quel numéro demandez-vous ?

— Sablons 23-16.

— C'est une erreur, dit Agnès d'une voix altérée.

Le temps de raccrocher, elle eut la vision d'un monde où chacun était seul, appelait dans sa nuit, et ne lui répondait qu'un inconnu — un monde de malentendus dont la maxime était : « C'est une erreur. »

Martin descend les marches du métro en se répétant à mi-voix la formule que son protecteur vient de lui ressasser : « Direction Mairie d'Ivry, changer à Palais-Royal, Direction Pont de Neuilly. » Avant de le laisser partir, le routier l'a embrassé : c'étaient, depuis les adieux de nounou Perraut et les retrouvailles de Sérignay, les premiers poils qui lui piquaient les joues de nouveau. Parrain ne l'embrasse jamais. Parrain... Il songe à lui sans aucun remords mais avec la compassion amusée du joueur de cache-cache pour celui qui le cherche.

— Direction Marie d'Hiver, changer au Palais-Royal...

Il s'est engouffré de confiance dans cette bouche du métro qui n'a pas changé depuis l'Exposition universelle et la collection de *l'Illustration*. C'est seulement dans ces couloirs sans air que d'avares gouttes de lumière disputent à la pénombre, seulement dans ces catacombes que lui vient la pensée que c'est peut-être ici le rendez-vous des morts : que toutes les tombes communiquent par ces souterrains et que ces voyageurs taciturnes aux yeux fuyants, au visage gris, ne sont pas de la terre. Un instant, il dévisage chacun dans l'espoir de retrouver le Dr Lapresle.

— Descendre à la Marie Royale, prendre la porte d'Hiver, en direction de Neuilly...

Les morts observent sans sympathie ce petit garçon qui marmonne des paroles absurdes ; la sympathie ne fleurit guère dans le métro. Martin, lui, ne quitte plus du regard l'immense bouche d'ombre d'où va surgir il ne sait quoi. Il y distingue des étages de voies, de gros yeux rouges et verts, des constellations ; il entend s'y répercuter sans fin des tumultes — et finalement surgir un train très court et sans locomotive. Martin, déçu, choisit le dernier wagon : pareil aux péniches, ce train-là doit se conduire par l'arrière. Le visage collé contre l'ultime vitre, c'est Martin qui mène tout et, d'un regard, prescrit au convoi de ralentir, de souffler, de crier et de repartir en grinçant.

— La Marie d'Hiver... le Pont Royal...

Fatigué de conduire ce train, Martin enclenche mentalement le pilotage automatique et va s'asseoir près d'un homme aux cheveux gris qui lit, un peu moins vite que lui malheureusement, un journal de bandes dessinées. Le serpent souterrain avale et vomit ses victimes à chaque halte. A l'une d'elles, le reflux emporte Martin qui se retrouve sur un quai surpeuplé, puis désert, car d'autres bouches ont englouti la foule : hormis un clochard affalé et Martin, chacun sait où il va. Les affiches géantes et concaves le fascinent un moment, les distributeurs automatiques un peu plus longtemps ; il observe, il envie le chef de la station dans sa petite maison de verre remplie de téléphones : encore un métier passionnant ! Pauvre médecine... Il va monter dans la rame suivante et s'y frayer un chemin à hauteur de ventres, de cabas, de parapluies. Le voici acculé à une barre verticale où dix mains déjà se cramponnent, poilues, boudinées, ravinées. Une seule, lisse, longue, pâle, ressemble à celle de sa mère ; Martin avance ses lèvres contre cette main et lui parle.

Albert roule vers Orly. Il se dit que si son gosse à lui avait disparu... « Mais, penses-tu, ce sont toujours les mêmes ! »

Le chef de cabinet du préfet de police se fait rendre compte de l'enquête : à Mantes, on interroge un conducteur d'autocar ; à Rouen, un vieux batelier. Les gares, les cinémas, les foires n'ont rien donné ; les barrages routiers non plus.

Parrain remise sa Triumph ; il est fourbu, vaincu : il a son âge. Il gravit lentement l'escalier ; mais soudain relève la tête, monte quatre à quatre, « Bonjour. Concepcion ! Ne pleurez donc pas tout le temps ! », se précipite dans la chambre de Martin puis au téléphone.

— M. Lapresle, d'urgence... Allô, Marc... Non, rien ; mais j'ai une idée : je lui avais fait cadeau d'un petit appareil...

Et, tout d'un coup, Martin en eut assez de tous ces visages, ces pieds, ces derrières, de ce pâté de grandes personnes où il étouffait. Le troupeau sentit frémir dans ses profondeurs cet agneau devenu enragé et vit se précipiter hors du wagon et courir vers sortie un petit garçon qui criait presque :

298

— La mariée... le pont... le roi... Tant pis, tant pis !

Il émergea parmi des immeubles gris, vit deux agents, leur tourna vivement le dos et grimpa dans un autobus qu'un feu rouge avait immobilisé.

— Passons les places ! Jeune homme ?

— Châtillon, hasarda Martin l'obstiné.

— Châtelet ? Deux tickets.

Il sortit sa poignée de billets et de pièces ; la rambarde de la plate-forme s'arrêtait juste à la hauteur de son nez : il regardait Paris défiler, mais Paris ne voyait que ses yeux. Aux Halles, de grosses femmes assiégèrent l'autobus, les bras chargés de fleurs, et il ressembla à un joyeux corbillard.

— Châtelet, jeune homme !

Là ou ailleurs... Assis en rond sur une grille, des clochards barbus l'invitèrent à boire du vin rouge avec eux ; Martin changea de trottoir, entra non sans fierté dans une pissotière dont les parois étaient couvertes de graffiti obscènes. « Quels drôles d'animaux ! » En sortant, il déchiffra un kiosque à journaux tout habillé de couvertures en couleur qui montraient des femmes nues. L'une d'elles avait le sourire de sa mère, et le cœur de Martin s'arrêta de honte. « Je vais l'acheter pour le déchirer », décidat-il, mais il n'osa pas le faire. Les yeux remplis de larmes, il s'éloigna par une rue assez obscure où, devant chaque porte, se tenait une dame souriante et trop maquillée qui portait un sac gigantesque. Elles parlaient gentiment à tous les passants dont aucun ne leur répondait. « Ce sont des mal élevés », songea Martin. Mais pourquoi la plupart de ces dames ressemblaient-elles à Finette ? Les riches, les pauvres, les Finette... Le monde était vraiment peuplé de races faciles à reconnaître !

— Tu n'as donc pas de mouchoir, le gosse ? lui demanda la plus grosse. Viens par ici.

Martin s'approcha ; elle tira de son sac-valise un mouchoir qui empestait un parfum de samedi soir et le moucha maternellement. Comme elle se penchait, il vit s'agiter *ses poitrines* et songea aux couvertures des journaux.

— Va donc vers les arbres, lui dit-elle, il y a du bon air là-bas.

Il obéit ; une immense envie de pleurer montait en lui : la source était amorcée. Il pénétra dans un square et choisit un banc solitaire ; pour la première fois, il se demandait non plus ce qu'il allait faire, mais ce qu'il allait devenir. Le soir s'annonçait au frémissement des branches, à l'affairement des oiseaux ; tous les réverbères s'allumèrent d'un coup. Martin tira de sa poche gauche le cœur artificiel : Pam... pam... pam..., et le plaça contre le sien comme pour lui communiquer son calme ; puis, de sa poche droite, le minuscule récepteur de radio qu'il alluma et porta à son oreille, pareil à l'un de ces coquillages où l'on entend la mer.

Et soudain il poussa un cri, et son cœur à lui se mit à battre bien plus fort que l'autre ; car, à son oreille, la voix de son père lui parlait :

— Martin, mon chéri, reviens vite, sinon maman va retomber malade. Il y a déjà deux jours que tu es parti... Si tu m'entends, reviens tout de suite, Martin, je t'en supplie... — Nous venons de diffuser pour la seconde fois ce message d'urgence, enchaîna une autre voix. Ecoutez à présent...

— Papa ! cria Martin dans l'appareil comme si c'était un téléphone, papa, papa, écoute !

Deux jours... Maman malade... D'urgence... Ils avaient dit : d'urgence. Martin ferma les yeux et rappela désespérément à lui un souvenir vieux de plusieurs mois. « D'urgence... d'urgence... en cas d'urgence... » Le papier ! Il fouilla dans toutes ses poches et le retrouva fripé, maculé, devenu presque illisible : « MONSIEUR — en cas d'urgence : 127, rue des Granges. »

Il sortit du square en courant sur des jambes qui lui semblèrent ne plus lui appartenir ; au premier taxi d'une station, il tendit le papier par la vitre ouverte :

— Comment je peux y aller, s'il vous plaît ?

Le chauffeur était une femme.

— Difficile à expliquer ! Est-ce que tu connais la gare de Lyon ?... la place de la Nation ?... le...

— Je ne connais rien, dit Martin.

— Alors, monte près de moi. Tu n'as pas d'argent, naturellement ?

— Si, dit le garçon en sortant son trésor de guerre.

— Alors, monte derrière.

— Non, j'aime mieux rester à côté de vous.

Il ne voulait pas la quitter ; il lui semblait que, de femme en femme, il finirait bien par atteindre sa mère.

Pas de concierge ; lorsqu'il lui demanda où habitait M. Lapresle, une dame le renseigna, mais avec un sourire si détestable que Martin ne lui dit pas merci. Il monta, sonna ; la porte s'ouvrit presque aussitôt.

— Martin, fit la jeune femme d'une voix sourde, vous êtes bien Martin, n'est-ce pas ?

— Oui. Où est papa ?... Pourquoi vous pleurez ? demanda-t-il et, à bout de fatigue et de solitude, il se mit à pleurer lui-même.

— Il va venir. Pardonnez-moi.

C'était, depuis tant de mois, la seule grande personne qui lui dît vous, et pourtant il se sentait si proche d'elle qu'il lui prit la main. Elle saisit entre les siennes le visage de Martin et le regarda comme si lui seul possédait la réponse à une question qu'elle ne posait pas.

Ils continuaient de pleurer sans un mot, l'un en face de l'autre. Elle alluma très maladroitement une cigarette pour se donner une contenance, tenter en vain de se persuader qu'elle n'était pas, elle aussi, qu'une enfant ; mais, du premier coup d'œil, elle avait compris qu'ils étaient de la même race et que ce Martin, dont la ressemblance avec Marc lui rendait la présence à la fois déchirante et délicieuse, était son seul adversaire et déjà le vainqueur.

— Mon papa ? répéta Martin.

Elle abaissa ses paupières.

— Tout de suite.

Elle se leva, ouvrit son sac, en tira une carte de visite et composa un numéro sur le cadran du téléphone.

— Monsieur Devillars, s'il vous plaît.

— Mais... commença Martin.

D'un geste de tête, elle le rassura.

— Monsieur Devillars ? C'est Marion... Martin est ici... Je n'en sais rien... Je vous attends... Non, surtout pas ! Vous seul... Merci.

Puis elle reprit sa place, écrasa la cigarette inutile, retrouva la main de Martin et ils attendirent en silence. La veille, elle avait recherché cette église dont elle entendait, depuis tant d'années, les cloches voisines, et elle avait (en s'en cachant, car elle se sentait ridicule) allumé un cierge devant une statue qui représentait un homme portant un petit enfant. Depuis deux nuits, elle couchait sur un canapé, loin de Marc.

Lorsque Alain sonna, elle coupa court avec une autorité qu'elle-même ne se connaissait point.

— Je ne sais pas, je ne sais rien, il vous racontera. Ramenez-le à Marc et... dites-lui qu'il ne revienne plus ici.

— Mais...

— Qu'il ne m'appelle pas non plus ! Si je l'entends, s'il me parle, je ne pourrai pas... Je ne pourrai plus... Vous comprenez ? Et il comprendra, n'est-ce pas ?

— Marion !

— C'est parce que je l'aime, reprit-elle d'une voix très basse. Si je ne l'aimais pas, je... Oh ! Allez-vous-en maintenant, s'il vous plaît.

— Je reviendrai, dit Alain.

Il ne pensait alors qu'aux questions matérielles, aux bagages de Marc ; mais elle lui jeta un tel regard, docile, mendiant, qu'il songea à la même chose qu'elle ; il en éprouva de la honte, un court instant.

— Prenez ça, dit Martin.

Il tendit à la jeune femme le cœur qui battait dans sa poche depuis son départ ; il ne savait pas du tout pourquoi il lui faisait ce cadeau, et pas davantage pourquoi il lui baisa la main.

Lorsqu'ils furent assis dans la voiture :

— Martin, mon petit bonhomme, si tu savais... Mais pourquoi, pourquoi es-tu parti de chez moi ?

— Je m'ennuyais, dit Martin.

Alain crut toucher le fond de l'amertume : « Comment ! je m'empoisonne l'existence pour ce gosse, je le comble de cadeaux et de distractions, pour m'entendre dire à la fin, etc. » Ils n'échangèrent plus un mot jusqu'à Neuilly.

Agnès et Marc attendaient devant la grille : Martin ouvrit la portière tandis que la voiture roulait encore et se jeta dans les bras de sa mère qui l'emporta dans la maison en courant.

— Reste, dit Alain à voix basse en retenant son ami par l'épaule. Marion...

— Eh bien ?

— Marion demande que tu ne retournes plus chez elle.

— Pas ce soir, bien sûr.

— Plus jamais.

— Quoi ?

— Plus jamais. Elle dit que c'est parce qu'elle t'aime vraiment et que tu comprendras.

Il eut l'impression que Marc allait tomber en avant de tout son long, et il le retint à bras-le-corps :

— Mon vieux, mon vieux...

— Jamais je n'ai eu aussi mal, dit enfin Marc d'une voix d'enfant.

« Même quand ma mère est morte, songea-t-il, ah ! c'est ignoble ! » Ce jour-là, sa jeunesse avait sombré ; mais aujourd'hui, qu'est-ce qui mourait en lui si douloureusement ?

— Jamais plus, prononça-t-il deux fois, et Alain se demanda s'il parlait seulement de Marion.

— J'irai chercher tes affaires.

— Elle aura besoin d'argent.

— Je m'en occuperai.

— Tu es gentil.

Alain détourna la tête et s'éloigna très vite. Marc respira plusieurs fois profondément ; il sentait que la vie remontait en lui ; il se hâta vers la maison, vers la chambre de Martin.

— Chut, fit Agnès de plus loin, il dort.

— Il ne vous a rien raconté ?

— Je ne lui ai rien demandé. Il pleurait et riait à la fois.

Ils le regardèrent, puis se regardèrent en silence.

— Ma chérie, dit Marc, je vais appeler le préfet, et aussi le directeur de la Radio pour les remercier. Je... j'aurais voulu aussi... je voudrais tant pouvoir téléphoner à mon avocat... vous comprenez ?

304

— Mais, qu'y a-t-il de changé, Marc ?

— Tout. Nous sommes tous les trois, nous ne sommes plus que tous les trois, Agnès. (Et il redit encore :) Plus jamais...

— Appelez l'avocat, fit-elle d'un ton presque imperceptible.

— Quand nous nous sommes mariés, reprit Marc, vous avez prononcé si bas votre « oui » que le maire vous l'a fait répéter...

— Appelez l'avocat, dit Agnès d'une voix forte.

P. L. T. s'étira dans son fauteuil et fourragea dans sa chevelure afin d'en faire un désordre pensant. Cette nouvelle le réjouissait doublement : car si la perspective d'un tel procès le contrariait, elle enchantait son ennemie Me Vallier du Tour. Il décida de lui téléphoner sur-le-champ.

— ... Réconciliés, oui... Ah ! Cela ne nous regarde pas, ma chère !... Naturellement, la procédure n'a plus de raison d'être... Non, non, aucune formalité juridique ou presque ; je ferai le nécessaire... J'espère que cette nouvelle vous cause autant de plaisir qu'à moi-même. Notre mission est, avant tout, de conciliation et, chaque fois que nous pouvons...

Mais elle avait déjà raccroché.

« Pauvre Agnès, songeait-elle, vaincue d'avance malgré tout son argent ; et malgré son fils, le meilleur des gages !... Pour une fois qu'elle tenait la chance de n'être plus seulement la fille de quelqu'un, ou la femme de quelqu'un... »

Le portrait du bâtonnier, légèrement plus grand que nature, l'observait de haut avec une satisfaction narquoise. Elle se planta devant lui : « Abominablement ressemblant... » Lorsque cette mâchoire de jouisseur que camouflait une barbe si honorable, lorsque cette bedaine pour banquet radical-socialiste et ces grosses mains mille fois impures la répugnaient par trop, elle osait s'imaginer ce qu'il en restait dans le cercueil sur lequel tant de discours mensongers avaient été prononcés.

— J'ôterai ce tableau, décida-t-elle.

Mais elle savait déjà qu'elle n'en ferait rien : il lui servait d'enseigne pour clients naïfs et le mur, derrière lui, avait déteint ; elle savait déjà que ce portrait lui survivrait.

Agnès et Marc assis à la même table : depuis combien de mois n'est-ce pas arrivé ? Chacun l'a calculé mais s'est tu. Dès demain, le troisième couvert sera dressé entre les leurs, comme d'habitude : la petite assiette, la timbale... mais ce soir une invitée invisible les sépare encore.

— Quand je pense, dit Marc, pour peupler ce silence, à tout ce qui aurait pu arriver à Martin...

— Mais nous ne savons pas ce qu'il lui est arrivé.

— Rien de grave, en tout cas. Vous lui tirerez ses récits, bribe par bribe. Mais sûrement rien de grave depuis quarante-huit heures — et rien du tout depuis neuf mois. C'est très injuste, reprend-il, mais l'argent facilite bien des choses : si nous avions été pauvres, que de complications ! Et, pour lui, que de dangers !

— C'est vrai, dit Agnès en souriant : pas une maladie depuis septembre, aucun accident et même, je l'espère, aucun choc moral.

— Aucun ! c'est le privilège de leur âge : ils traversent tout sans comprendre, sans souffrir de rien, Dieu merci !

— Dieu merci, répète Agnès.

Dieu se tait.

Vers le milieu de la nuit, Martin s'éveilla : il reconnut presque aussitôt sa chambre, mais pas ses draps car il était resté à demi habillé. Il se leva, les sourcils froncés, marcha jusqu'à la chambre de ses parents, entrouvrit la porte et les aperçut dans le grand lit. Il se retira en riant sans bruit : ils étaient donc là tous les deux... Ils dormaient ; et lui veillait, rempli de secrets, de rencontres. « Je ne raconterai que ce que je voudrai », décida-t-il ; il se sentait très fort, capable de faire semblant, comme toutes les grandes personnes : il était devenu un *malin*, lui aussi, et il en riait tout seul.

Il ôta ses derniers vêtements qui sentaient l'aventure, chercha dans son armoire un pyjama et l'enfila. Le pantalon lui arrivait au-dessus des chevilles et les manches s'arrêtaient avant les poignets.

En fermant doucement la porte de l'armoire, il se vit dans la glace :

— Je savais bien que j'avais grandi, murmura-t-il.

Pourtant, il dut s'approcher tout contre le miroir et fixer longuement son image, car il ne reconnaissait pas tout à fait son visage, et ce visage-ci lui faisait un peu peur.

ADIEU DONC,
ENFANTS DE MON CŒUR !
Mai 1966

TABLES DES MATIERES

Littérature extrait du catalogue

Cette collection est d'abord marquée par sa diversité : classiques, grands romans contemporains ou même des livres d'auteurs réputés plus difficiles, comme Borges, Soupault, Goes. En fait, c'est tout le roman qui est proposé ici, Henri Troyat, Bernard Clavel, Guy des Cars, Alain Robbe-Grillet, mais aussi des écrivains tels que Moravia, Colleen McCullough ou Konsalik.

Les classiques tels que Stendhal, Maupassant, Flaubert, Zola, Balzac, etc. sont publiés en texte intégral au prix le plus bas de toute l'édition. Chaque volume est complété par un cahier photos illustrant la biographie de l'auteur.

BENZONI Juliette	*Un aussi long chemin* 1872/4★
	Le Gerfaut des Brumes :
	- Le Gerfaut 2206/6★
	- Un collier pour le diable 2207/6★
	- Le trésor 2208/5★
	- Haute-Savane 2209/5★
BEYALA Calixthe	*C'est le soleil qui m'a brûlée* 2512/2★
BINCHY Maeve	*Nos rêves de Castlebay* 2444/6★
BISIAUX M. & **JAJOLET** C.	*Chat plume* 2545/5★ (mars 89)
BOMSEL Marie-Claude	*Pas si bêtes* 2331/3★ illustré
BORGES & BIOY CASARES	*Nouveaux contes de Bustos Domecq* 1908/3★
BOURGEADE Pierre	*Le lac d'Orta* 2410/2★
BOVE Emmanuel	*Mes amis* 1973/3★
BRADFORD Sarah	*Grace* 2002/4★
BRISKIN Jacqueline	*La croisée des destins* 2146/6★
BROCHIER Jean-Jacques	*Odette Genonceau* 1111/1★
	Villa Marguerite 1556/2★
	Un cauchemar 2046/2★
	L'hallali 2541/2★ (mars 89)
BURON Nicole de	*Vas-y maman* 1031/2★
	Dix-jours-de-rêve 1481/3★
	Qui c'est, ce garçon ? 2043/3★
CALDWELL Erskine	*Le bâtard* 1757/2★
CARS Guy des	*La brute* 47/3★
	Le château de la juive 97/4★
	La tricheuse 125/3★
	L'impure 173/4★
	La corruptrice 229/3★
	La demoiselle d'Opéra 246/3★
	Les filles de joie 265/3★
	La dame du cirque 295/2★
	Cette étrange tendresse 303/3★
	L'officier sans nom 331/3★
	Les sept femmes 347/4★
	La maudite 361/3★
	L'habitude d'amour 376/3★
	La révoltée 492/4★
	Amour de ma vie 516/3★
	La vipère 615/4★
	L'entremetteuse 639/4★
	Une certaine dame 696/4★
	L'insolence de sa beauté 736/3★
	J'ose 858/2★
	La justicière 1163/2★
	La vie secrète de Dorothée Gindt 1236/2★
	La femme qui en savait trop 1293/2★

Littérature

DUMAS Alexandre	*La dame de Monsoreau* 1841/5★
	Le vicomte de Bragelonne 2298/4★ & 2299/4★
DUNNE Dominick	*Pour l'honneur des Grenville* 2365/4★
DYE Dale A.	*Platoon* 2201/3★
DZAGOYAN René	*Le système Aristote* 1817/4★
EGAN Robert & Louise	*La petite boutique des horreurs* 2202/3★ illustré
ETIENNE J.-L Dr & DUMONT E.	*Le marcheur du pôle* 2416/3★
EXBRAYAT Charles	*Ceux de la forêt* 2476/2★
FEUILLÈRE Edwige	*Moi, la Clairon* 1802/2★
FIELDING Joy	*Le dernier été de Joanne Hunter* 2586/5★ (mai 89)
FLAUBERT Gustave	*Madame Bovary* 103/3★
FOUCAULT Jean-Pierre & Léon	*Les éclats de rire* 2391/3★
FRANCK Dan	*Les Adieux* 2377/3★
FRANCOS Ania	*Sauve-toi, Lola !* 1678/4★
FRISON-ROCHE	*La peau de bison* 715/2★
	La vallée sans hommes 775/3★
	Carnets sahariens 866/3★
	Premier de cordée 936/3★
	La grande crevasse 951/3★
	Retour à la montagne 960/3★
	La piste oubliée 1054/3★
	Le rapt 1181/4★
	Djebel Amour 1225/4★
	Le versant du soleil 1451/4★ & 1452/4★
	L'esclave de Dieu 2236/6★
FYOT Pierre	*Les remparts du silence* 2417/3★
GEDGE Pauline	*La dame du Nil* 1223/3★ & 1224/3★
	Les Enfants du Soleil 2182/5★
GERBER Alain	*Une rumeur d'éléphant* 1948/5★
	Le plaisir des sens 2158/4★
	Les heureux jours de Monsieur Ghichka 2252/2★
	Les jours de vin et de roses 2412/2★
GOES Albrecht	*Jusqu'à l'aube* 1940/3★
GOISLARD Paul-Henry	*La maison de Sarah* 2583/5★ (mai 89)
GORBATCHEV Mikhaïl	*Perestroïka* 2408/4★
GOULD Heywood	*Cocktail* 2575/5★
GRAY Martin	*Le livre de la vie* 839/2★
	Les forces de la vie 840/2★
GRIMM Ariane	*Journal intime d'une jeune fille* 2440/3★
GROULT Flora	*Maxime ou la déchirure* 518/2★
	Un seul ennui, les jours raccourcissent 897/2★
	Ni tout à fait la même, ni tout à fait une autre
	1174/3★
	Une vie n'est pas assez 1450/3★
	Mémoires de moi 1567/2★

379

Impression Brodard et Taupin
à La Flèche (Sarthe) le 25 janvier 1989
6245A-5 Dépôt légal janvier 1989
ISBN 2-277-12379-X
1er dépôt légal dans la collection : août 1974
Imprimé en France
Editions J'ai lu
27, rue Cassette, 75006 Paris
diffusion France et étranger : Flammarion